Pardonnez-nous, Seigneur

Du même auteur

Autobiographie
Ensemble pour toujours, 2015

Romans
Adèle et Amélie, 1990
Les bouquets de noces, 1995
The Bridal Bouquets (*Les bouquets de noces*), 1995
Un purgatoire, 1996
Marie Mousseau, 1937-1957, 1997
Et Mathilde chantait, 1999
La maison des regrets, 2003
Par un si beau matin, 2005
La paroissienne, 2007
M. et Mme Jean-Baptiste Rouet, 2008
Quatre jours de pluie, 2010
Le jardin du docteur Des Oeillets, 2011
Les Délaissées, 2012
La Veuve du boulanger, 2014
Les Fautifs, 2016
Les Enfants de Mathias, 2017
La Maîtresse de l'horloger, 2019

La Trilogie
L'ermite, 1998
Pauline Pinchaud, servante, 2000
Le rejeton, 2001

Récits
Un journaliste à Hollywood, 1987 (épuisé)
Les parapluies du diable, 1993

Recueils de billets
Au fil des sentiments, vol. 1, 1985
Pour un peu d'espoir, vol. 2, 1986
Les chemins de la vie, vol. 3, 1989
Le partage du cœur, vol. 4, 1992
Au gré des émotions, vol. 5, 1998
Les sentiers du bonheur, vol. 6, 2003

En format poche (collection « 10 sur 10 »)
La paroissienne, 2010
Un purgatoire, 2010
Et Mathilde chantait, 2011
Les parapluies du diable, 2011
Marie Mousseau, 1937-1957, 2012
Par un si beau matin, 2012
Quatre jours de pluie, 2012
La Maison des regrets, 2013
L'ermite, 2016
*Pauline Pinchaud, servant*e, 2016
Le rejeton, 2016

DENIS MONETTE

Pardonnez-nous, Seigneur

roman

Les Éditions
LOGIQUES

Catalogage avant publication de Bibliothèque et Archives nationales du Québec et Bibliothèque et Archives Canada

Titre: Pardonnez-nous, Seigneur / Denis Monette.
Noms: Monette, Denis, auteur.
Identifiants: Canadiana 20200080512 | ISBN 9782896440498
Classification: LCC PS8576.O4546 P37 2020 | CDD C843/.54—dc23

Édition: François Godin
Révision et correction: Michèle Constantineau et Nicole Henri
Mise en pages: Chantal Boyer
Couverture: Gaston Dugas
Photo de l'auteur: collection personnelle de l'auteur

Remerciements
Nous remercions le Conseil des Arts du Canada et la Société de développement des entreprises culturelles du Québec (SODEC) du soutien accordé à notre programme de publication.
Gouvernement du Québec – Programme de crédit d'impôt pour l'édition de livres – gestion SODEC.

Les Éditions Logiques
Groupe Librex inc.
Une société de Québecor Média
4545, rue Frontenac
3ᵉ étage
Montréal (Québec) H2H 2R7
Tél.: 514 849-5259
www.editions-logiques.com

Dépôt légal – Bibliothèque et Archives nationales du Québec et Bibliothèque et Archives Canada, 2020

ISBN: 978-2-89644-049-8

Distribution au Canada
Messageries ADP inc.
2315, rue de la Province
Longueuil (Québec) J4G 1G4
Tél.: 450 640-1234
Sans frais: 1 800 771-3022
www.messageries-adp.com

Diffusion hors Canada
Interforum
Immeuble Paryseine
3, allée de la Seine
F-94854 Ivry-sur-Seine Cedex
Tél.: 33 (0)1 49 59 10 10
www.interforum.fr

À ma mère,
dans une humble prière.

Prologue

Un couple sur le déclin de leur vie ; elle, malade, le Parkinson encore léger, mais la canne pour ses déplacements, lui, le cœur, opéré pour quatre pontages huit ans plus tôt, il survit avec des pilules et des tuteurs qu'on lui installe quand l'angine refait surface. Leurs trois enfants ne vivent plus avec eux, ils ont quitté le toit familial depuis longtemps. Leur fils Marc, cinquante-six ans, leur fille, Renée, cinquante-quatre ans et la plus jeune, Sophie, quarante-sept ans, mènent leur vie chacun de leur côté depuis belle lurette. Jules et Francine ont aussi six petits-enfants devenus grands, qu'ils ne voient pas souvent.

— C'est ingrat des petits-enfants, tu ne trouves pas, Francine ? Après tout ce qu'on a fait pour eux…

— Oui, je sais, mais ils ont leur vie…

— Dont on fait partie, Francine ! Nous, à leur âge, souviens-toi, nous partagions la nôtre avec mon seul grand-père que nous allions visiter chaque semaine au centre qui l'hébergeait. Et ta grand-mère, celle qui avait encore son petit logement… Nous allions chez elle régulièrement, tu lui apportais des fleurs sauvages cueillies dans un champ pas loin de chez toi. Elle était si fière de les mettre dans un vase et de nous embrasser pour le geste. Nous n'avons même pas cela de nos petits-enfants. Faut dire que les cœurs de maintenant ne sont pas ceux d'antan. Non pas que ce ne sont pas de bons petits-enfants, mais pour la tendresse et la gratitude il va falloir se lever de bonne heure.

— L'important, c'est que nos enfants soient encore là pour nous. Marc appelle chaque soir pour prendre de nos nouvelles.

— Oui, cinq minutes au bout du fil avec moi, aucune question, juste une vérification. Mais avec toi ça peut durer trente minutes. On sait bien, sa mère, celui-là…

— Tu t'es levé du mauvais pied, ce matin, Jules ?

— Ça arrive. Il ne faut pas que je songe trop. Surtout quand la réalité m'assomme et brise mon humeur…

— Allons, calme-toi, ménage ton cœur, pense à ta pression et souviens-toi plutôt de nos jours plus difficiles alors que nous avions vingt ans, sans le sou, avec juste de l'amour à se donner l'un l'autre.

— C'était ça, le bonheur, Francine, juste de l'amour et de l'espoir. Nous souhaitions des enfants le plus tôt possible. Moi plus que toi qui venais d'une famille nombreuse. Et nous les avons eus, ces enfants.

— Moi, je me souviens de ce grand jour de mai, au pied de l'autel, alors que nous échangions nos vœux. Tu étais tellement beau, mais tu avais l'air si sérieux.

— Bien sûr, ce n'était pas une plaisanterie, le mariage. Je ne te l'ai jamais dit, mais la veille, j'ai failli reculer tellement j'étais mal à l'aise de rencontrer tous les invités. J'avais dit à ma mère : « Je ne devrais pas me marier demain, je suis anxieux, ça ne file pas, je tremble… » Et au lieu de compatir avec moi, elle m'avait répondu :

— Trop tard, mon gars, les cadeaux de noces sont tous arrivés !

Francine se permit un sourire pour lui rétorquer :

— Tu ne m'avais jamais dit cela. Pourquoi ? Avais-tu peur que je t'en veuille pour ce recul soudain ?

— Qui sait ? Peut-être que oui.

— Mais non, j'ai hésité moi aussi, mais pas la veille, deux semaines auparavant. Je craignais de faire un faux pas, tu n'étais pas assez mature. D'autres filles te faisaient de l'œil et tu ne les ignorais pas. J'avais peur qu'après…

— Oublions ces mauvais moments que nous ne nous sommes jamais avoués et passons plutôt aux joies de ce grand jour où tu étais si belle, si timide dans ta robe blanche, les yeux rivés sur le curé qui bénissait notre union. Francine Vadnet, la deuxième de la famille, qui prenait enfin mari pour se délivrer des autres enfants dont elle était la seconde mère.

— Je n'ai pas quitté le toit pour cela, Jules, je l'ai fait parce que je t'aimais. Parce que je t'aime encore…

Le vieil époux se pencha vers elle et, avec un sourire, tout en lui caressant la nuque, ajouta :

— Moi aussi, Francine, mais d'une autre manière, avec une affection profonde et non d'un amour que je ne t'ai pas avoué souvent. Toi non plus. D'ailleurs, nous n'étions pas portés sur les déclarations spontanées. De la réserve, de la timidité, je ne sais trop, mais tu te reprenais dans les cartes de souhaits que tu m'offrais. Pleines de mots d'amour, celles-là ! Et moi, m'arrivait-il de t'en faire l'aveu de temps à autre en soulignant, comme toi, des mots imprimés ? Il me semble que oui…

— Oui, lorsque tu te sentais en faute, que tu avais des remords, je ne sais trop de quoi… Comme pour te faire pardonner où tu étais sorti la veille quand tu me disais être allé au cinéma. Tu ne te souvenais pas du film que tu avais vu. Faut dire qu'avec un verre de trop dans le nez chaque fois… Et tu me croyais idiote, aller aux vues seul, alors que j'aurais pu t'accompagner.

— Ne reviens pas sur un parcours dont je ne me souviens plus, ce serait maladroit, nous sommes trop âgés pour ces détails saugrenus.

— Détails que je n'ai pas oubliés, Jules. Je suis rancunière, j'ai encore en mémoire la femme divorcée qui te courait après. Celle que tu trouvais si belle, celle qui te faisait penser à Jeanne Moreau dont tu aimais l'allure. Celle…

— Voyons, j'avais trente ans ! C'était une voisine à qui je n'avais jamais parlé ! Et puis, passons à autre chose si tu veux bien.

Francine n'alla pas plus loin et Jules effaça ces détails malencontreux de ses pensées, en lui disant :

— Te souviens-tu comme nous avions ri du cadeau de noces de ma tante Lisette ? Un poisson de plâtre sur une plaque de bois ! Tu n'as jamais voulu l'accrocher dans la maison et il a fini dans une vente aux enchères pour les œuvres de la paroisse.

— Oui, je m'en rappelle, répondit-elle avec un sourire, ta tante Lisette était radine. C'était notoire, tous ses cadeaux venaient de ceux qu'elle avait reçus ou gagnés au bingo. Elle les gardait pour les noces et les fêtes où elle était invitée. Ma sœur Nicole, pour son anniversaire, avait reçu de sa part un grille-pain usagé, il y avait encore des miettes au fond. Remarque que nous aurions pu hériter de sa planche à repasser !

Jules éclata de rire, se rapprocha de sa femme et répliqua :

— Ce qui nous aurait tout de même été utile. Mais revenons à ce beau 27 mai 1961, alors que nous étions au début de la vingtaine tous les deux, et qu'au sortir de l'église, après la photo de groupe et un petit lunch chez ma mère, ton cousin Gilles nous avait conduits jusqu'à une auberge de Saint-Donat, lieu pas lointain de notre voyage de noces. Ce n'était pas mangeable à cet endroit. La propriétaire cuisinait comme un pied ! Son pâté chinois était sec avec son blé d'Inde en boîte pas crémeux et réchauffé. On a sûrement perdu du poids...

— Sans doute, mais à soixante-cinq dollars la semaine pour deux, il ne fallait pas trop en demander. Nous étions seuls dans cette petite auberge, à part un vieux monsieur en convalescence. Nous étions là pour nous aimer, Jules, pour commencer une vie à deux. Et c'est tout juste si nous avions le montant exigé à lui remettre. Ma mère m'avait même glissé un dix piastres dans ma sacoche pour que je rapporte des souvenirs. Mais d'où ? Nous avions marché jusqu'au village afin de lui trouver un mouchoir de soie et acheter deux cendriers pour mon père et le tien, sans oublier le plateau à bonbons pour ta mère. Mais nous avions pu, au moins, être seuls, loin de la petite fête dans ta famille, loin du vacarme. Moi, encore timide devant les invités de ton côté, toi, de plus en plus à l'aise avec la bière et le vin. Tu avais passé une nuit blanche pour rien. Tu avais oublié que la boisson t'enlevait toute retenue et, par conséquent, toute anxiété. Ah ! comme tu étais jeune, mon cher mari ! Moi, plus soucieuse, plus sérieuse, je pensais à mes petits frères que je laissais aux bons soins de ma mère. Et ça me faisait de la peine, ils comptaient tellement sur moi pour leurs devoirs, leurs chemises propres. Moi, l'institutrice de la famille…

— Oui ! Pis, la servante aussi ! Tu faisais tout pour eux, c'en était déplorable. C'est toi qui les élevais, ces petits morveux ! Durant ce temps, ta mère en attendait un autre qui allait s'ajouter à ta pouponnière. Heureusement qu'il n'a pas survécu, celui-là. J'ai tout vu ça, tu sais, on s'est fréquentés pendant quatre ans avant de se marier.

— Ne dis pas « heureusement » pour le petit qui n'a pas survécu, Jules, il aurait mérité de vivre comme les autres. Moi, je ne regrette rien. Je les ai aimés, mes frères et sœurs, et mes parents me traitaient en adulte, j'avais des permissions…

— Quelles permissions ? Tu ne sortais jamais de la maison. Encore heureux que je t'aie entrevue pour t'inviter à prendre un soda au restaurant du coin. Personne dans la paroisse ne savait que tu existais…

— Toi, tu l'as su, et c'est ce qui m'a comblée. J'attendais que l'homme que j'aimerais m'offre son plus beau sourire.

— Revenons au jour de nos noces, si tu veux bien, ça fait presque cinquante-sept ans, Francine, t'en rends-tu compte ?

— Non, parce que je ne calcule jamais mes années de bonheur.

— Et les autres ?

— Je les ai effacées de ma mémoire.

— On ne dirait pas, avec tout ce que tu m'as sorti tantôt. Ne disais-tu pas être rancunière ?

— Qu'envers tes conquêtes, Jules. Envers celles qui te faisaient des avances, ce qui te plaisait. Une ou deux ont échappé à ma vigilance, mais non à mon intuition. Permets-moi de ne pas te les nommer.

— Bah, je ne m'en souviendrais même pas, il y en avait à l'école, d'autres sur ma rue un peu plus tard… Des sornettes que tout ça ! Je m'en souviens à peine.

— Oui, je sais, la mémoire est une faculté qui oublie. Surtout quand on se sert de ces petits trous ici et là, pour se faire croire qu'on ne se rappelle plus de rien. J'ai pourtant souvent pleuré… Je n'étais qu'à toi, moi…

— On sait bien, avec ton rôle de servante, tu ne sortais jamais de la maison ! Et puis, non ! Pas aujourd'hui de tels propos, je t'en prie. Pas à quelques jours d'un anniversaire de mariage que nos enfants vont souligner avec des cartes remplies de bons vœux.

— Et peut-être un petit cadeau pour les accompagner. Ils ont tellement le cœur sur la main…

— Qu'ils échappent de temps à autre. Une carte, ça ne coûte pas cher, un timbre encore moins. Je m'attendrais à plus de leur part. Tu te contentes d'un rien.

— C'est la pensée qui compte, Jules.

— Non, c'est la reconnaissance, Francine, et pour ça… J'aime mieux ne pas parler.

— Il pleuvait le jour de notre mariage, n'est-ce pas ?

— Non… c'était plutôt ensoleillé.

— Non, il pleuvait, Jules. Et à torrents. Dans mon cœur, du moins.

— Pourquoi ? Tu étais triste ?

— C'est comme si j'appréhendais la suite, le lendemain et les jours suivants, alors que voile et robe de mariée accrochés sur un cintre, tu allais me regarder d'une autre manière. Tu étais si esthète... Je savais qu'on allait être bien ensemble, mais heureux ? J'avais des doutes. Je connaissais les garçons, j'en avais trente dans ma classe lorsque j'enseignais et je venais d'en élever deux chez ma mère.

— J'étais loin d'être comme eux, j'étais plus instruit, bien parti dans la vie.

— Ce qui reste à voir, mes frères faisaient plus d'argent que toi dans des métiers secondaires. Toi, petit fonctionnaire...

— À ce moment-là, mais après ?

— Pas beaucoup plus grand... Fonctionnaire au même poste ou presque toute ta vie.

— As-tu manqué de quoi que ce soit, Francine ? J'ai quand même acheté une maison.

— Avec nos deux salaires réunis, Jules. Ce que je veux dire, c'est que l'ambition n'était pas ton fort, tu ne tentais pas d'obtenir un poste plus élevé, tu fuyais les promotions, tu étais collé sur ta chaise de précepteur, tu ne bougeais pas de là.

— Et toi, tu es devenue directrice d'école, je suppose ?

— Non, parce que je suis devenue mère, Jules. Trois fois ! Autrement...

— Dans mon cas, ce n'est pas ma faute si j'ai fait patate avec la biscuiterie que mon père m'avait achetée. Je n'étais pas à ma place, je n'aimais pas la vente au détail. Surtout les biscuits ! J'avais honte du titre que je portais. J'ai préféré fermer que de moisir dans les Whippets et les biscuits Village…

— Tu y gagnais bien ta vie, Jules. Tu avais une bonne clientèle et tu n'as pas hésité à fermer les portes de ton commerce. Tu aurais pu vendre, non ? Pas même homme d'affaires. Tu voulais la chemise blanche et la cravate. C'est ton père qui avait réussi à s'en départir, mais à perte évidemment.

— Qu'en sais-tu ? Tu étais à peine dans ma vie, j'étais un adolescent…

— Mon cousin Gilles me parlait de toi, il avait fini sa neuvième année à la même école que toi. Deux semaines plus tard, tu m'invitais au cinéma, mais pas n'importe lequel, le plus gros et le plus cher de la rue Sainte-Catherine. Dans une loge en plus, à 1,75 $ le prix d'entrée ! Alors que celui du quartier aurait fait l'affaire. Tu voulais m'impressionner avec, dans tes poches, à peine de quoi payer les deux billets. Il en a toujours été ainsi par la suite. Surtout avec les autres…

— Quels autres ?

— Ne me fais pas préciser, tu sais ce que je veux dire. Pas « quels » autres, Jules, « quelles » autres ! Des blondes de préférence, alors que j'étais brune. Des filles maquillées à outrance !

— Tu crois que c'est le moment pour me dire tout ça, Francine ? Nous parlions du beau jour de notre mariage en regardant une des jolies photos à l'église.

— Oui, mais il y a eu des filles avant et après ce jour-là, Jules. Des mois, des années. J'ai laissé le temps les effacer…

— Oui, avec rancune et sans succès, à ce que je vois.

Sur ces mots, Jules se retira dans le boudoir et, restée seule, Francine s'en voulait d'avoir gâché ce tête-à-tête.

S'emparant de son mouchoir, elle pleura doucement. Son mari sortait à peine de l'hôpital où on l'avait encore opéré pour des artères bloquées et, affaibli par ces reproches, il avait senti son anxiété surgir pour le conduire jusqu'à son fauteuil gris où, affaissé, il tentait de retrouver son souffle à travers son angine.

Il se souvenait de son jeune temps où, habitant un logement de la rue Jeanne-Mance, Francine avait eu leur premier enfant. Puis, dans un autre logis plus grand, sur la rue Louisbourg, où leur deuxième enfant était né. Enfin, avec leurs économies réunies, ils avaient pu acheter leur joli bungalow à Laval, sur le boulevard des Prairies, où la benjamine de leur famille avait vu le jour. Une maison que Jules Drouais avait rénovée de ses mains pour qu'elle plaise à Francine, et qu'ils avaient habitée tout au long de ces années pour y être encore à leur âge avancé. Jules n'avait jamais voulu vendre, malgré plusieurs offres reçues, et Francine, qui avait enseigné dans les écoles avoisinantes, s'y sentait également très attachée. Elle avait vu les centres d'achats surgir un peu partout et, comme elle conduisait la voiture de son mari, s'y rendait les fins de semaine, sans lui, pour faire du lèche-vitrines et revenir avec quelques emplettes. Dès sa retraite d'institutrice arrivée, elle utilisa une partie de ses économies pour acquérir une voiture bien à elle, une Mazda beige achetée chez le concessionnaire de Laval. Ce qui permit à Jules de garder la sienne pour lui, encore au travail pour une ou deux années avant sa soixantaine. Libéré du boulot à son tour, il avait conclu avec sa femme de vendre sa vieille Ford et de ne conserver que la Mazda dont il couvrirait les frais chaque année. En lui disant un soir :

— Je ne suis pas sorteux, tu le sais, et quand nous aurons à nous rendre chez les enfants, ce sera ensemble, donc dans ta voiture que l'un de nous deux conduira. Pour les courses hebdomadaires, j'irai parfois avec toi pour sortir un peu, ou je t'attendrai à la maison pour rentrer les sacs d'épicerie. Tu verras, Francine, nous aurons une belle vieillesse ensemble.

— Tu devrais plutôt dire une belle retraite. Nous sommes encore trop jeunes tous les deux pour parler de vieillesse.

— Oui, mais ça passe si vite, on n'a pas le temps de compter les années que…

— Arrête ! Ça me déprime, ce sujet-là ! À chaque jour suffit sa peine ! Je préfère me pencher sur le passé que d'imaginer ce que nous réservent les prochaines années.

— Ouais…

Il n'avait rien répliqué, se contentant de mettre leur chat Tutti dehors. Depuis le temps qu'avec patience le pauvre animal rôdait autour de la porte. Puis, écrasé dans son fauteuil préféré avec le journal du matin entre les mains, il fit mine de lire sans toutefois le faire et, les yeux mi-clos, il revoyait avec un petit remords par-ci par-là ces années que sa femme avait tant aimées. Dans sa tête aux cheveux blancs, il revisitait sa courte aventure avec une patineuse de fantaisie, membre des Ice Capades, qu'il avait réussi à séduire et à rendre amoureuse de lui, alors que Francine allait accoucher de leur premier enfant. Une jolie blonde de vingt ans, de son âge ou presque, prénommée Monique, voisine d'un partenaire de quilles, qu'il avait invitée au cinéma en se gardant bien de lui avouer qu'il était marié. À son propre insu, sans l'avoir cherché, il était tombé amoureux d'elle aussi. Leurs baisers faisaient foi de leur intérêt l'un pour l'autre, et ce, jusqu'au jour où le complice avouait à sa voisine que Jules était marié et dans l'attente de son premier enfant. Choquée et peinée à la fois, la patineuse lui écrivit pour lui dire que c'était fini entre eux. Sans pour autant le matraquer, en restant digne et bien élevée. Sans le qualifier de menteur ou de goujat, en lui disant juste qu'elle avait appris la vérité sur lui et que son avenir n'allait pas se bâtir avec un homme marié. C'est cette décence à son endroit qui fit le plus mal à Jules. Plus que si elle l'avait giflé ou traité d'hypocrite, de salaud, de… Non, elle avait préféré rompre sans éclats et, défait parce qu'il l'aimait, Jules n'insista pas, mais mit un certain temps à la sortir de son cœur, bref, à l'oublier ou presque.

Il se souvenait aussi de Suzanne, alors qu'il avait trente ans, une jolie brunette, caissière au restaurant où les fonctionnaires allaient dîner. Séparée depuis peu de son conjoint, sans enfants, il était évident que Suzanne cherchait à remeubler sa vie. Et peu lui importait si le prétendant était marié, pourvu que ce soit discret. Il tomba dans le piège, mais ne fit pas long feu avec cette trop ardente compagne. Sentant que ça devenait sérieux de la part de la jeune femme, peu amoureux d'elle, encore ancré dans le souvenir de Monique, il rompit avec elle avant que leurs fréquentations deviennent conséquentes. Et il avait eu le culot de lui avouer que la relation n'était qu'à sens unique, qu'il n'éprouvait pas pour elle ce qu'elle ressentait pour lui… Humiliée, elle l'avait traité de tous les noms, mais n'avait pas failli à leur pacte de discrétion. Elle ne chercha pas à se venger, loin de là, et elle ne mit pas grand temps pour le remplacer. Suzanne, plus que jolie, avait le charme voulu pour faire tomber un autre «joli moineau» dans son nid.

Le fonctionnaire, plus sage en prenant de l'âge, n'eut qu'un troisième coup de foudre. La sœur de son meilleur ami au travail, une secrétaire juridique de vingt-six ans, alors qu'il en avait presque cinquante. Dorothée, plus ou moins jolie, avait conquis le cœur de Jules par sa gentillesse extrême. Raffinée, instruite, amante de grande musique, elle lui fit vite oublier les succès américains en l'entraînant à l'opéra voir *La Traviata*. Avec elle, il découvrait une vie nouvelle, un autre univers, mais l'idylle n'alla pas loin. L'ami en question, voulant prévenir sa sœur que Jules était marié et père de trois enfants, se fit remettre à sa place par Dorothée qui ne jurait que par son amant. Dépité, le grand frère protecteur s'adressa à Jules lui-même pour le mettre en garde et lui intimer l'ordre de quitter sa jeune sœur, sinon, sa femme apprendrait leur histoire. Et c'est cette crainte de mettre son mariage en péril qui poussa Jules à rompre avec Dorothée, sans lui dire que son frère était en cause avec sa menace. Il invoqua plutôt le fait que sa femme désirait d'autres enfants et qu'il comptait lui revenir et n'être qu'à elle. Elle pleura, bien entendu, et lors de leur dernière rencontre à l'hôtel Mont-Royal, quitta le hall sans lui laisser plus de temps pour s'expliquer. Elle tourna les talons, comme on dit, et ne revit plus son amant d'une courte mais belle histoire. Jules retrouva sa paix intérieure, encore chanceux que le grand frère, qui n'était plus son ami, ne l'ait pas dénoncé à sa douce moitié. Très près de sa femme depuis ce jour, un petit flirt de temps en temps avec une collègue du fonctionnariat, ça n'allait guère plus loin qu'une invitation à dîner, parfois un baiser sur la joue, parfois rien. Juste pour se prouver qu'il pouvait encore plaire. Car celle qu'il aimait était Francine, sa femme de tant d'années déjà, la mère de ses enfants, sa chère compagne de vie. Celle qui aimait tant regarder des photos souvenirs, parler du passé… Ce qu'il tentait le plus souvent d'éviter. Et ce n'était sûrement pas à son âge avancé qu'il allait maintenant lui avouer ces quelques… menus péchés !

Francine s'approcha de Jules, ramassa le journal qui avait glissé de ses mains pour échouer sur le plancher, et le réveilla tout doucement, lui qui somnolait à peine, en lui disant :

— Marc vient de téléphoner. Il veut nous inviter à célébrer notre anniversaire de mariage chez lui samedi.

— Ah non, pas là ! Je voulais qu'on fête à deux seulement.

— On aura bien le temps de se reprendre, mais pourquoi pas là ?

— Je n'ai rien contre notre fils, tu le sais, mais elle…

— Tu parles de Johanne ? Voyons, Jules, c'est notre bru ! Moi, je m'entends bien avec elle.

— Oui, toi, tu t'entends avec tout le monde, ce qui n'est pas mon cas.

— Mais qu'est-ce qu'elle t'a fait ? Ça fait si longtemps qu'elle est dans la famille.

— Oui, je sais, mais je ne l'aime pas. Et ce n'est pas d'hier.

— Pourquoi ?

— Le courant n'a jamais passé entre nous. Ça ne s'explique pas.

— Elle semble t'aimer, pourtant…

— Pas moi, Francine, mais j'irai pour te faire plaisir et ne rien gâcher. Préviens Marc, par contre, de n'inviter personne d'autre, je ne voudrais pas partager cette journée avec des membres de ta parenté. Tu comprends ?

— Désolée, mais ils ont invité Mariette, elle est toujours seule, elle était si contente.

— La vieille fille ? Ça ne me dérange pas qu'elle soit là, Francine, elle ne ferait pas de mal à une mouche, celle-là.

— Ne l'appelle pas comme ça, Jules, ce terme ne s'emploie plus de nos jours pour qualifier les femmes célibataires. C'est quand même ma sœur.

— Bon, ça va, je vais me retenir, mais ça ne va pas être facile, ça fait cinquante ans qu'on la désigne comme la vieille fille. Mais je vais faire attention, je te le promets.

— Ce n'est pas de sa faute si elle n'a jamais trouvé un homme pour l'épouser quand elle était jeune.

— Elle n'a même pas cherché à en rencontrer un, Francine, et je me demande bien pourquoi !

Le souper de leur anniversaire se déroula tout de même assez bien. La table était ornée d'un bouquet de fleurs pour l'occasion et Johanne avait cuisiné un bon rôti de bœuf que son beau-père aimait tant, ainsi qu'un gâteau au chocolat pour plaire à belle-maman qui avait la dent sucrée. Marc avait acheté une robe de chambre pour son père, et ce dernier, la déballant, lui avait dit :

— J'en ai une, Marc, pourquoi une autre ?

— Parce que celle que tu as date d'au moins vingt-cinq ans. Ça va pour la maison, mais pour tes multiples séjours à l'hôpital, celle-là sera plus de mise, papa, plus à ton image devant les gens.

— Ouais, si tu le dis… C'est vrai que l'autre commence à avoir de la barbe…

Les enfants devenus plus que grands éclatèrent de rire à cette remarque et Johanne poursuivit en offrant à sa belle-mère un joli sac à main pratique avec plusieurs comparti-ments. Ce que madame Drouais apprécia vivement.

— Enfin un sac à main que je pourrai passer en bandou-lière et sans risquer de me le faire voler. Et quelle jolie teinte que ce mauve tirant sur le violet ! Un joli complément pour mon manteau de drap noir. Très gentil à vous deux, je l'ap-précie beaucoup.

Leurs trois petits-enfants, Luc et son épouse, Karine et Marie-Ève, s'étaient réunis pour leur offrir quelques films récents pour leur lecteur DVD, ainsi que des albums de com-pilations des chansons d'Aznavour, Piaf et Brel, que tous deux adulaient. Histoire de meubler la conversation, Jules leur demanda :

— Dites donc, les filles, dans la trentaine toutes les deux et aucune de mariée ? Que se passe-t-il ?

— Elles cherchent, grand-père, mais elles ne trouvent pas ! s'écria Luc. Les filles d'aujourd'hui ne sont plus comme grand-mère et comme maman, elles sont bosseuses, féministes, peu coquettes, mais pressées de se marier juste pour avoir des enfants !

— Ce qui n'a pas été mon cas, de rouspéter son épouse.

Et Karine d'ajouter :

— Même à cela, les gars de trente ans sont bien entre chums. Ils veulent des filles pour un soir, pas pour s'engager. Et ils sont pires que des gamins de quinze ans, peu matures, fous de leur voiture et des sports, de leurs jeux vidéo, en jeans tout le temps, leur cellulaire dans une main… J'aime mieux passer mon tour ! Quoique Marie-Ève semble avoir trouvé, elle !

— C'est vrai, ma douce ? insiste le grand-père.

— Oui, j'ai rencontré un bon gars de mon âge et pas comme Karine les décrit. Je pense être tombée sur une vieille âme. Il n'est pas du genre à avoir sans cesse son cellulaire à la main. On va au cinéma, on assiste à des pièces de théâtre aussi. Il est très cultivé, il est enseignant comme grand-mère l'a été.

— S'il est comme ta grand-mère, ça te fera un bon parti, les enseignants ont beaucoup de classe et sont très généreux envers les autres. Prends-en bien soin de ce prétendant, et si ça va plus loin n'oublie pas de nous inviter à vos noces, ma puce.

Puis se tournant vers Mariette, la célibataire qu'on avait négligée jusque-là, Jules lui demanda :

— Rien à dire, toi ? Tu ne fais qu'écouter les autres ?

— Oui, c'est ainsi qu'on apprend ce qui se passe en dehors de soi-même.

— La santé, ça va ?

— Assez bien, à part mon hypertension que je contrôle avec un comprimé. Mais rien de sérieux, je sors si peu. Surtout l'hiver avec la flambée des rhumes et des grippes. Je garde toujours une bouteille de sirop Lambert à la maison.

Voyant que la conversation n'irait pas plus loin avec la « vieille fille » septuagénaire, Jules se tourna vers sa femme pour lui faire signe qu'il était temps de partir. Francine ne se fit pas prier et Marc ne les retint pas, sachant que son père ne se couchait jamais tard après la digestion de son souper. En cours de route, après avoir déposé Mariette à la résidence, Francine demanda à Jules qui conduisait :

— Tu vois ? Ça s'est très bien passé avec Johanne ! Elle a tout fait pour que notre anniversaire soit réussi. Tu as de meilleurs sentiments maintenant ?

— Elle a ses qualités, c'est vrai. Marc et elle forment un bon ménage, elle cuisine bien, elle est avenante, mais le courant ne passe pas. J'ai toujours hâte de partir de chez elle.

— C'est une idée fixe, de l'enfantillage. Pas très sérieux de ta part…

— Tant pis ! J'aime mieux accuser certains torts que de virer mon capot de bord !

Chapitre 1

Quelques jours plus tard, Jules lançait des croûtes de pain aux écureuils qui venaient ensuite gratter dans les moustiquaires et les percer. Ce qui fâchait Francine, mais leur chat Tutti s'en donnait à cœur joie à chasser ces petites bêtes plus rapides que lui à grimper dans un arbre. Et, pendant que le couple s'obstinait, le téléphone sonna sur la véranda. Francine s'empressa de répondre, c'était leur fille Renée, de Winnipeg, qui s'informait d'eux tout en lui racontant ce qui se passait de son côté. La conversation dura près de trente minutes et, après avoir raccroché, Francine se dépêcha d'annoncer à Jules :

— Renée va peut-être venir nous voir avec son fiston cet été.

— Il suit encore sa mère, celui-là ? Dans la vingtaine, il me semble que…

— Jules ! C'est notre petit-fils, celui que nous voyons le moins souvent ! Et Renée se sentira plus en sécurité avec lui, elle n'aime pas tellement l'avion.

— Remarque que je n'ai rien contre William, je l'aime bien, mais c'est à peine s'il baragouine le français. Je ne comprends pas que Renée n'ait pas forcé la note pour lui parler dans notre langue.

— Il a grandi avec des anglophones, c'est normal. À l'école, tout se passait en anglais dans ce coin-là.

— Mais elle aurait pu insister sur le français à la maison, non ?

— Elle le fait, mais le mauvais pli est pris avec les amis. Qu'importe ! William vient de graduer en sciences de la santé et travaille actuellement avec une équipe comme chercheur dans le domaine médical. De quoi être fiers de lui, tu ne trouves pas ?

— Bien oui, je le féliciterai quand il viendra. Rien d'autre de notre fille, à part ça ?

— Elle nage dans le bonheur, Philippe a eu une promotion à la compagnie d'assurances pour laquelle il travaille.

— Philippe… ?

— Bien voyons ! Phil comme on l'appelle, son mari ! Moi, je préfère les prénoms complets aux diminutifs.

— Ah ! lui ? Pas surprenant, c'est un *brown nose* !

— Un quoi ?

— J'aime mieux ne pas avoir à t'expliquer, je me comprends…

— Moi aussi je comprends ce que tu viens de dire, je parle anglais, mais c'est la signification que je ne saisis pas.

— Oublie ça, Francine, tu ne trouverais pas ça très élégant si je précisais. Moi, je sais ce que ça veut dire et ça décrit très bien son mari opportuniste et arriviste.

— Il mérite sûrement cette promotion, il est vaillant notre gendre, il refuse même que Renée travaille pour la faire vivre. Il a acheté une maison, ils ont deux voitures, il a tout payé…

— Oui, oui, avec l'*overtime* qu'il se fait remettre en double et en triple les fins de semaine.

— Que tu es vilain ! Il a défrayé les études de son fils, il traite Renée comme une reine, ils sont très heureux ensemble tous les deux.

— Bon, elle vient quand, tu as dit, avec le fiston ?

— À la fin de juin ou au début de juillet, quand William aura terminé un stage supplémentaire, il vise la maîtrise.

— Au moins, le gendre restera à Winnipeg. Tant mieux !

— Oui, Philippe aura une grosse saison et travaillera sept jours par semaine cet été, au moment où les assurances habitation sont en progression.

— Fallait s'y attendre ! Tant mieux pour lui, son *overtime* va lui permettre d'aller souvent à la banque. Cupide comme il l'est…

— Arrête, il est plus que généreux avec Renée et William, il leur a même promis un voyage à Cuba à la fin d'août.

— Ouais, ouais… Là où c'est moins cher. Sans doute un bonus qui venait avec sa promotion !

— Tu es incorrigible ! Quelle tête dure ! Après la bru, c'est le gendre qui ne te plaît pas ? Crois-tu qu'il n'y a que tes enfants qui soient parfaits ?

— Ça s'pourrait, c'est nous qui les avons faits !

Le temps était clément, ce samedi-là, et le couple se dirigea au centre d'achats afin de faire leurs emplettes au supermarché et fouiner un peu dans quelques magasins. Alors que Francine s'en allait en droite ligne pour effectuer sa commande de la semaine, Jules lui dit :

— Écoute, tu n'as pas besoin de moi pour ça. Vas-y et attends-moi sur le banc près de la porte quand tu auras terminé, je viendrai te prendre avec la voiture quand je t'apercevrai. Entre-temps, je vais aller acheter des clous et de la colle forte et je passerai voir s'ils n'auraient pas des napperons comme tu voulais. S'ils en ont, on y retournera ensemble après ta commande.

— Bonne idée, il me faudrait aussi une tasse à mesurer. Sur la mienne, je n'arrive plus à lire les chiffres. Regarde s'ils en vendent.

Ce qui lui fut demandé fut fait et, après cette courte séparation, Jules vint la rejoindre à l'endroit indiqué et sortit de sa voiture pour ranger les sacs d'épicerie dans le coffre. Ils retournèrent ensuite à l'autre magasin où Jules avait déniché ce qu'elle désirait et, après avoir choisi ses napperons et sa tasse moyenne à mesurer, Francine lui demanda s'il aimerait prendre un café au restaurant à aire ouverte, pas loin de l'entrée. Il accepta de bon gré, ils s'y dirigèrent et, assis tous deux avec leur café chaud, Jules fouina des yeux autour de lui et dit à sa femme, sans être entendu de personne :

— Regarde à la table du fond. La fille a un anneau dans le nez !

— Oui, je vois, mais ne la montre pas du doigt comme tu as l'habitude de faire.

— C'est-y pas écœurant ! Un anneau dans le nez ! Là où elle se mouche ! Pas très hygiénique, tu trouves pas ! Un gars qui lui donne un *french kiss* risque d'avaler un de ses microbes ! Les narines sont à un demi-pouce des lèvres !

— Pas nécessaire d'être aussi détaillé, mais je suis d'accord avec toi, et tous ces piercings me donnent la nausée, continua Francine. Il y en a qui ont une perle de métal sur la langue ! Imagine ! Quel gars va avoir envie d'embrasser ça ? Surtout si le métal est terni ?

— Je te le fais pas dire ! Y en a d'autres qui en ont aux sourcils ou à la lèvre, c'est dégueulasse ! Comme si des boucles d'oreilles régulières ne suffisaient pas. Ils se font percer partout ! De vrais cannibales ! Moi, si une des filles de Marc arrivait chez nous comme ça, je la retournerais de bord drette-là !

— Remarque que la plus jeune chez Marc a trois boucles d'oreilles régulières sur la même oreille…

— Oui, j'ai vu ça et j'ai rien dit. Mais je pense que mon regard sombre vers elle lui a indiqué ce que je visais. Elle a tourné la tête de côté pour éviter que j'insiste. Mais c'est tout de même moins grave que des anneaux dans le nez ou des perles sur la langue. Ouache !

— Tu oublies les garçons, Jules, les tatoués de partout !

— Non, je les vois eux autres aussi, t'en fais pas ! Y a même des filles avec des tatouages, ce qui est encore plus inélégant ! Au magasin, tantôt, y avait un gars dans le début de la trentaine qui avait le bras complètement tatoué de toutes sortes de choses, de n'importe quoi, on pouvait plus distinguer. Mais le pire, c'est qu'il en avait un dans le cou à quelques pouces du menton ! Il va faire dur avec une chemise blanche, celui-là ! S'ils avaient au moins l'intelligence de se faire tatouer dans des endroits discrets, des parties du corps qu'on n'expose pas en public. Mais non ! Dans l'visage, dans l'cou, sur le thorax ! Le gars dont je te parle portait une camisole et je pouvais voir qu'il avait les mamelons percés avec de gros anneaux. Ça doit faire mal toutes ces mutilations ! Parce que c'est ça, Francine ! Ils se font mutiler, ou s'automutilent dans le cas du piercing, pour attirer l'attention. Mais de qui ? Moi, si ma fille m'arrivait avec un gars comme ça… On voit pas les fils de Sophie souvent, mais son plus jeune, le paresseux marié avec une Mexicaine, doit être tatoué jusqu'aux orteils ! Un bon à rien, celui-là ! Une chance qu'on le voit pas…

— Jules, tout de même ! Maxime a un bon emploi, sa femme aussi, et il est ton petit-fils autant que les autres.

— Oui, mais je l'aime moins. Pas plus que son grand frère, le drogué qui a l'air d'un vrai bum ! Ça fait douze fois qu'il change de blonde ! Pis des pareilles comme lui ! Content qu'y soit dans la brume, celui-là !

— Vincent n'est pas encore prêt pour affronter la vie, il doit se chercher…

— Il devrait s'être trouvé, viarge, il est majeur, c'est plus un enfant !

— Ils restent adolescents longtemps de nos jours, ce n'est pas comme dans notre temps… Mais pour Vincent, je te l'accorde, son avenir n'est pas reluisant.

Jules maugréa quelque chose qu'elle ne saisit pas et, au même moment, un gars avec des tatouages jusqu'aux doigts passa près d'eux. Le laissant s'éloigner, Jules dit à sa femme :

— T'as vu ? Sur la main, Francine ! On distingue même pas sa bague ou son jonc qu'il a à l'index. Tout un cadeau pour sa blonde ! Pis, à part ça, les tatoués ne pensent pas plus loin que le bout de leur nez. Attends qu'ils aient notre âge et que leur peau tombe aussi flasque que la nôtre… Leurs tatouages vont s'affaisser en même temps et, incapables de les enlever, ils vont avoir l'air de cancéreux avec leurs taches noires ou rouges devenues brunes sur leur corps et dans leur visage. Ils y pensent pas actuellement, parce qu'ils font du fitness et que leur corps est ferme, mais attends qu'ils se regardent dans un miroir à soixante-cinq ans et plus. Ça va être écœurant à voir, Francine ! Ils vont tomber su'l cul de honte ! Pis, y va être trop tard pour les remords… Les femmes aussi vont subir le même châtiment !

— Y en avait pas dans ton jeune temps, des tatoués ?

— Oui, dans l'armée, des marins surtout. Ils se faisaient tatouer une ancre sur le biceps ou l'avant-bras. Comme Popeye ! Ça aussi, ç'a dû être laid à voir avec les années, mais c'était pour illustrer leur grade et leur force, c'était plutôt symbolique, même si on pouvait apercevoir chez quelques-uns une *pin up* comme Betty Grable sur leurs bras, mais y avaient pas ça dans face, eux autres !

— Écoute, Jules, on peut-tu changer de sujet ? Je t'approuve dans ce que tu dis, mais on peut rien y faire, ils sont déjà percés et tatoués. C'est leur *look* d'aujourd'hui. On n'y peut rien, à part de chialer et pis, après tout, ils ne sont pas de notre famille, ces gens-là. T'as juste à fermer les yeux, Jules.

— Pas mal dur à faire, ça ! Y s'multiplient, ces abrutis ! Comme des punaises de lit !

Ils rentrèrent finalement à la maison. Et qui donc les attendait sur leur perron ? Nulle autre que Karine, une de leurs petites-filles. Sortant de la voiture pour la rejoindre, Francine s'écria en la voyant :

— Mais qu'est-ce qui t'a pris, ma grande ? Les cheveux roses à présent ? Depuis quand ?

— Bah, quelque chose de nouveau, j'étais tannée d'être brune !

— Et on t'accepte comme ça à ton travail ?

— Bien oui, grand-mère, ça ne regarde que moi, personne d'autre.

Jules qui montait avec quelques sacs et qui avait entendu la réponse de Karine, rouspéta en lui disant :

— Non, pas que toi, ça peut concerner ton chef de service ! On n'en fait pas qu'à sa tête quand on travaille avec le public. Imagine tes clients réguliers qui viennent à ton guichet à la banque ! Les cheveux roses ! Tu travailles pas dans un cirque, Karine ! Pis si tu étais tannée d'être brune, tu aurais pu devenir bonde ou rousse, des teintes acceptables, pas rose bonbon à ton âge ! Tu as trente-deux ans, pas seize ou dix-sept ! J'suis certain que ton père doit pas être content ! Je connais mon fils, il a des principes…

— Oui, il n'a pas aimé et il m'a dit exactement ce que tu me dis, grand-père, mais moins on va m'approuver, plus je vais faire à ma tête !

— Ben, si tu dis ça pour moi aussi, retourne chez vous ! Moi, une petite fille têtue qui devient en plus impolie, non ! Pas dans ma maison !

Karine redescendit les cinq marches pour reprendre sa voiture tout en jetant un regard à sa grand-mère qui, pour une fois, semblait soutenir son mari dans sa réprobation. Francine rejoignit cependant sa petite-fille et lui dit avant qu'elle ne démarre :

— Tu sais, grand-père t'a beaucoup gâtée quand tu étais jeune, il vous a tous beaucoup choyés ! Tu ne devrais pas le décevoir de la sorte. Il a un peu raison de dire qu'à ton âge…

— Toi aussi, grand-mère ? Je m'excuse de te faire de la peine, mais j'ai ma vie à vivre sans les remarques de grand-père. Et ni les tiennes, pardonne-moi de te le dire. Le rose ne va faire qu'un temps, mais je ne redeviendrai pas brune pour vous plaire. Je le ferai quand je le déciderai !

— Et qu'en pense ton ami, le conseiller à la caisse ?

— Lui ? Je l'ai *droppé* ! Trop sur ses principes, trop économe. Pas pour moi, ce *cheap*-là !

— Tu as beaucoup changé, c'est surprenant, à ton âge…

— Bon, autre chose à me reprocher ? J'ai mieux à faire que d'entendre…

Francine tourna les talons et remonta sur son perron, sans rendre le signe de la main que sa petite-fille lui faisait. Elle avait la tête dure, elle le savait, mais elle risquait de dépasser les bornes du respect en lui répondant de la sorte ainsi qu'à son grand-père.

Jules, la voyant rentrer, lui demanda :

— Qu'est-ce que tu lui as dit de plus, ma femme ? Elle avait l'air mécontente !

— Rien de spécial, Jules, elle a la crinière rose et on peut quand même pas la remettre brune en pleine rue. Ce qui me fait encore plus de peine, c'est qu'elle tient tête à ses parents.

— Oui, Marc doit être en beau maudit intérieurement… Quant à sa mère, je me demande si elle n'approuve pas les bêtises de ses enfants.

— Encore elle ? Ta bru ? Tout de même ! Et si c'était le cas, on ne peut rien dire, ce sont ses enfants, pas les nôtres, Jules.

— Mais ce sont des Drouais avant tout ! Karine mériterait de perdre sa job si ça pouvait lui mettre du plomb dans la tête !

Réalisant que Francine ne répondait plus à ses propos malveillants, Jules la rejoignit au salon et lui dit en s'assoyant auprès d'elle :

— Je sais que je suis chialeux, que je ne suis pas toujours plaisant à côtoyer, mais que veux-tu, ma femme, je dis tout haut ce que tout le monde pense tout bas ! C'est ça mon défaut, j'suis pas capable de me retenir devant des tatoués pis des...

— Ne recommence pas, Jules, pense à ton angine qui te pousse vers ta nitro chaque fois que tu t'emportes. Pense à ta santé, oublie le sort des autres. Je sais que tu as souvent raison, mais nous ne sommes que deux maintenant, les autres ne devraient pas nous inquiéter et nous rendre plus malades par leurs maladresses qui nous choquent. Surtout quand il s'agit d'étrangers comme au centre d'achats !

— Remarque que je ne suis pas comme ça avec tout le monde, Francine. M'as-tu déjà entendu dire quoi que ce soit contre ta sœur Mariette ?

— Ben, ça s'comprend, il ne se passe rien dans sa vie, elle ! Tu ne ménages pas Nicole, par exemple.

— J'ose même plus, elle est rendue trop vieille, ta sœur aînée. J'ai assez chialé quand elle a marié son Philippin, son Rodrigo qu'elle avait déniché à Manille ! Une vraie folle ! Avec tous les beaux gars qui lui couraient après ici ! Elle se pensait originale, pis...

Mais Francine l'interrompit en lui lançant de son divan :

— N'en parle plus, il est mort, Rodrigo ! Tu vois ? Ça repart ! Et j'y peux rien, Jules ! Tu souffres d'une maladie rare !

Deux jours plus tard, se rendant à la banque pour y retirer une petite somme, madame Drouais aperçut de loin, à son guichet, sa nièce Karine, blonde comme les blés. Elle parvint à éviter de se faire servir par elle et, de retour à la maison, elle dit à son époux :

— Karine a les cheveux blonds ! Aussi blonds que ceux qu'avait Marilyn Monroe, ta préférée.

— Tu vois ? La réprimande lui a été utile et ça n'a pas été long ! Elle a compris que nous avions raison, la tête de cochon !

— Ne reviens surtout pas sur le sujet quand tu la reverras, ça pourrait être assez pour qu'elle arrive avec les cheveux verts !

— T'en fais pas, je vais l'ignorer et sa tête blonde aussi. Moi, les petites effrontées, je les garde longtemps dans l'obscurité.

— Ben oui, ben oui… un autre rancunier !

En plein été, alors qu'il taillait sa haie devant sa maison, Jules vit une auto noire se stationner et, regardant de plus près, reconnut sa belle-sœur Nicole qui, à soixante-dix-neuf ans, conduisait encore sans même avoir besoin de lunettes. Importuné par cette visite improvisée, il marmonna :

— Pas capable de s'annoncer avant de venir, elle ? C'est impoli, ça risque de déranger quand on a d'autres visiteurs.

Puis, s'étirant le cou, il lança à sa femme par la fenêtre entrouverte :

— Francine ! Ta sœur !

Nicole sortit de sa voiture, avança d'un pas alerte et demanda à Jules, en le croisant :

— Francine est là, j'espère ? Je n'en aurai pas pour long-temps, j'ai un rendez-vous à la banque avec mon conseiller dans une heure trente. Le temps de prendre une tasse de thé…

— Oui, elle est là, elle t'a vue de la fenêtre, tu n'as qu'à entrer.

Une fois dans la cuisinette devant une tasse de thé et des biscuits belges, Nicole s'empressa de demander à sa jeune sœur.

— Et puis, comment va la santé ? Toujours stable ?

— Si on peut dire, quoique j'ai de plus en plus de pertes d'équilibre. Je ne sors plus sans ma canne à présent, à moins que Jules soit avec moi pour m'offrir son bras. C'est une maladie qui dégénère, faut pas avoir trop d'optimisme, ça progresse de jour en jour.

— Ne sois pas pessimiste pour autant. Avec les recherches des scientifiques, tout peut arriver. On va finir par trouver…

— Bon, parlons de toi maintenant, ta santé est très bonne à ce que je vois, tu as l'air en pleine forme.

— Bah, si on veut… Avec de la haute pression, certains jours. Mais à part ça, j'avoue que je suis privilégiée, à mon âge, de n'avoir rien de plus sérieux. Mon vieux médecin se demande si je connais ça, les Tylenol. Il m'imagine encore au temps des Sedozan et des Delon que prenait maman pour ses maux de tête !

— Bien oui, trois pilules pour cinq cents dans un petit sachet transparent, à l'époque, qu'elle détachait d'un pré-sentoir chez Dupras, au coin de la rue. Mais la confiance était là, faut croire !

Jules, qui venait d'entrer pour se joindre à elles, avait entendu ce bout de conversation sur la haute pression entre les deux femmes et lança à sa belle-sœur :

— Coupe le sel, Nicole ! Ça devrait t'aider !

— Sans doute, mais rendue à presque quatre-vingts ans, je ne coupe plus rien. Le jambon, le bacon, le Kam en boîte et les chips, c'est encore dans mes habitudes.

— Tant pis ! Tu vas t'en plaindre si tu écopes d'une thrombose, et il sera peut-être trop tard.

— Alors, je crèverai, Jules ! Je considère avoir déjà beaucoup vécu, et mourir d'un coup sec ne m'effraie pas. Au contraire…

— S'il vous plaît, changez de sujet ! leur lança Francine. Tu as toujours de ces propos, Jules, qui sont inconvenants envers les autres.

Puis, regardant Nicole à nouveau, elle lui demanda :

— Comment va Janna ? Encore aussi belle, ta fille ?

— Tiens ! J'ai justement une photo récente d'elle. Tu ne la vois pas souvent, mais elle est très jolie.

— C'est à elle de venir nous visiter, répliqua Jules en admirant la photo.

Puis, en la regardant de plus près, il ajouta :

— Il faut dire que le sang philippin de son père mêlé au tien en a fait une fort jolie femme. Regarde ses yeux en amandes, son sourire…

— Il n'était pas laid, son père, si tu t'en souviens bien. Plusieurs de mes compagnes de travail en rêvaient…

— Mais sa mère était encore plus belle ! rétorqua Jules en souriant.

— Dis, Nicole, elle a déjà quarante ans au moins, Janna ?

— Quarante-deux, pour être exacte. Je l'ai eue sur le tard, Francine, tu t'en souviens ? Mes dernières chances d'être mère, mais j'ai été comblée, Janna est une fille formidable, proche de moi, protectrice et intègre au possible. Elle est maintenant secrétaire juridique dans une firme d'avocats, elle adore son emploi.

— Et toujours seule, pas d'homme dans sa vie ? osa lui demander Jules.

— Elle en a eu deux quand elle était plus jeune, mais ça n'a pas marché. Actuellement, elle est en couple, cependant.

— Ah oui ? Un homme de son âge ? insista Jules.

— Non, une femme.

Jules Drouais était resté bouche bée, cloué au mur par cette révélation. Francine, plus à l'aise, quoique surprise, marmonna à sa sœur :

— De... depuis longtemps ?

— Elle et sa conjointe font bon ménage depuis presque deux ans. Elles ont fait l'acquisition d'un superbe condo au centre-ville et sont très heureuses ensemble. J'aime beaucoup sa compagne, elle a un an de plus que Janna, mais quelle femme, cette Flavie ! Elle est dentiste ! C'est ainsi qu'elles se sont connues, quand Janna s'en cherchait un nouveau après le décès de celui qu'elle avait eu durant dix ou douze ans au moins. Elle s'est rendue dans une clinique, a pris rendez-vous, et dès la première visite, la chimie a passé entre elles. Une assez courte fréquentation, des spectacles, du cinéma, un petit voyage à Miami, et puis hop, voilà ! Elles étaient devenues inséparables. Vous n'avez rien contre ça, n'est-ce pas ?

— Bien sûr que non, répondit Francine. Pourvu qu'elles soient heureuses. Et inutile de s'en cacher, de nos jours, tout est révélé, étalé même. On en parle librement…

Néanmoins, Jules qui avait repris sa tasse de thé n'avait rien commenté, rien dit au sujet de cette nouvelle concernant leur nièce. Pas un sourcillement, pas un seul rictus évident. Rien. Muet jusqu'au départ de Nicole qui, regardant sa montre, leur avait dit :

— Faut que je m'en aille, j'ai un rendez-vous, comme je vous le disais, et pas très près d'ici. Avec l'affluence qui commence assez tôt maintenant, mieux vaut partir avant.

Elle embrassa Francine, tendit sa joue à Jules, et repartit en leur promettant de les inviter à souper prochainement. Ce dont Jules comptait bien se passer.

Après le départ de la belle-sœur, assis au salon, il allait ouvrir le téléviseur quand sa femme lui demanda :

— Ne viens pas me dire que c'est ce qu'elle a dit de Janna qui te met dans cet état ?

— Quel état ? De quoi parles-tu ?

— Ben voyons donc, tu n'as plus ajouté un seul mot quand elle t'a avoué que Janna était en couple…

— Ça va, ne le répète pas, une fois m'a suffi, ne reviens pas sur ce sujet.

— Allons donc, on est en 2018, pas en 1958 ! Le monde a changé, on se doit de respecter les orientations de chacun.

— Oui, je sais, et je n'ai rien contre les homosexuels et les lesbiennes, Francine, j'en ai connu plusieurs au gouvernement fédéral, je travaillais dans les réclamations, une grande aire ouverte. Certains même parmi mes bons amis de l'époque. À chacun sa vie, bien sûr, mais j'étais plus habitué aux hommes aux hommes qu'aux… Tu saisis ?

— Ça change quoi ? Deux hommes ou deux femmes doivent être en mesure de décider de leur choix.

— Ben oui, je sais, dans le fond, ça ne me regarde pas. Qu'elle fasse ce qu'elle voudra, la Janna…

— Tiens ! sur un ton dépité ! Tu ne l'acceptes pas, n'est-ce pas ?

— Comme je te l'ai dit, elle peut faire ce qu'elle voudra la fille de Nicole. Ce qui me dérange, Francine, c'est que Janna fait partie de la famille.

Le dimanche 10 juin 2018, c'était la finale à Roland-Garros entre Rafael Nadal et le jeune Dominic Thiem. Jules, qui raffolait du tennis, s'était vite installé devant son téléviseur afin de savourer la victoire de l'un ou de l'autre. Francine avait aussi pris un fauteuil pour observer d'un œil moins complice ce qui allait se passer sur ce terrain de terre battue en France. C'est Nadal qui remporta cette finale et Jules en était ravi, d'autant plus que c'était son onzième titre à Paris. Quel exploit ! Mais il était triste pour Dominic Thiem, ce jeune Autrichien au seuil de la vingtaine, qui semblait fort sympathique. Toutefois, c'était Roger Federer qui avait conquis le cœur de Francine depuis longtemps. Elle le trouvait si distingué, si charmant avec son beau sourire quand il gagnait. Par contre, malgré son admiration pour le Suisse, Jules avait un penchant pour Rafael Nadal qui avait l'air bien élevé, bon perdant quand ça adonnait, le cœur sur la main envers les autres. Bref, un homme de conscience et de classe.

Chez les femmes, Venus et Serena Williams étaient encore ses préférées même si les nouvelles venues prenaient peu à peu leur place. Mais il n'aimait pas Novak Djokovic qu'il trouvait imbu de lui-même, malgré son immense talent. Tel était Jules Drouais ! Quand il aimait, c'était à tout jamais, mais si on avait la malchance d'être haï de lui, c'était pour la vie !

À la télévision, on parlait déjà des élections provinciales qui allaient avoir lieu en octobre. Les candidats des divers partis, les femmes surtout, y allaient de leurs boniments, ce que Jules écoutait d'une oreille sourde. Francine, qui s'in-téressait à la politique, lui fit remarquer après le bulletin de nouvelles :

— Pas mal ce qu'elle avait à dire, cette jeune candidate. Très articulée en plus.

— Bien sûr, tous les efforts sont déployés quand on espère gagner.

— Mais son parti, s'il est élu, veut changer beaucoup de choses.

— Des promesses, des promesses, Francine ! J'ai voté pour tous les partis possibles depuis ma jeunesse et toutes les élections sont semblables. On promet, on jure que… et fina-lement, nous autres, on a changé quatre trente sous pour une piastre ! Crois-moi, je m'y connais, on ne m'y reprend plus !

— Mais tu te rends voter quand même à chaque élec-tion, non ?

— Oui, mais ce que tu ne sais pas, c'est que je vote pour deux candidats et les moins probables chaque fois.

— Bien voyons donc, pourquoi ? Tu ne gagnes rien en agissant de la sorte. C'est un déplacement inutile…

— Je le sais, mais je m'y rends quand même, chaque fois.

— Ben, pourquoi ?

— Pour ne pas me faire voler mon vote, Francine, que pour ça ! De plus, si l'heureux élu ne satisfait pas la population par la suite, je n'aurai pas à me sentir trahi, je n'aurai pas voté pour lui !

Le samedi 16 juin, c'était gris et maussade, il allait pleuvoir toute la journée. Francine avait alors avisé son mari qu'elle allait mariner des betteraves de serre et les mettre en pot pour les saisons à venir. Ce qui allait certes l'occuper pour une partie de la journée. Ensuite, un petit souper à deux et un film, sur le lecteur, qu'ils allaient regarder ensemble. Sans doute *La fille de Ryan*, avec Robert Mitchum et Sarah Miles. Jules possédait la collection quasi entière des films de Mitchum, son acteur préféré. Or, tout était planifié et, en fin d'après-midi, Jules allait se replonger dans *Les souvenirs d'un page de la cour de Louis XVI,* qu'il avait sur sa liseuse électronique que Francine lui avait achetée pour, en grossissant les caractères à sa vue, ménager ses yeux de temps en temps. Féru d'Histoire, Jules Drouais était très renseigné sur l'Angleterre de Marie Stuart autant que sur la France de 1792 et son régime de terreur mené par des traîtres à leur nation comme Robespierre, Saint-Just et des sans-culottes, que des vilains bougres suivaient, collés à leurs fesses comme des sangsues. Donc, un beau jour de pluie pour les Drouais, ce dont bénéficierait la pelouse, tout comme eux, en quête d'une accalmie dans la manifestation de leurs maladies. Mais au moment où tout semblait réglé, le téléphone sonna et c'est Francine qui répondit. C'était leur fils Marc qui, pour contrer leur ennui pourtant inexistant, les invitait tous deux à souper. Leur fille Marie-Ève allait être là avec son bien-aimé qu'elle voulait leur présenter, tandis que Karine, Luc et sa femme seraient absents, engagés tous les trois de leur côté. Donc, un repas à six personnes seulement, non, sept, puisqu'on avait invité aussi la tante Mariette qu'ils devraient prendre en passant. Johanne allait préparer des rognons sautés ainsi qu'un gâteau à la noix de coco, deux plats que son beau-père adorait. Et Marc avait ajouté à l'endroit de sa mère : « Dis à papa de ne pas apporter de vin, j'ai un très bon Beaujolais que je viens d'acheter pour lui. » Francine avait raccroché conquise, ravie de se rendre chez son fils aîné et de rencontrer l'ami de Marie-Ève. Se précipitant au salon, elle en fit part à Jules dont le visage tomba par terre en entendant la nouvelle.

— Ah ! non ! Nous avions nos projets, un souper, le film à regarder, la sainte paix ! En plus, il pleut à boire debout ! Rappelle-le, dis-lui qu'on sort pas, qu'on préfère rester chez nous !

— Voyons, Jules, ça ne se fait pas, ils semblent avoir tout préparé tous les deux. Johanne va même faire ton plat de rognons favori.

— Non, qu'elle le fasse pour elle, je ne veux rien savoir de sortir ce soir, je n'ai pas envie de rencontrer le chum de Marie-Ève, elle viendra nous le présenter une autre fois. Pas question que je sorte de chez moi ! Rappelle-le !

— C'est que nous devons prendre Mariette en passant ! Ils l'ont invitée, elle aussi, et elle va attendre notre arrivée à sa résidence vers six heures ce soir.

— Manquait plus qu'ça, viarge ! La vieille fille aussi ! Ta sœur qu'il va me falloir aller chercher jusqu'à la porte avec un parapluie parce qu'elle a peur de se mouiller les pieds. Non, pas cette fois !

— J'irai la chercher, moi, tu n'auras pas à descendre de la voiture…

— Non, pas question avec ta canne ! Écoute, si tu veux aller chez Marc, vas-y, Francine, mais n'insiste pas, je n'y vais pas ! Prends la voiture, tu peux encore conduire, non ? Ou demande à Marc de venir te chercher ainsi que ta sœur. Dis-lui que je fais de l'angine…

— Non, pas d'excuse de maladie quand ce n'est pas vrai !

— Bien, ça va l'être si tu continues à me stresser et à faire augmenter mon anxiété avec ce que tu peux régler en deux minutes au bout du fil !

Puis, voyant que Francine avait la mine basse, qu'elle semblait défaite après son refus clair et précis, il se ravisa quelque peu et lui demanda :

— Ne me dis pas que ça ne se fait pas, Francine, de te rendre seule avec ta sœur pour ce souper.

— Non, ça ne se fait pas et si tu ne viens pas, c'est toi qui vas tout annuler en prenant le téléphone, pas moi.

— Ben, moi je dis que ça s'fait. Pis, comme c'est toi qu'il a appelée…

— Qu'importe, c'est toi qui vas le rappeler, Jules, pas moi. Parce que je suis prête à m'y rendre, moi. Mais je n'irai pas sans toi et je ne mentirai pas pour ton angine absente et pour un film de Robert Mitchum alors que notre bru se fend en quatre pour nous faire plaisir.

— Elle, quant à moi…

— Oui, je sais ce que tu penses, mais c'est de bon cœur qu'elle se dévoue pour nous deux. Elle t'a même fait cuire un gâteau au coconut…

Voyant que sa femme avait maintenant la larme à l'œil, Jules décida de s'y rendre et de ramasser la belle-sœur à la résidence, ne pouvant supporter voir Francine pleurer. Surtout à cause de lui.

Bon gré, mal gré, il avait fini par accepter d'aller souper chez son fils, mais non sans avoir demandé à sa femme alors qu'elle se mouchait :

— Pour la dernière fois, tu es certaine que t'y rendre seule avec Mariette, ça ne se fait pas ?

— Non, Jules.

— *Shit !*

Au début de juillet, comme prévu, Renée et son fils William vinrent les visiter à Laval. Francine avait tout mis en œuvre pour les recevoir décemment. La chambre destinée à leur fille avait été agrémentée de fleurs, et le sous-sol que William habiterait avait été nettoyé de fond en comble et un téléviseur, plus petit que celui d'en haut, attendait le jeune homme qui s'en montra ravi. Il ne parlait pas le français couramment, mais il sut se débrouiller avec son grand-père qui remarqua qu'il avait fait des progrès.

— Comme ça, tu t'en vas en médecine. c'est bien ça ? On en manque partout.

— Non, pas médecine traditionnelle, je suis en sciences de la médecine où on fait la recherche sur les maladies graves, dites incurables. On voudrait un jour pouvoir tout guérir. Pour être exact, je suis chargé de recherche, nous sommes une équipe de quatre *to work*, non, à travailler *full time* à un étage de l'université.

— Dis donc, ton français est excellent ! Il y en a ici, des vrais Québécois, qui ne parlent pas aussi bien que toi. On parle le joual plus que le français ici.

— Le quoi ?

— Le… Qu'importe, je t'expliquerai quand nous en croiserons durant nos sorties. Tu vas voir, ça parle comme ça marche !

William, ne saisissant pas les termes que son grand-père employait, préféra changer de sujet et s'approcha de Tutti, le chat de la maisonnée qui le suivait partout, content d'avoir enfin de la visite.

— Il est jeune ou vieux votre chat, grand-père ?

— Assez vieux, huit ou neuf ans, je ne sais pas au juste, mais plus vieux que jeune, il court de moins en moins après les écureuils. Il a fini par les accepter. Mais il est très affectueux, c'est des caresses qu'il veut sans cesse. Flatte-le, tu verras qu'il ne décollera pas ensuite. Un chat comme Tutti, c'est comme une fille qui ne lâche pas son gars quand elle le prend dans ses filets. Tu as une blonde, William ?

— Oui, une belle infirmière de vingt-trois ans. Elle travaille à l'hôpital pas loin de chez moi. Je pense qu'on va finir ensemble tous les deux. Dans un an ou deux à peu près, ça se peut que vous receviez une invitation à notre mariage.

— Bravo ! lui cria sa grand-mère de la cuisine où elle prenait le thé avec Renée. Enfin un qui va se caser ! Bien sûr qu'on va aller à tes noces, mon grand ! Comment s'appelle ta belle infirmière ?

— Emma, un prénom que j'aime beaucoup.

— Oui, très joli en effet, mais là, va vite au centre d'achats avec ton grand-père faire quelques emplettes, car au retour, ce sera l'heure de votre souper d'arrivée qui vous attendra. Ta mère et moi allons finir de préparer les desserts durant ce temps-là.

Jules et son petit-fils allèrent faire quelques courses dans les environs et, sirotant un breuvage estival d'un kiosque ambulant, ils observèrent les gens passer, et William, qui ne comprenait rien de ce que deux gars se disaient, interrogeait son grand-père du regard.

— C'est ça du joual, mon gars ! Encore chanceux, ces deux-là ne sacrent pas !

Le séjour de Renée et son fils dura un peu plus d'une semaine. Ils devaient repartir en avion le second mercredi de leur arrivée. William avait un contrat d'emploi à respecter et on sentait qu'il avait de plus en plus hâte de retrouver ses collègues. Jules avait discuté longuement avec sa fille, sa préférée, comme il disait, sans lui parler de son mari qui lui déplaisait. Renée et son fils quittèrent Laval après avoir fait le tour de la famille, chez Marc surtout, chez Sophie le temps d'un après-midi, chez Nicole, la sœur de leur grand-mère, ainsi qu'une bonne demi-heure chez Mariette où la vieille demoiselle les avait reçus avec un thé glacé et un morceau de tarte au citron de l'épicier. Mais c'était de bon cœur et Renée apprécia le geste courtois de cette femme qu'elle connaissait peu, ne l'ayant entrevue qu'à un ou deux mariages de la famille, mais pas au sien qui avait été célébré en toute modestie à Winnipeg où son fiancé était déjà installé. Jules, une fois de plus, avait évité de demander des nouvelles de

Phil à sa fille, de peur de s'emporter si elle le vantait trop devant lui. Francine, par contre, fit transmettre mille baisers à Philippe lors de leur départ de Dorval, et Jules resta encore muet en ce qui concernait son gendre.

Ils se retrouvèrent enfin seuls avec Tutti, le chat rouquin qui cherchait William partout, et Jules Drouais en profita pour dire à sa femme :

— Pas mal brillant, le William de Renée ! Beau jeune homme en plus ! Il fait déjà très bien son chemin dans la vie. Dur à croire qu'il soit issu de son père qui est…

— Jules ! l'avait interrompu Francine, constatant qu'il allait encore dénigrer son gendre *brown nose* qu'il ne digérait pas.

Son mari bifurqua donc davantage sur son admiration pour William en disant à sa femme :

— En voilà un dont je suis fier ! Un garçon bien élevé, lui ! En plein ce qu'il me fallait pour oublier les impolitesses et la crinière gomme balloune de la Karine à Marc !

— Elle est blonde maintenant, Jules.

— Oui, parce qu'elle a compris qu'on avait raison, la tête de cochon !

— Arrête de chialer contre elle et viens plutôt voir ce qui est tombé de l'album de photos de ta jeunesse.

Jules s'approcha, regarda la photo en noir et blanc et se reconnut sur le tricycle que son père lui avait acheté pour l'été.

— J'étais pas mal beau, tu sais. Et il faut donner ça à ma mère, elle nous habillait avec fierté. Regarde le blanc immaculé de mon petit habit. J'avais à peine trois ans sur cette photo. Et regarde la vieille auto de l'autre côté de la rue, une Ford de 1937 ou 39, je ne sais pas… Pas récente en tout cas, dans ce temps-là… C'était sur la rue Boyer, premier logement de mon enfance, mon petit copain, Pierre, habitait de l'autre côté de la rue. Je m'en rappelle encore, sa mère était grosse, son père, j'sais plus, c'est vague… Ma mère avait accouché de mon frère, mais on n'est pas restés longtemps dans ce quartier, mon père changeait de job chaque année.

Chapitre 2

C'était en effet sur la rue Boyer que Jules Drouais avait vu le jour. Un accouchement à la maison par le brave docteur Blanchet, le médecin du quartier, celui que sa mère « testait », pour employer un verbe appris jadis de l'anglais et cher à ses yeux. Un accouchement facile, un bébé de sept livres en très bonne santé. Et monsieur Drouais, présent lors de la naissance, s'était écrié devant le médecin de famille :

— Bon, c'est un garçon ! Bravo ! J'avais peur que ce soit une fille !

— C'est quand même convenable, une petite fille en bonne santé, monsieur Drouais.

— Oui, mais pas en premier ! Après, ça peut aller, mais les chums de la *shop* vont être contents d'apprendre que je suis le père d'un petit gars !

Or, aîné de la famille, Jules allait être suivi d'un petit frère, Claude, deux ans plus tard. Un accouchement plus difficile, cette fois, et à l'hôpital Sainte-Jeanne-d'Arc où on avait transporté la mère qui n'en menait pas large. Ce fut le dernier enfant de madame Drouais, que son mari surnommait Lili pour abréger son prénom, Lilianne. Le docteur, ayant jugé qu'elle avait subi de sérieuses complications, avait opté pour ce qu'on appelait « la grande opération ». Et avec deux gars à élever, fier de ses deux enfants, Gérald Drouais avait dit à sa femme :

— T'en fais pas, c'est bien mieux comme ça que d'en avoir six ou sept comme tout le monde. On va pouvoir leur en donner plus, y vont manquer de rien, ces deux p'tits gars. Pis toi, tu vas remonter la côte et t'en occuper en bonne santé.

— Oui, sauf que j'aurais bien aimé avoir une fille.

— Bah, oublie ça, deux gars, ça va nous aider davantage plus tard. C'est vaillant des gars, pis quand je serai plus là, ils vont prendre soin de toi. Regarde comme il est beau, Jules, y tient ça de mon côté. Claude n'est pas laid non plus, mais plus baquet, le nez plus gros, il ressemble à ton père. Pis, braillard en maudit, celui-là !

Le séjour sur la rue Boyer dura jusqu'à la naissance de Claude. Ensuite, ayant obtenu un meilleur emploi dans un atelier d'aluminium, Gérald dénicha un autre logement sur la rue Gauthier, pas loin de l'avenue Mont-Royal où se trouvaient tous les magasins. Madame Drouais s'était plainte à son mari :

— Pas encore un déménagement, Gérald ! C'est le quatrième depuis notre mariage. Je m'étais fait des amies ici…

— Tu t'en feras là-bas aussi, Lili. J'pouvais pas laisser passer l'offre d'emploi, ma femme. Ça va me donner cinquante cennes de l'heure de plus en partant ! Imagine avec l'*overtime !*

— Oui, mais déménager, ça coûte pas mal cher…

— Ben non, pas une cenne, Lili ! Mes amis de la *shop* vont venir nous donner un coup de main. Le gros Louis a même un *truck* qui peut tout prendre. Pis, au nouveau logement, on va juste avoir à acheter un prélart pour la cuisine, celui qui est là est pas mal usé. Le reste est propre, pis un grand cinq pièces, ce sera mieux que ton petit trois pièces ici. Les enfants vont avoir une belle grande chambre. Pis un bas cette fois, pas un deuxième étage ! Pas d'escaliers à monter avec tes sacs d'épicerie. Toi, pas forte d'avance…

— Ben, si tu l'dis ainsi, j'te fais confiance, mon homme, mais j'voudrais pas que ce soit à recommencer l'année prochaine !

— Non, non, t'en fais pas, cette fois-là, on s'installe pour un maudit bon bout d'temps !

Mais Jules n'eut pas le temps de se faire de nouveaux amis ni d'user ses culottes sur le banc de l'école. L'année suivante, son père leur annonçait qu'il avait trouvé, grâce à un chum de l'atelier, un autre job plus payant dans une plomberie du nord, qui cherchait un homme de comptoir expérimenté pour recevoir et vendre, à des contacteurs, des outils nécessaires pour les gros travaux de leurs bâtiments. Gérald, qui avait certaines connaissances dans ce domaine, leur en déclara plus qu'il ne savait faire, mais comptant sur un apprentissage rapide comme c'était le cas chaque fois, il décrocha l'emploi et se retrouva commis de cet établissement à vendre des tuyaux, des bols de toilette, des vis, des tarauds, des joints, dont il avait appris les marques et les noms en peu de temps. Son patron, fier de lui, vu ses ventes multiples, avait augmenté son salaire d'essai de dix dollars par semaine, ce qui était plus qu'espéré par le nouvel employé. De ce fait, ils avaient quitté la rue Gauthier pour s'établir cette fois sur la rue Gounod, plus au nord où, enfin, Jules allait pouvoir commencer l'école et se faire des amis. Leur nouveau logement, moins vaste que le précédent, une pièce en moins et dans un deuxième étage, avait fait sourciller Lilianne, mais constatant que son mari avait du cœur au ventre, elle ferma les yeux sur son désappointement pour le suivre sans rien dire.

Quelques années s'écoulèrent, et Jules, à l'école, était parmi les premiers de sa classe. Souvent de retour avec la médaille d'honneur sur son petit veston, son père le félicitait en lui disant qu'il était aussi débrouillard… que lui ! Pour Claude, c'était une autre histoire. Peu enclin aux études, vingt-huitième de son groupe sur trente élèves, il ne faisait guère la fierté du paternel. De plus, baquet, lambin, sans énergie, il passait ses soirées à flâner, à écouter la radio, à lire les bandes dessinées de *La Patrie*, et à se bourrer dans les petits gâteaux sucrés que sa mère achetait du boulanger. Lilianne, par contre, ayant peu à faire à part le quotidien de son logement, s'était mise à engraisser elle aussi. Ce qui avait déplu à Gérald, qui lui avait dit un certain soir :

— Fais attention, Lili, tu vas perdre ta belle taille, si ça continue. Tu penses pas que tu devrais aller t'acheter un corset ? Ça camoufle, tu sais ! Y a assez du baquet qui prend du poids par-dessus celui qu'y a déjà…

On sentait que Gérald n'avait d'admiration que pour son aîné qui, beau garçon, lui faisait honneur dans ses études. Un bulletin scolaire à faire rêver toutes les mères, une bonne attitude, sportif à ses heures, le hockey au parc surtout, et les quilles avec son père. Il était rarement assis sur son derrière, le plus grand. Ce qui en faisait le préféré au détriment de Claude, dont Gérald digérait mal qu'il ait, en plus de sa corpulence, le nez épaté de son beau-père.

Au boulot, monsieur Drouais bénéficiait maintenant d'un pourcentage sur les ventes mensuelles en plus de son salaire, une fois de plus augmenté. Toutefois, par un matin de froidure, il apprit que son patron, beaucoup plus âgé, avait été malade durant la nuit et ne pouvait entrer le seconder. Retenu par un malaise sournois dont on ne devinait pas la source, le *boss* confia donc son établissement à son seul employé et Gérald prit en charge le commerce d'une main de maître. Ambitieux, déterminé à faire son chemin dans la vie, il réussit à le convaincre de le laisser s'associer à lui s'il trouvait les fonds nécessaires à cet effet. Le proprio, de plus en plus malade, accepta la proposition de Gérald Drouais qui, après trois refus d'emprunts de quelques banques, s'en vit attribuer un par la Caisse populaire de son quartier, encline à venir en aide à ses membres. Argent en main, notaire pas loin, Gérald devint le copropriétaire de la plomberie et, la malchance de son patron qui fit sa chance, lui permit après le décès subit de ce dernier, de racheter de la veuve éplorée, sans enfants, et pour une bouchée de pain, la part du défunt pour devenir enfin l'unique propriétaire de ce commerce bien établi. C'est d'ailleurs à ce moment qu'il avait dit à Lili :

— On va encore déménager, ma femme, plus au nord de la ville, là où on bâtit à tour de bras. Mais cette fois, pas dans un logement, dans une maison que je vais acheter. Regarde-moi bien aller !

Lilianne, plus ronde que mince à cause de ses Oh Henry ! quasi quotidiens, le laissa parler, heureuse cependant à l'idée d'emménager dans sa propre demeure, où que ce soit, pourvu que l'école et l'église ne soient pas loin, car les Drouais, très croyants et dévots, ne manquaient jamais la messe du dimanche. Une belle maison fut dénichée sur la rue Valmont, dans le quartier Bordeaux, pas loin du commerce de Gérald situé sur le boulevard Gouin, à l'ouest quelque peu de la rue Pasteur. Et c'est là, finalement, que Jules, à douze ans, allait vivre son adolescence pendant que son frère Claude, la peau grasse, bedonnant, allait faire damner les frères enseignants de l'école primaire.

De son côté. Francine était née dans ce quartier où les parents de Jules venaient de s'établir, ce qui les ferait se rencontrer plus tard. C'est sur la rue Letellier que monsieur Vadnet avait acheté son cottage qui allait abriter sa famille pour de nombreuses années. Marié à sa chère Cécile, une amie d'enfance qu'il avait longuement fréquentée, Marcel Vadnet se retrouva père, l'année suivante, d'une fille que sa femme avait appelée Nicole. Puis, deux ans plus tard, d'une autre fille, Francine, suivie d'une troisième qu'on prénomma Mariette. Ce qui aurait dû mettre un frein aux grossesses de madame Vadnet, qui ne jouissait pas d'une excellente santé, mais trois garçons devaient suivre, dont l'un mourut en bas âge. Peu fortuné, le père trouva néanmoins les fonds nécessaires pour payer sa maison et nourrir sa famille. Un emploi comme laitier dans les environs et un autre à l'épicerie du coin comme livreur de commandes les fins de semaine. Sans parler de l'hiver où il décrochait de petits contrats de la ville pour briser, au pic, la glace dans les rues. Un vaillant homme qui voulait régler son hypothèque le plus vite possible, quitte à se priver, avec son épouse, de sorties dans les cinémas pour se contenter de pièces de théâtre jouées par des amateurs dans le sous-sol de l'église, pour un prix d'entrée de vingt-cinq cents, et un retour à la maison pour un café et une brioche à deux. Un épargnant, il va sans dire, mais qui ne refusait rien à ses enfants, surtout à sa plus vieille, Nicole, qui tapait du pied pour de nouvelles robes ou des rubans de velours pour la queue de cheval de sa crinière blonde. Francine, moins exigeante et plus obéissante, prenait soin de ses petits frères avec un tel dévouement, que sa mère lui avait dit un jour : « Toi, tu vas m'aider à les élever, ces deux-là ! »

Jules Drouais, douze ans seulement, était déjà attiré par la gent féminine. Il reluquait fréquemment la belle Sofia, une jeune femme mariée qui, selon lui, ressemblait à l'actrice italienne Silvana Mangano qu'il avait vue dans un magazine. Il avait toutefois jeté son dévolu sur une voisine d'en face, d'un an de plus que lui, prénommée Justine. Une fille frivole qui, tout en le trouvant attirant avec ses yeux pers et ses cheveux blonds, lui préféra un autre gars plus grand que lui, âgé de quinze ans, celui-là. Déçu, il n'avait donc eu d'elle qu'un seul baiser furtif dont il avait gardé un goût amer, mais il se promettait bien de lui faire regretter son

rejet quand il deviendrait grand et beau comme un acteur.
Ce qui se produisit quelques années plus tard et, dommage
pour Justine qui était devenue fille-mère à quatorze ans du
voyou qui l'avait vite abandonnée, Jules s'en était dès lors
complètement désintéressé, regardant de plus près une certaine Andrée, pas mal jolie, qui jouait si bien du piano. Mais
ça n'alla pas plus loin qu'un petit récital chez elle. Fille d'un
avocat et habitant une maison cossue comparée à la sienne, il
se sentait diminué à côté d'elle. Il se cherchait plutôt une fille
de bonne famille, pas plus riche que les Drouais l'étaient,
et plaisante à regarder, bien entendu. À seize ans, son père
l'incita à tenir un commerce qu'il avait l'intention d'acheter.

Devenu plus prospère, Gérald Drouais avait déposé
une offre d'achat sur une biscuiterie d'un quartier voisin
et comptait sur son fils Jules pour s'en occuper. Le jeune
homme protesta, il voulait poursuivre ses études, mais le
paternel insista tellement que, pour ne pas lui déplaire, Jules
s'était senti obligé d'accepter le mandat. Mais six mois plus
tard, prétextant que les affaires ne tournaient pas rond, que
les épiceries vendaient maintenant les mêmes biscuits que
lui, il ferma ses portes pour ensuite en aviser son père qui
réussit à revendre, avec perte, ce qu'il avait acheté quasi
comptant. Mais sans en vouloir à son fils qui, désolé de son
échec, s'excusait auprès du paternel qui lui avait dit :

— Laisse faire, Jules, reprends tes études, c'est ce que
tu veux faire, n'est-ce pas ?

— Oui, mais je t'ai fait perdre de l'argent, papa…

— Pas important, je vais en faire d'autre ne crains rien.
Pense à ton avenir, pas au mien, oublie les biscuits et fais ta
vie, mon gars.

Et c'est ainsi que se termina cette vilaine parenthèse de son adolescence. Quelques jours plus tard, ayant aperçu Francine qui revenait de l'épicerie Eugène Riopel pas trop loin de chez lui, il la trouva fort mignonne, la salua, engagea un brin de conversation, et la jeune fille lui apprit qu'elle avait entendu parler de lui par son cousin, Gilles, qui était dans sa classe en neuvième année. Ils se quittèrent, contents tous deux de cette brève rencontre et, la semaine suivante, il l'invitait au cinéma avec juste assez d'argent dans ses poches pour celui du quartier à programme double et une liqueur douce à l'entracte. Francine et Jules avaient néanmoins adoré le film principal. Il s'agissait de *Lust for Life*, avec Kirk Douglas, *La vie passionnée de Vincent Van Gogh,* ce grand peintre qui avait eu une fin tragique. Loin d'être un film léger, mais dans la veine des films préférés de Francine qui étudiait en vue d'être institutrice et de Jules qui, depuis septembre, avait entrepris des études supérieures sans savoir encore où ça le mènerait. Parce que, quoique studieux, le jeune homme n'avait aucune envie de devenir un professionnel dans quelque domaine que ce soit. Il voulait trouver un emploi stable, sécuritaire et de la durée d'une vie. Ce qui allait se produire un peu plus tard, quand un client de son père lui suggéra de se présenter au gouvernement fédéral, où son fils travaillait, pour tenter à son tour d'être embauché dans les réclamations ou ailleurs. «Un poste à long terme», avait précisé le monsieur. En plein ce qu'il cherchait et qui allait s'avérer réalité, puisque Jules Drouais allait devenir percepteur d'impôts jusqu'au jour de sa retraite.

La fréquentation devint vite plus sérieuse, et le beau blond aux yeux pers qui fréquentait maintenant Francine Vadnet évitait de regarder les autres filles, même si ses démons intérieurs le poussaient souvent à le faire. Il avait d'ailleurs trouvé Nicole, la sœur de Francine, plus attirante physiquement que cette dernière, mais il se rendit vite compte que l'aînée était frivole et capricieuse, qu'elle courait des bras d'un gars à un autre, qu'elle était infidèle, et il trouva dès lors que Francine était la plus équilibrée des deux et qu'elle ferait une meilleure mère pour les enfants qu'il souhaitait avoir un jour. Aussi jolie que Nicole, mais moins grimée, plus naturelle avec ses cheveux bruns, un peu de rouge à lèvres et un léger coup de crayon au bord des paupières, il se sentait au septième ciel avec elle, d'autant plus que sa mère lui avait dit : « En voilà une qui va te faire une bonne épouse, mon gars. Cesse de regarder ailleurs, tu as trouvé la perle rare. »

Lorsque Francine atteignit ses dix-huit ans, Jules lui demanda de devenir sa fiancée en lui offrant une bague à diamants de vingt-trois points, il n'avait pas les moyens de lui en acheter une plus coûteuse. Francine, qui était en fin d'études pour obtenir son brevet d'enseignement, accepta de bon gré, sachant que des fiançailles, ce n'était pas comme le mariage, que ça ne nuirait en rien à son avenir d'institutrice au primaire, ce qu'elle convoitait depuis toujours. Petite, elle avait maintes fois dit à sa mère : « Quand je serai grande, je veux être une maîtresse d'école pour les petits enfants, ceux qui sont au Jardin de l'enfance ou ceux de la première année à l'école. J'aime beaucoup les petits,

ils aiment apprendre à cet âge-là. » Et c'est juste avant ses
fiançailles que Jules devint commissaire au gouvernement
fédéral, en apprentissage au département des réclamations,
où il devrait prouver son savoir-faire et non rester un «pous-
seux de crayon» comme il l'était actuellement. Il était fier
de son emploi, de son poste aux côtés du fils du client de
son père qui l'avait pris en charge. Il se sentait en sécurité
avec un salaire hebdomadaire assuré et des augmentations
à venir, selon les normes. Son père, heureux de sa réussite,
même s'il avait souhaité le voir se joindre à son entreprise,
clamait à ceux qui s'informaient de Jules: «Lui, ça va très
bien ses affaires, il travaille pour le gouvernement fédéral.
Pas une mince tâche, ça ! »

Les fiançailles de Francine et de Jules eurent lieu le
dimanche de Pâques. Ils étaient allés à la messe et, après, ils
demandèrent au curé de bénir la bague de la fiancée ainsi que
leurs mains croisées l'une sur l'autre pour que Dieu veille
sur eux. Puis, de retour chez Francine où un petit goûter les
attendait, ils suscitèrent l'admiration de tous avec la toilette neuve des fiancés, qu'ils étrennaient pour l'occasion,
ainsi que devant la bague de Francine qu'on lui envia, sauf
Nicole qui trouva que le diamant était plutôt petit. On avait
invité monsieur et madame Drouais, mais pas le Baquet qui
avait préféré aller boire de la bière chez son ami, un bum
du quartier. Chez les Vadnet, à part les parents, il y avait
Nicole et son amoureux du moment, un Italien qui roulait en
Lincoln Continental rouge, dont le père était passablement
riche. Un Italien qui la gâtait en lui achetant des bijoux en
or et qui lui avait trouvé un emploi comme hôtesse dans un

restaurant italien reconnu, ce qui était mieux que de sceller des boîtes de sachets de thé chez *Red Rose,* son travail précédent. Mais elle ne pouvait pas s'attendre à plus, la belle Nicole, avec une neuvième année terminée de justesse et un rang de vingt-deux sur vingt-quatre sur son bulletin scolaire. Ses connaissances étaient plutôt dans sa trousse de maquillage que dans la grammaire et les mathématiques. Sans la collaboration de l'aînée, Mariette, la benjamine, avait aidé sa mère dans les préparatifs et s'était occupée des deux petits frères qui étaient aussi de la fête. Madame Vadnet avait également tenu à inviter sa cousine et son mari parce qu'ils étaient parrain et marraine de Francine. Donc, une petite célébration intime et rapide, puisque deux heures après ce petit goûter, les invités regagnaient leur logis, non sans avoir félicité la fiancée une fois de plus. Ce qui avait fait le bonheur de Jules qui, déjà à cet âge, détestait les fêtes de ce genre et les réunions familiales. Il voulait sans cesse être seul avec Francine, ce qui n'était guère le lot des familles nombreuses de ce temps. Ils prévoyaient se marier l'année suivante, mais sans avoir réussi à fixer de date pour autant. Ils s'obstinaient sur ce sujet; Jules désirait un mariage dans l'intimité, à la sacristie si possible, avec juste leurs deux parents, mais Francine, sans vouloir une grande célébration, tenait à inviter sa parenté et quelques collègues de l'école où elle enseignait, et à prendre une photo de groupe sur le parvis de l'église. Elle lui avait dit: «Écoute, Jules, on fait ça juste une fois dans sa vie, j'aimerais bien en garder le souvenir. Les unions intimes dont tu parles, c'est pour ceux qui se remarient en catimini, pas pour de jeunes fiancés qui se promettent l'un à l'autre pour la première fois.» Il finit par acquiescer et c'est en mai de l'année suivante, plus précisément le 27 mai 1961, que Francine Vadnet et Jules Drouais prononcèrent leurs vœux solennels devant le curé de leur église paroissiale. Avec une cinquantaine d'invités et un portrait de groupe sur le parvis tel que désiré par la mariée. Une réception suivit dans un restaurant des alentours et, vers trois heures, les jeunes mariés quittèrent la salle pour se changer et se rendre en voiture pour un voyage de noces de quelques jours, rien de plus, Jules, vingt et un ans, et Francine, vingt ans, venaient d'unir leur destinée pour le meilleur et pour le pire. Elle dans une robe blanche peu recherchée, mais convenable, lui dans un smoking loué d'un magasin de la rue Saint-Hubert. Nicole, par contre, était arrivée à l'église avec un nouveau prétendant, dans une Plymouth bien ordinaire, mais de l'année. Un assez beau garçon, un Canadien français cette fois, un gars qui travaillait chez Canadair et qu'elle avait rencontré au restaurant où elle avait évidemment perdu son poste d'hôtesse après sa rupture avec l'Italien. Elle avait vite retrouvé un autre emploi comme vendeuse de cosmétiques, cette fois, dans un magasin à rayons où elle avait fini par apprendre le maniement de la caisse enregistreuse. Bref, après la réception, alors que les nouveaux mariés se dirigeaient vers Saint-Donat dans la Dodge seconde main de Jules, ils s'arrêtèrent dans un restaurant et, après avoir commandé un dessert et du café, ils se regardèrent en souriant d'aise tous les deux :

— Je t'aime, Francine, je suis content que tu portes mon nom.

— Moi aussi, je t'aime, Jules, et je suis ravie de m'appeler maintenant madame Jules Drouais, mais il faudra que je continue jusqu'à la fin des classes à être mademoiselle Vadnet pour les petits qui sont habitués à mon nom de fille. L'an prochain, je commencerai avec mon nom de femme mariée, ce qui sera plus facile pour les enfants et moi.

— Bien sûr, ne change rien maintenant, ces petits seront tout mêlés. Et pourquoi tu enseignes à l'école des garçons et non à celle des filles ?

— Parce que je suis plus habituée aux garçons. N'oublie pas que j'en ai élevé deux avec ma mère. Et puis, les p'tits gars sont moins pleurnichards que les filles. Quand ils tombent sur l'asphalte de la cour d'école, ils rentrent me demander si j'ai un *plaster* pour leur genou éraflé, tandis que les filles braillent comme si elles avaient été mordues par un berger allemand ! C'est nettement différent…

Avant leur union, ils avaient déniché un joli trois pièces sur la rue Tolhurst près du boulevard Gouin. L'un des deux logements au-dessus du propriétaire qui habitait celui du bas. L'occupante de l'autre logis en face du leur était une dame âgée qui leur promettait déjà de leur cuisiner des petits plats parce qu'ils travaillaient tous les deux. Pas grand le logement, un salon, une chambre à coucher et une cuisine, avec une petite salle de bain dans le corridor, mais c'était suffisant pour le début d'une vie commune. D'autant plus que la charmante grand-mère de la porte d'en face les attendait souvent avec un pâté chinois ou un bouilli de bœuf aux légumes pour deux. Ce qui plaisait à Jules qui la remerciait de temps à autre avec une boîte de chocolats aux cerises Lowney, les préférés de la dame.

Francine avait repris son poste d'enseignante et Jules avait retrouvé ses collègues au gouvernement. Tout allait pour le mieux dans le meilleur des mondes jusqu'à la fin septembre, alors que Francine venait à peine de commencer une nouvelle année scolaire. Sans même y avoir songé, elle tomba enceinte, ce qui lui fit dire à son mari :

— Tu aurais pu attendre un peu, on vient à peine de se marier…

— Désolé de te voir déçue, Francine, mais c'est toi qui suivais le calendrier, pas moi. Un enfant, ça se fait à deux.

— Je ne suis pas déçue, mais je viens tout juste de quitter mes deux frères qui se fiaient sur moi pour tout. Une pause un peu plus longue m'aurait fait plaisir.

— Sans doute, mais pense au bébé qui va venir. Si tu savais comme j'ai hâte de le tenir dans mes bras ! Et ma mère va être contente d'apprendre qu'elle deviendra grand-mère.

— La mienne aussi, mais ce ne sont pas elles qui vont l'avoir, cet enfant-là ! Elles vont juste le cajoler, tandis que moi…

— Voyons Francine, ne le prends pas mal, tu vas être en amour avec ce bébé dès que tu l'auras dans les bras. Et puis, tu peux continuer à enseigner pour un bout de temps, l'enfant ne naîtra pas avant la fin du printemps ou même le début de l'été…

— Bon, ça va, prenons ça un jour la fois, tu veux bien ?

Et le couple passa une assez bonne soirée à deux, même si on pouvait percevoir dans l'attitude de Francine qu'elle n'était pas tout à fait ravie de devenir mère si tôt après leur mariage. Elle aurait préféré attendre au moins deux ans ou ne pas en avoir du tout. Elle venait de se défaire de ses frères et traversait l'année avec trente-cinq élèves, ce qui lui suffisait amplement sur le plan du dévouement.

C'est en juin de l'année suivante que Francine mit au monde leur premier enfant, un garçon qu'on prénomma Marc. Un bébé joufflu et en bonne santé, que Jules avait plus souvent dans les bras que Francine, qui allait reprendre l'enseignement à l'école primaire dans un mois, après avoir trouvé une gardienne pour le petit. Entre-temps, Jules avait préparé leur déménagement afin d'accueillir le nouveau-né avec une chambre à lui. Il avait déniché un logement sur l'avenue Christophe-Colomb, pas aussi ensoleillé que leur petit trois-pièces, mais avec une plus grande chambre pour eux, une salle à manger et une jolie chambrette pour Marc qui allait vite s'agiter. Un endroit qui avait plu à Lilianne, la mère de Jules, qui proposa à sa bru de prendre soin de l'enfant à leur logement chaque jour, n'ayant rien d'autre à faire puisque Claude, dit Baquet, allait quitter le toit pour aller vivre au centre-ville avec le bum qui buvait autant que lui. Un lieu où les caisses de bière allaient entrer quotidiennement parce qu'ils travaillaient tous les deux. Lui, dans une fabrique de boîtes de carton et l'autre, dans un restaurant comme desserveur de tables et laveur de vaisselle. Faits l'un pour l'autre ! Deux ivrognes sans instruction, avec des blondes par-ci par-là, quand des filles du coin proposaient leurs services pour un paquet de cigarettes. C'est d'ailleurs à ce moment-là que Jules coupa les ponts avec son frère pour ne plus le revoir ou presque. Ce qui n'avait pas déplu à son père qui, sans le dire à sa femme, avait coupé les vivres à son Baquet. Ce qui n'empêcha pas le jeune buveur de s'arranger sans lui. Avec son bum et les ventes des objets des vols à l'étalage de ce dernier, il se procurait ce dont il avait besoin pour survivre. Parfois, cassé comme un clou avant sa prochaine paye, il empruntait un dix ou un vingt piastres à Lilianne, sa mère, montants qu'il ne lui remettait jamais. Côté santé, ça allait, il mangeait à sa faim et même plus. Déjà gras comme un voleur, il avait réussi à ajouter trente livres dans son gros ventre depuis qu'il était en appartement. À presque vingt ans, le crâne à moitié dégarni, Baquet avait la physionomie et le corps d'un homme mal entretenu de quarante ans. Ce que Lilianne un certain jour lui reprocha, mais la dévisageant impoliment, il lui avait répondu : « Pis toé, tu t'es regardée, la mère ? T'as pas mal de lard au derrière ! »

La petite famille installée sur l'avenue Christophe-Colomb, Francine avait changé d'école en septembre pour être plus près de chez elle et relever sa belle-mère de son occupation vers quatre heures, afin qu'elle puisse retourner chez elle préparer le souper de Gérald. Le petit ne donnait pas de trouble, il avait bon caractère, dormait l'après-midi et souriait souvent à sa grand-mère qu'il reconnaissait chaque fois qu'elle arrivait chez lui. Le soir venu, Jules en prenait soin. Il adorait son fiston qui se tenait presque debout dans sa bassinette afin de se faire prendre. Sa femme lui disait :

— Ne le gâte pas trop, Jules, on peut le regretter la nuit s'il décide de ne pas dormir.

— Bien non, il est docile, et un enfant, ça doit être choyé. Il faut qu'il sente qu'on l'aime. Toi, t'as pas le sourire facile avec lui.

— Ce n'est pas avec juste un sourire qu'on élève un enfant...

— Je sais, va pas plus loin, t'as pris soin de tes deux frères, je le sais, mais là, c'est ton petit, pas celui de ta mère. Gâte-le un peu !

— Ta mère le fait à longueur de journée, c'est bien assez !

— Arrange-toi pas pour qu'il en vienne à préférer ma mère à toi, Francine ! Un peu de psychologie ne te ferait pas de tort !

— Tu dis cela à une enseignante, Jules ? Alors qu'il m'en faut chaque jour avec trente-trois élèves ? Tu t'entends, mon mari ? Pis toi, tu en as de la psychologie au gouvernement quand tu réclames de gros montants immédiats à un père de cinq enfants qui tarde à payer ses impôts parce qu'il parvient à peine à mettre du beurre sur les *toasts* de ses petits ? C'est ça ta psychologie ?

— Ça, c'est ma job, Francine, c'est pourquoi on me paye ! J'y peux rien...

— Bien oui, Jules, tu pourrais prendre un dix dollars de ta paye et aller le porter au pauvre retardataire que tu épluches de quelques piastres avec intérêts chaque jour ! Ce serait plus charitable que d'avoir un grain de ta supposée psychologie qui ne t'empêche pas de mettre de braves gens dans l'trou !

Mais ces désaccords dans le couple n'allaient en rien enfreindre leur amour et leur charmante vie à... trois ! L'été venu, ils étaient allés au chalet de monsieur Drouais à Saint-Émile-de-Montcalm, où le petit Marc avait profité de l'air pur et de l'eau du lac avec son père et son grand-père.

Toutefois, dès que l'automne survint et que Francine reprit sa classe au primaire de l'école voisine, elle apprit de son médecin une fâcheuse nouvelle. Elle était enceinte pour une seconde fois ! Ce qu'elle accepta néanmoins avec un long soupir de découragement quand elle l'annonça à son mari qui, lui, s'en montra fort heureux. Mais voilà qu'ils auraient besoin d'un logement avec une chambre de plus et Jules ne perdit pas une seconde à en trouver un pour le printemps prochain, à la fin de son bail actuel, un beau grand six pièces dans une maison quasi rustique de la rue Louisbourg, pas loin de la résidence de ses parents. Ce qui allait occasionner à Francine un transfert dans une autre école, mais cette fois, seulement après avoir donné naissance. Ce qui devait se produire l'année suivante, en juin comme pour le premier, le 20, à quelques jours de la fin des classes. Un accouchement un peu plus difficile, mais dont la mère ne se plaignit pas. Une fille de six livres, plus fragile, mais en santé. Un charmant bébé plus pleurnichard cependant, comme les petites filles de l'école quand elles tombaient sur le gravier. Mais une fillette dont le père s'éprit autant que de son Marc qui venait d'avoir deux ans. Une belle enfant que sa mère prénomma Renée le jour de son baptême à l'église paroissiale de son nouveau quartier.

Les années s'écoulèrent sans heurts rue Louisbourg, les enfants grandissaient, surveillés par une gardienne le jour, pendant que leur maman enseignait, et choyés par leur papa les soirs venus quand il était à la maison. Parce que Jules, par ces temps, s'était inscrit à une équipe de quilles avec des membres du fonctionnariat. Deux fois par semaine, il les rejoignait à un salon de quilles de la rue Fleury, répétait Francine à sa famille. Ce n'était cependant pas deux soirs, mais un seul soir que la réunion avait lieu. L'autre soirée, c'était pour sortir avec une patineuse de fantaisie, membre des Ice Capades, prénommée Monique, une belle fille de vingt ans qui lui avait été présentée par un partenaire de quilles et voisin de cette dernière, qui tomba amoureuse du beau jeune homme, sans savoir qu'il était marié. Jules, amateur de jolies femmes, s'en était épris dès le premier jour. Dès lors, il la combla de cadeaux dont un pendentif en or en forme de cœur. Ils se voyaient aussi régulièrement que possible. Il était même allé l'applaudir lorsque la troupe était de passage et il l'avait trouvée encore plus belle, sur glace, vêtue de paillettes et maquillée comme une déesse dans son numéro solo. Tous les hommes la regardaient avec envie, mais il était si fier de savoir qu'elle n'était qu'à lui. Mais que faire? Francine d'un côté, Monique de l'autre… Après huit mois, néanmoins, c'est le voisin de la patineuse et partenaire de quilles de Jules qui, mal à l'aise de la situation, pris de remords, se sentant coupable de cette liaison, voyant que sa voisine et amie était follement éprise de Jules, avait fini par avouer sa traîtrise en l'avisant que son bellâtre n'était pas libre, qu'il était marié et père de famille. Désemparée, sentant son cœur arrêter de battre, elle rompit sur-le-champ en éprouvant un lourd chagrin, cependant. Jules aussi, évidemment, mais comme sa Monique ne l'avait pas insulté ni repoussé violemment, il s'en éloigna tout doucement, espérant seulement que cette courte liaison, intense néanmoins, n'allait pas parvenir aux oreilles de sa femme. Mais Francine en avait eu vent par

une âme charitable et jalouse, ne supportant pas l'infidé-
lité, elle l'avait sommé de lui dire la vérité, ce qu'il fit en
lui jurant que c'était la petite patineuse qui s'était enti-
chée de lui sans qu'il ne se passe rien entre eux, toutefois.
Croyant que cette aventure avait été plus qu'éphémère, rassurée quoique méfiante, elle le prévint que si une autre histoire du genre se produisait, elle le quitterait et partirait
avec ses enfants.

— Voyons, chérie, lui avait-il répliqué, n'écoute pas tous
ces racontars… Je pourrais aussi douter de toi avec les beaux
professeurs qui enseignent à ton école.

Ce sur quoi elle avait lancé :

— Non, parce que tu sais trop bien que je ne serais jamais
tentée d'être infidèle, qu'il n'y a que toi dans ma vie. N'essaie pas de m'attribuer ce que tu fais déjà, car malgré ton
serment, j'ai de la misère à croire que toi et cette patineuse
ne soyez pas allés plus loin que le restaurant du coin !

Il avait regardé par la fenêtre, évitant ainsi de rétorquer
quoi que ce soit, et lui dit comme si de rien n'était :

— On n'a jamais eu autant d'écureuils sur le terrain que
cette année ! Y en a partout, Francine ! Leur donnes-tu à
manger ?

Puis, plusieurs années plus tard, sans l'avoir voulu,
Francine allait donner naissance à un troisième enfant.
Constatant qu'ils seraient pas mal à l'étroit dans ce logement, à moins de mettre les deux plus vieux dans la même
chambre, Jules avait dit à sa femme :

— Cette fois, on va déménager dans notre propre
maison. J'en ai parlé à mon père, il va chercher avec moi et

il va m'endosser pour l'emprunt initial à la banque. Qu'en penses-tu ?

— Disons que j'aimerais bien qu'on soit dans notre chez-nous et non payer encore un loyer à un étranger sans que rien nous appartienne vraiment.

Avec l'aide de son père qui connaissait plusieurs agents d'immeubles, l'un d'eux leur suggéra une très belle maison sur le boulevard des Prairies à Laval, avec la rivière derrière eux, un grand terrain et des pièces pour se permettre même une chambre d'invités. Une maison que Jules acheta les yeux fermés grâce à son père qui, lui, les avait grands ouverts. Et c'est dans cette belle demeure familiale, qui allait les abriter pour la durée d'une vie, que Francine mit au monde son troisième enfant, encore une fille, très belle, avec les yeux pers de son père, la bouche de sa mère, qu'on prénomma Sophie. Francine, heureuse et déçue d'avoir à quitter son poste d'enseignante pour s'occuper de son bébé à la maison pour au moins six mois, avait dit à son mari en revenant de l'hôpital :

— Écoute, c'est la dernière, je ne veux plus d'enfants. Trois, c'est assez ! Ne pense pas à un autre garçon, ce sera des filles sans cesse et je ne veux pas d'une équipe de majorettes dans la maison, tu comprends ?

Il avait acquiescé, quoiqu'il n'en avait pas désiré d'autre, mais en se promettant bien de laisser l'approbation de cette demande à nul autre que Dieu. Et le bon Dieu fut plutôt solidaire de la mère puisque Francine, mal en point depuis ce troisième accouchement, subit avant ses trente ans une hystérectomie totale. Donc, une belle maison, trois enfants en bonne santé, un époux vaillant et dévoué, et une Francine Vadnet qui avait même rayé de ses doutes les plus ancrés les quelques infidélités de son trop séduisant mari. Et ce, jusqu'à un âge très avancé, alors que tout lui reviendrait en mémoire un certain soir.

Chapitre 3

Les années se succédèrent et, chez le couple Drouais, tout allait comme sur des roulettes, avec parfois des désaccords, ce qui était normal. Jules, heureux au gouvernement où il travaillait, ne cherchait pas les promotions, loin de là. Il se sentait à l'aise avec sa rémunération et les avantages sociaux dont il bénéficiait. Francine, malgré son rôle de mère de famille, enseignait encore au primaire d'une école de Laval, pas très loin de la maison. Les enfants, tous aux études, réussissaient bien, Marc avait de fortes notes, Renée revenait avec un bon bulletin et Sophie, la plus jeune, atteignait sa moyenne chaque mois, sans toutefois faire le bonheur de sa mère avec ses résultats.

D'un autre côté, Jules, éloigné de son frère de plus en plus, avait tout de même accepté, sur l'insistance de son père, d'assister au mariage de Baquet avec une coiffeuse du bas de la ville de cinq ans son aînée, prénommée Manon et dotée d'un passé douteux sur le plan des amours. Jules et Francine firent sa connaissance le jour de leurs noces. Une rencontre qui n'allait pas s'avérer familiale avec Baquet, mais plutôt cordiale puisque dès la cérémonie et le banquet terminés, Jules avait dit à son père :

— Ne compte pas sur nous pour les fréquenter, papa. Sa femme est *cheap*, sans instruction, le regard effronté, et tu as vu ? La mâchée de gomme après le dessert au buffet ! Même si elle porte le nom des Drouais, maintenant, Francine ne tient pas à la revoir, moi non plus. Baquet aura sa vie et nous, la nôtre. Est-ce assez clair ?

Et Gérald avait répondu, les yeux presque par terre :

— Je regrette de vous avoir forcés à venir, je l'avais déjà rencontrée, la future, et j'étais loin d'avoir été impressionné, croyez-moi. Je comprends ton éloignement, Jules, j'en ferais autant si ce n'était pas de ta mère qui, elle, s'en accommode.

— On sait bien, c'est pas loin du gabarit de maman, cette Manon-là !

— Jules ! s'écria Francine, ne parle pas ainsi de ta mère qui a été si bonne pour nous avec les enfants. Et ne la compare surtout pas à cette femme !

Jules ne répliqua rien et son père ajouta :

— Mais je vais les garder éloignés, tu peux me croire. Ils s'en vont vivre au diable vauvert tous les deux et ta mère apprendra à se passer d'eux. D'autant plus que sa santé laisse à désirer… Pauvre Lili…

— Qu'est-ce qui ne va pas, monsieur Drouais ? d'insister Francine.

— On ne le sait pas, mais elle a des maux de ventre épouvantables et son médecin la suit de près. Tu as vu comme elle a maigri ?

— Heu… oui, de répondre Jules, mais elle m'a dit se priver de manger pour éviter les crampes qui surgissent fréquemment.

— Oui, et Baquet a compris que sa mère ne pouvait être à son mariage dans cet état. C'est quand même embarrassant pour elle. Mais Lili leur a fait parvenir ses vœux avec un assez bon montant d'argent pour leur voyage de noces. Son Baquet, elle…

De son côté, Francine ne voyait plus ses deux frères qui, plus jeunes, ne juraient que par elle. L'un était dans l'armée, campé à Terre-Neuve, alors que le cadet travaillait sur une ferme agricole en Saskatchewan où il avait rencontré une fille qui, amoureuse de lui, le retenait dans les parages. Elle n'avait plus que ses deux sœurs à côtoyer, son père et sa mère, et celle-ci, constamment malade, ne laissait rien prévoir d'une longévité qui, d'ailleurs, n'était pas de famille, selon leur arbre généalogique. Sa sœur, Mariette, casanière, pas très jolie, n'avait déniché aucun garçon pour la courtiser. Instruite de peine et de misère, juste assez pour obtenir son diplôme de neuvième année, elle avait ensuite trouvé un emploi comme vendeuse de serviettes et d'articles de bain chez Eaton où elle resta deux ans. Puis, à la mort de leur chère mère, elle quitta son travail à la demande de son père pour prendre soin de lui. Et, de ce jour naquit « la vieille fille » qu'elle allait devenir pour tous. Elle avait même tenté de s'évader de son rôle au foyer en disant à son père qu'elle souhaitait entrer chez les Sœurs grises afin de s'occuper des orphelins, et son père, intransigeant, lui avait répondu :

— Non, tu n'as pas la vocation, tu cherches juste à te désister de ton devoir. On quitte sa famille quand on songe à se marier et avoir des enfants, pas pour entrer chez les sœurs et disparaître de notre vue pour longtemps. Penses-y même pas, Mariette, laisse ça à d'autres, les Sœurs grises. Toi, tu as à t'occuper de moi, et je pense qu'un père esseulé est aussi valable que les orphelins.

— Mais tu ne seras pas toujours là, papa, et après…

Monsieur Vadnet lui coupa net le sifflet en lui répondant :

— Après, ma fille, il y aura tes sœurs pour prendre soin de toi. Tu ne seras pas seule, et comme tu es celle qui va vivre avec moi jusque-là, c'est à toi que je laisserai la maison. Qui sait si, à un âge plus avancé, tu ne trouveras pas un bon garçon…

— Non, papa, ni maintenant. Je n'ai pas envie d'un bon garçon, ça ne me manque pas, je voulais juste avoir une liberté…

— Ça viendra, ça viendra. Mariette, sois patiente. Après moi, tu l'auras ta sacrée liberté ! Et puis, si tu deviens vieille fille comme on dit, réponds à tout le monde que tu es célibataire par choix…

— Si je le deviens ? Je suis déjà vieille fille, papa ! C'est à vingt-cinq ans qu'on coiffe ce bonnet et ça ne m'a pas épargnée. Quant à la maison…

— Pas un mot de plus, tu m'agaces avec tes doléances. Tiens ! sors de ta robe de chambre et habille-toi, on va aller faire un marché.

— Je l'ai fait hier, papa, pourquoi un autre ?

— Parce que t'as oublié les épinards et des œufs de calibre moyen. Arrête d'acheter des gros, il y a trop de jaune et pas assez de blanc. Je te l'ai dit souvent, pourtant. Et on va regarder si leurs épinards sont beaux et leurs tomates pas trop chères…

Tel était le destin de la pauvre Mariette qui, malgré tout, ne s'en plaignait pas à Francine qui avait déjà beaucoup à faire avec trois enfants qui dépendaient encore de son dévouement. Pour ce qui était d'en parler à Nicole, Mariette n'osait même pas y penser. Quand l'aînée venait les visiter, c'était pour montrer ses nouvelles toilettes à son père, sans même avoir un brin de conversation avec elle.

Et c'est en pleine trentaine, séduisante et aguichante, que Nicole Vadnet se rendit à Manille, aux Philippines, pour se payer un repos, selon elle, bien mérité. Voyageant seule et ayant réservé dans un hôtel de bonne réputation, elle ne mit pas de temps à envoyer quelques regards accompagnés de sourires au *lifeguard* de la piscine, un très beau Philippin d'environ trente ans, qui semblait vouloir succomber à ses charmes. Il le fit si bien et si adroitement que, cinq jours plus tard, après un échange physique assez corsé, il la demanda en mariage. Célibataire, c'était vrai, Rodrigo avait tout de même eu plusieurs compagnes ici et là, étant en position d'en rencontrer une chaque jour du haut de son perchoir à la piscine de l'hôtel. Sans argent ou très peu nanti, il logeait avec son frère aîné et sa femme, qui l'hébergeaient moyennant une petite pension mensuelle. Rodrigo leur avait présenté Nicole, que sa belle-sœur trouva jolie et qui parlait un anglais convenable. Si Rodrigo maniait très bien l'anglais, c'était obligatoire vu les nombreux clients américains qui séjournaient à l'hôtel.

Très peu le français, cependant, mais assez pour le comprendre et répondre dans cette langue. Ce qu'il avait réussi à faire avec Nicole jusqu'à ce qu'elle lui apprenne qu'elle parlait l'anglais et que ce serait plus facile pour tous deux de converser dans la langue de Shakespeare ! Et se marier aussi puisque Nicole Vadnet, sans en aviser personne, avait accepté d'épouser son beau Philippin en utilisant le frère et la belle-sœur de son amant comme témoins dans une petite église du village, avec un prêtre catholique pour bénir leur union. Rodrigo semblait fort content de son nouveau sort ; Nicole allait le ramener au Canada et le parrainer pour en faire un citoyen de son pays, vu leur mariage. Ce qui avait fait bondir de rage monsieur Vadnet. À son retour, avec à son bras un mari qui baragouinait à peine le français, Nicole se rendit compte que son père désapprouvait cette union et regardait avec mépris son époux rapporté de Manille. Mariette, elle, l'avait observé timidement, Rodrigo l'impressionnait. Et Francine, qui les reçut à la maison pour la présentation, se montra fort aimable avec Rodrigo qui, lui, était plus qu'affable avec sa belle-sœur, mais quelque peu distant avec Jules, qui l'avait à peine considéré et avait peu échangé avec lui. Rodrigo ne s'était pas senti dans les bonnes grâces de ce beau-frère qui, après leur départ, s'était réfugié au salon avec Francine qui lui disait :

— Pas trop de façon avec lui. Tu aurais pu te montrer plus accueillant.

— Pourquoi ? Pour s'être servi de ta sœur pour rentrer au pays et se faire vivre par elle ? Il n'a même pas un sou, ce maudit immigrant, ce profiteur qui s'est introduit ici avec la poudre à canon aux fesses !

— On n'en sait rien, il vient à peine d'arriver. Il est quand même gentil et fort bel homme.

— Rien que l'apparence, toi aussi. Que l'apparence ! C'est un défaut chez les Vadnet. Si on paraît bien, ça passe…

— Non, ne me compare pas à Nicole, Jules ! Je suis loin d'être comme elle ! De plus, tu n'as rien à envier à Rodrigo, tu es plus grand et mieux bâti que lui. Ce n'est pas à lui qu'il faut t'en prendre si tu n'es pas d'accord avec leur mariage, mais à ma sœur qui a sans doute tout orchestré.

— Oui, ta stupide sœur qui aurait pu se trouver un mari ici, elle a eu cinq ou six chums sérieux pour le faire. Mais non, pour être spéciale, originale, impressionnante, différente et regardée par les autres avec envie, elle a choisi un étranger, bronzé et musclé ! Un mariage rapide sans même t'en aviser ni ton père ! Crisse de folle !

Et c'est ainsi que Rodrigo, le séduisant Philippin de Nicole, entra dans la famille Vadnet et, par association, dans celle des Drouais. Nicole, éprise de son bellâtre, vécut une passion torride avec lui et, sans aucune précaution, tomba enceinte rapidement pour donner le jour à une fille qu'elle nomma Janna et dont elle allait plus ou moins s'occuper. Une très belle fille cependant, un mélange sanguin d'une blonde Canadienne avec un suave Philippin aux yeux noirs, ce qui avait permis un métissage des deux nations qui rendirent l'enfant superbe avec les ans. Toutefois, malgré ses biceps et son charme fou, Rodrigo, qui travaillait là où il le pouvait, se rendit compte que sa femme, déjà, avait une aventure avec un chétif Québécois à lunettes, de huit ans plus jeune qu'elle, mais dont le papa était immensément riche. Un gars ni beau ni laid, mais lasse depuis un an de son ténébreux Rodrigo qu'elle trompait allègrement, Nicole cherchait maintenant chez un homme autre chose que son apparence. Elle cherchait un homme fortuné, quel que soit son âge, jeune ou vieux, avant d'être fanée et de ne plus pouvoir le faire. D'où ce fluet jeune homme qui, apeuré par son approche et ses exigences, s'éloigna d'elle sans même un geste ni un mot. Une évasion en bonne et due forme avant de tomber et de rester pris dans les filets de cette femme trop entreprenante. Nicole fit la moue, rien de plus, et se dévoua à en trouver un autre qui pourrait la choyer. Un plus vieux si possible, même âgé, veuf de préférence, avec les goussets bien remplis. Et pendant qu'elle jouait à ce jeu, son beau Rodrigo, terrassé par un malaise cardiaque, fut conduit d'urgence à l'hôpital où, repentante, Nicole allait le visiter chaque jour. Peu inquiète cependant à cause de son physique viril et imposant, elle croyait qu'il allait vite s'en sortir, sans savoir toutefois que le père de Rodrigo était mort passablement jeune d'un violent infarctus. Hélas, malgré des soins intensifs, le pauvre Philippin rendit l'âme, la crise ayant été trop forte pour la combattre. À moins de quarante ans seulement ! Nicole le pleura, bien sûr, elle l'avait quand même aimé un certain temps, mais ses larmes ne traversèrent pas le coin de son mouchoir blanc. Et si Rodrigo était venu au Canada dans l'espoir d'une vie plus cossue, il s'était certes berné, il était mort dans son nouveau pays, aussi pauvre qu'il avait vécu à Manille. Ce dont on ne pouvait douter cependant, c'est qu'il adorait Nicole, c'est elle qui s'en était peu à peu détachée. Comme de tant d'autres avant lui ! Désespérée, la famille du défunt réclama le corps de Rodrigo à Manille afin de l'enterrer avec son père et sa mère. Quoique coûteuse comme démarche, Nicole parvint, avec un emprunt à la banque endossé par son père, à rendre le corps de son mari à sa patrie. Elle n'avait gardé, en souvenir de lui, que deux photos du temps où il était *lifeguard*, et une de leur mariage en compagnie de son frère et sa belle-sœur, pour les remettre à sa fille plus tard. Seule avec Janna, qu'elle confia temporairement à son père et à Mariette qui acceptaient d'en prendre soin, la blonde quasi quadragénaire qu'elle devenait à son tour repartit à la chasse et dénicha, l'un après l'autre, des « poissons » qui allaient renflouer le compte en banque de la « sirène » qu'elle était.

Francine, découragée par le train de vie de sa sœur, prêtait cependant oreille à ses jérémiades, sans suivre du regard les rentrées de plus en plus tardives de son mari. Car Jules, se sentant moins épié, avait réussi à traverser sa courte liaison avec sa Suzanne, la caissière du restaurant où il allait régulièrement, sans que Francine s'en rende compte, et à sortir, moins sérieusement toutefois, avec plusieurs autres. Des aventures extraconjugales que Francine n'aurait pas pardonnées si elle en avait eu vent. Mais, ce dont elle s'aperçut à travers les appels plaintifs de sa sœur Nicole, c'est que Jules, depuis un bout de temps, rentrait plus que tard et souvent pas mal éméché.

Et c'est durant ce temps que madame Drouais, femme de Gérald et mère de Jules et Baquet, rendit l'âme. Terrassée par « le grand mal », comme on disait encore, pour ne pas avoir à prononcer le nom qui faisait peur à tous. Lilianne avait été emportée assez rapidement et si tous étaient navrés de cette nouvelle, Gérald, lui, pleurait en silence la disparition de sa chère Lili, si dévouée pour lui. Baquet, quoique choyé par sa mère, fit parvenir de là où il était une carte de sympathie adressée à son père, avec un texte imprimé et signé : *Baquet et Manon*. Rien de plus ! « Maudit sans cœur ! », s'était écrié le paternel. « Il est venu détrousser sa mère je ne sais combien de fois. Quand il repartait, la sacoche de Lili était vide ! Maudit lâche ! Pas capable de faire face à la famille après avoir été si écœurant ! Qu'il aille au diable ! Chose certaine, il débarque de mon testament, celui-là ! »

Jules, qui n'avait pas pleuré pour autant la mort de sa mère, avait fait placer derrière son cercueil une gigantesque couronne de roses blanches que Francine avait commandée. Il lui avait cependant dit :

— Faut pas trop en faire, ce serait hypocrite. Elle était entièrement à son Baquet, très peu à moi. On pourrait dire…

Mais Francine l'interrompit :

— Non, Jules, il ne faudrait pas oublier son dévouement auprès de nos enfants lorsqu'ils étaient petits. Elle est venue prendre soin de Marc durant un an alors que je travaillais. Je n'ai pas oublié tout ce qu'elle a fait pour eux, moi. Une couronne de roses, c'est la moindre des choses, elle mériterait davantage.

— Ouais, si tu le dis, j'avais pas pensé à ça, moi. Je voulais dire qu'entre ses deux fils… Et puis, laisse faire ça et commande-lui quelque chose de beau.

Lilianne Drouais fut donc inhumée dans la fosse du cimetière qui allait accueillir un jour son cher Gérald qu'elle avait tant aimé. Et, malheureusement, comme pour chaque défunt, après un court laps de temps on n'en parla plus, on n'alla même plus se recueillir sur sa pierre tombale, sauf Gérald qui, lui, soulignait chaque anniversaire de son départ par l'embauche d'un jardinier qui allait fleurir la tombe de sa bien-aimée. Sans se déplacer, cependant… Ce qui était regrettable, mais fallait croire que le triste sort des morts était de ne pas déranger les vivants et de pourrir dans leur cercueil, aussi satiné fût-il, sans un agenouillement de ses proches, une fois l'an.

Cette année qui s'écoulait était propice au chagrin puisque, quelques mois plus tard, c'est monsieur Vadnet, le père de cinq enfants éparpillés, qui levait à son tour les pattes pour aller rejoindre sa femme, là où elle reposait. Les deux plus vieilles de ses filles s'occupèrent de sa messe funèbre et de son enterrement, car Mariette, les deux pieds dans la même bottine, avait tout balancé dans les mains de Francine. Évidemment, les deux frères ne se déplacèrent pas. Celui dans l'armée fit parvenir une carte mortuaire à ses sœurs et l'autre, vivant sur une ferme avec une femme, commanda d'un fleuriste de Montréal un bouquet avec un mot de sympathie. Ce à quoi s'attendait Francine de ces garçons qu'elle croyait avoir bien élevés pourtant, et dont elle espérait un peu plus, face à leur père. Les funérailles se firent rapidement, le défunt ayant manifesté une mise en terre après quelques courtes prières au salon où peu de gens se rendirent pour lui porter leurs respects. Quelques jours plus tard, convoquées par le notaire, les trois sœurs apprirent que le paternel avait tout laissé, maison, argent et biens personnels, à nulle autre que Mariette, celle qui en avait pris soin jusqu'à son dernier souffle. Nicole, offusquée, avait dit à Francine le soir même :

— Pis nous autres ? Des cruches ? On n'était pas ses filles, toi pis moi ?

— Oui, mais c'est Mariette qui s'est sacrifiée pour lui, Nicole, pas toi ni moi. Il est juste que la maison lui revienne, elle l'habitait encore. Quant à sa voiture, j'imagine qu'elle va la vendre. Et pour ce qui est des meubles…

— Elle peut garder tout, mais pas son argent, Francine. Il en avait de collé, le père !

— Encore là, Mariette n'a ni mari ni personne pour l'aider à subvenir à ses besoins. Il est tout à fait normal que ce soit elle…

— Normal mon œil ! de s'écrier l'aînée. Toi, tu t'en fous, t'as une maison, un mari, de l'argent, tu manques de rien ! Mais moi, sans mari, criblée de dettes à cause d'un minable emploi, en logement à payer chaque mois, tu crois que je me la coule douce ?

— Tu as eu tout ça, Nicole : un mari, des amants qui t'ont comblée, une maison de l'un d'eux tant que tu vivais avec lui, mais tu as tout chambardé, tu n'as rien su garder. Et tu peux toujours refaire ta vie, toi, tandis que Mariette…

— Tu veux dire que pour être héritière, il faut être vieille fille et niaiseuse comme elle ? Bien, si j'avais su…

— Arrête, papa n'est pas encore froid ! Un peu de respect, il vient à peine de nous quitter.

— Ben, que la mère s'arrange avec lui de l'autre côté ! Moi, un père injuste comme il l'a été, je ne garde pas ça en mémoire longtemps !

— Je sais, Nicole, car même s'il t'avait laissé de l'argent, tu l'aurais oublié en peu de temps ! La gratitude t'a jamais habitée, toi ! Et plusieurs de tes ex-compagnons seraient d'accord avec moi. En as-tu seulement remercié un seul qui t'a gardée dans la soie durant des années ?

— C'est pas pareil…

Mais Nicole n'alla pas plus loin, sachant qu'elle allait perdre à court d'arguments avec Francine qui avait toujours le mot tranchant pour la vaincre.

Néanmoins, quand la brave Mariette reçut son héritage, elle s'empressa d'appeler Francine pour lui dire qu'elle voulait partager ce gros montant avec elle et Nicole, peut-être avec ses frères aussi… Mais Francine lui avait répondu :

— Non, Mariette, avec personne ! Garde tout pour toi, tu as une longue vie à vivre et ce que papa t'a laissé t'y aidera. N'oublie pas que nos deux frères ne se sont même pas déplacés pour l'enterrement. Quant à Nicole, elle saura très bien se débrouiller sans ta générosité et se trouver un autre mari ou amant pour la prendre en tutelle. Et ne t'en fais pas pour Jules et moi, nous avons tout ce qu'il nous faut pour le reste de nos jours avec nos emplois, nos placements et nos économies. Et comme nous travaillons tous les deux…

— Mais la maison est grande pour moi, Francine, je m'y perds, seule entre mes murs.

— Alors, on va la vendre et tu pourras acheter ou louer quelque chose de plus petit ou peut-être un bel appartement comme c'est la mode en ce moment. Je vais t'aider à tout équilibrer, ne t'inquiète pas, et n'hésite pas à me transmettre tout papier que tu ne comprends pas. Je ne suis pas dans l'enseignement pour rien, tu sais.

Ce qui rassura Mariette qui, trois mois plus tard, la maison vendue, dénicha avec l'aide de Francine un bel appartement dans une résidence pour personnes autonomes, avec cuisine et toutes commodités. Un nouveau gîte loué et non acheté, au cas où la vieille demoiselle ne s'accoutumerait pas dans un si vaste complexe. Mais c'est avec le sourire que Mariette quitta la maison paternelle pour se retrouver dans un spacieux immeuble. Libre, seule et enfin... chez elle !

Et comme prédit par Francine à sa jeune sœur, Nicole Vadnet se trouva vite un quasi-millionnaire pour prendre soin d'elle. Un septuagénaire cette fois, en forme, encore vert, et veuf depuis peu. Avec lui, c'était le tour de tous les pays qui l'attendait et, qui sait, peut-être un jonc et une bague si elle avait le bon sens de le garder et de se faire épouser. Mais, hélas, après un voyage en Italie et une croisière américaine de grand prix, Nicole Vadnet se lassa de cet entreprenant veinard et se retrouva vite à la case départ. Questionnée par Francine qui ne comprenait pas cette rupture de sa part, Nicole lui avait répondu :

— Riche, je veux bien le croire, mais à son âge, chaque soir au lit... J'suis quand même pas une truie !

Plusieurs mois s'écoulèrent, on changea même de calendrier et, l'année suivante, c'était au tour de Gérald Drouais d'être admis à l'hôpital où on détecta un cancer du poumon qui semblait vouloir se généraliser. Alarmé, Jules s'était rendu à son chevet et le paternel, optimiste malgré tout, lui avait dit :

— T'en fais pas, j'ai la couenne dure, je vais m'en sortir.

— Je te le souhaite, papa, mais tu as tellement fumé, je t'ai demandé tant de fois d'arrêter et tu ne m'écoutais pas. Francine et moi n'avons jamais touché à la cigarette, ce qui nous donne des poumons en santé. Tu es le seul de la famille avec les doigts jaunis… Tu… Puis, à quoi bon ? Espérons que les traitements qu'on te réserve pourront t'aider à vaincre ce mal. Tu es encore si jeune !

— Pas tant que ça, j'avance, tu sais, et c'est jamais facile quand on travaille comme un forcené. J'ai bûché jour et nuit pour en arriver où j'en suis maintenant. Un gros commerce bien établi, des parts dans l'immobilier et dans les entreprises de construction, mes maisons à logements que je loue… Pas mal pour un gars qui a commencé par vendre des bols de toilette et des tuyaux d'éviers.

— Oui, je te l'accorde et je t'admire beaucoup. Mais qu'a dit le médecin qui est sorti de ta chambre juste comme j'arrivais ?

— Rien de spécial, il me donne mon congé demain avec un tas de pilules à avaler, pis la radiologie qui m'attend… Mais ça, j'suis pas certain d'avoir envie de m'y prêter. Ça peut m'achever plus que m'aider.

— Voyons, papa, fais tout ce qu'ils t'ont dit, c'est ta vie qui en dépend !

— Oui, oui, on verra bien, Jules… Pis, les enfants vont bien ?

Malgré sa forte envie de vivre, Gérald Drouais ne put se battre longtemps contre ce cancer qui se propagea dans son corps. Ayant fait fi des médicaments et même de certains traitements sur ordonnance, il rentra de nouveau à l'hôpital six mois plus tard et ferma les yeux sur sa vie aux soins palliatifs où on l'avait transféré. Jules était désemparé ! Très attaché à son père, il le pleura de tout son être. Il avait espéré, prié le Ciel aussi, mais sans être exaucé cette fois. Le mal dont son père souffrait était virulent, il se propagea des poumons jusqu'au foie et, de là, au pancréas, ce qui l'emporta finalement. Sans qu'il ait trop eu le temps de pâtir, mince consolation pour Jules qui lui prépara des funérailles de « guerrier » auxquelles assistèrent tous ses employés, partenaires et collègues en affaires. Jules avait reçu tous les gens venus lui offrir leurs condoléances et Francine, à ses côtés, le secondait de son mieux sans connaître tout ce beau monde avec lequel son beau-père avait travaillé. Un télégramme avait été envoyé à Claude dit Baquet, là où il vivait avec sa Manon, mais rien en retour, pas même une carte de sympathie. Baquet, qui détestait ce père qui ne l'avait jamais aimé, avait opté pour le silence total, pour l'effacement de la vie de son père comme de sa mort. Il savait que son « préféré » allait s'occuper de tout, alors pourquoi s'en mêler ? Mais ce qu'il ne savait pas, c'est que son préféré, Jules en l'occurrence, allait également hériter de tout, car son père, testament sur la table, avait tout légué à son fils aîné, absolument rien à Baquet qui était pourtant dans les dettes jusqu'au cou. Ce qui avait fait dire au plus jeune à sa femme, en l'apprenant :

— T'en fais pas, Manon, on va se débrouiller sans son argent. Je m'y attendais, il m'a toujours haï, le père.

— N'empêche que c'est injuste, c'est ton frère qui hérite de son argent, de son commerce, de ses maisons… On peut pas laisser faire ça !

— Ben oui, on peut, j'travaille, toi aussi, on s'arrange avec ce qu'on a, on paye nos dettes à p'tit feu, mais on les paye. Pour le reste, son argent, ses maisons, son commerce, que Jules s'en empare et qu'il se les fourre dans l'cul ! J'veux plus rien savoir de lui non plus !

Devenu passablement à l'aise avec ce legs, Jules, peu habile en affaires, eut recours à un conseiller financier pour mettre de l'ordre dans tous ses nouveaux biens. Il avait vendu le commerce, transféré les parts dans les entreprises à son nom, vendu les maisons à logements, loué la maison meublée de son père, la seule qu'il allait garder pour la céder un jour à l'un de ses enfants. Comme tout bon épargnant, il avait placé tous ses revenus à la caisse et effectué quelques bons placements qui lui rapporteraient de bons intérêts. Tout cela avec l'aide de son courtier, qu'il paya selon les normes pour tous les services rendus, et duquel il se départit dès que la caisse populaire prit la relève de son avoir. Épuisé, encore sur le stress de ce long tour de force, il avait dit à Francine :

— Là, on ne manquera jamais plus de rien. On pourrait arrêter tous les deux de travailler, mais comme j'aime mon poste au ministère du Revenu, je crois que je vais me rendre à ma pension. Et toi, l'enseignement ?

— Bien, à l'aise comme tu l'es devenu, de mon côté je vais cesser d'enseigner de huit à quatre à longueur d'année et tout simplement faire un peu de suppléance quand je m'ennuierai trop à la maison. Mais avec les filles qui grandissent et Marc qui parle déjà d'avenir avec sa petite amie…

— Quoi ? Il a une blonde sérieuse, notre gars ?

— Bien oui, depuis un certain temps, il se promet même de venir nous la présenter prochainement.

— Elle n'était pas avec lui au salon funéraire, cette fille ?

— Non, il préférait lui éviter de nous rencontrer à côté du cercueil de ton père. D'ailleurs, elle ne le connaissait pas, elle ne l'avait jamais vu.

— J'comprends, mais elle aurait pu insister, ne serait-ce que pour être solidaire de la peine qui m'affligeait.

— Peut-être, mais… Et puis, qu'est-ce que ça peut bien faire ? Il va venir nous la présenter. C'est une Québécoise, et tout ce que je sais d'elle, c'est qu'elle se prénomme Johanne.

Francine s'occupa des cartes de remerciements à faire parvenir à tous les gens que s'étaient présentés au salon funéraire et, les jours passant, elle vit enfin le samedi soir arriver où Marc allait leur présenter sa dulcinée. Ce dernier, endimanché pour la circonstance, était allé la quérir avec la voiture de Jules pour la ramener vite chez lui où ses parents l'attendaient au salon. Francine avait étalé des plats de biscuits, sorti le vin blanc, déposé la théière en réchaud sur la table, et revêtu une jolie robe bleu ciel pour cette visite. Jules, plus décontracté, n'avait qu'un pantalon noir et une chemise rayée sur le dos pour la recevoir. Devant l'air réprobateur de sa femme, il lui avait dit :

— Ben, quoi ? C'est juste la blonde de Marc qui s'en vient nous voir, pas la reine d'Angleterre ! Ça s'peut-tu faire tant de sparages pour elle ?

Marc, fort heureux de leur présenter Johanne, sentit dans le regard de sa mère qu'elle la trouvait plus que sympathique. Jolie fille, cheveux noirs assez longs, yeux bleus, maquillée avec soin, robe de soie coquille d'œuf, souliers à talons hauts, elle était très féminine, la chère Johanne, et fit bonne impression sur la mère de Marc sans toutefois conquérir son père. Jules, plus discret, avait été poli et accueillant, mais un sérieux malaise le secoua, comme si le courant ne passait pas entre lui et cette fille pourtant charmante. Il ne se l'expliquait pas, il ressentait quelque chose de négatif envers elle. Un « quelque chose » qui allait perdurer pour ne pas le quitter. La soirée s'écoula quand même agréablement et, après leur départ, Francine avait demandé à son mari :

— Très gentille, sa compagne, je l'aime bien cette jeune fille. Et toi ?

— Ouais… j'sais pas…

— Comment tu sais pas ? Qu'est-ce qui a cloché cette fois ?

— Rien, rien de bon ou de mauvais, juste un pressentiment… Disons que cette fille ne serait pas mon genre.

— C'est celui de Marc, Jules, pas le tien ! Il la dévorait des yeux, il semble l'aimer comme un fou…

— Oui, lui, pas moi !

Cinq mois de fréquentation, pas même de fiançailles, et Marc Drouais demandait sa Johanne en mariage. Pour le

bonheur de sa mère et le désespoir de son père, qui lui avait
dit :

— Ben voyons donc ! Tu la connais à peine…

— Je l'aime, papa, c'est tout ce qui compte.

— J'veux bien croire, mais tu n'es même pas fiancé.

— Plus nécessaires, les fiançailles, c'est du temps perdu.
Je lui offrirai la bague et l'alliance le jour de notre mariage.
Au fait, nous avons envisagé de nous marier cet été, en juillet
de préférence. Et comme je suis majeur…

— Pas besoin de me le dire, je le sais, tu n'as pas de permission à me demander. Mais comment allez-vous arriver ?
Tu ne fais pas un si gros salaire.

— Le mien et le sien vont suffire à nous faire vivre,
ne crains rien. Johanne est si adroite qu'elle sera comme
maman, une femme au travail combinée d'une mère au foyer
quand nous aurons des enfants. Les deux rôles en même
temps !

— Et vous allez vous installer où ?

— Bien, on a pensé à la maison de grand-père que tu
loues encore à des étrangers. Qu'en dis-tu ?

— Non, c'est trop grand pour des jeunes mariés.
Trouvez-vous plutôt un petit logement, y en a plein dans les
quartiers voisins.

Francine, qui avait tout entendu, s'adressa à Jules pour
lui demander après le départ de Marc :

— Pourquoi ne pas leur louer la maison de ton défunt
père ? C'est si beau, si confortable…

— Non, c'est mieux qu'ils commencent au bas de
l'échelle. Comme on l'a fait nous deux, Francine. Faut pas
trop les gâter, ils doivent apprendre à se débrouiller…

— Je veux bien croire, mais quand on a les moyens…

— Je veux bien croire aussi, mais ce qui est dit est dit, n'en parlons plus !

Sans ajouter toutefois qu'il ne tenait pas à voir cette bru inattendue se pavaner majestueusement dans la demeure que son défunt père avait payée avec peine en trente-six versements.

Le mariage fut célébré tel que planifié. Le père de la mariée avait tout défrayé de la réception qui suivit dans une salle d'un grand restaurant du nord de la ville, quoique sans le manifester, Jules avait insisté pour y contribuer. Jolie robe blanche avec voile de tulle pour elle, smoking blanc loué pour lui, pas de bouquetière, qu'eux deux, et une réception qui se termina assez tôt, le père de Johanne n'étant pas assez fortuné pour commander un second goûter en fin de journée. Le lendemain, les mariés prenaient l'avion à destination de Freeport aux Bahamas pour, après quelques jours dans ce coin féerique, revenir s'installer dans un trois pièces loué à Ville Saint-Michel.

Marc, maintenant casé et formant un bon couple avec sa Johanne, Jules n'avait plus à s'inquiéter de son sort et se rapprocha davantage de ses filles, Renée et Sophie. Il s'impliqua dans leurs études tout en profitant par-ci par-là, de jours de congé empruntés sur une retraite que peu à peu il envisageait. Marc venait souvent avec son épouse les visiter et, un certain dimanche, Jules apprit de sa femme que leur bru était enceinte :

— Tiens, déjà ! Pressée, elle ? Y sont à peine installés !

— Il n'y a pas qu'elle dans ça, Jules, il y a Marc aussi, tu ne penses pas ?

— Faut pas lui en demander trop, à celui-là. Pas trop brillant à certains moments.

Deux mois plus tard, lors d'une visite du jeune couple, Jules remarqua que sa bru menait son fils à la baguette :

— Marc, veux-tu aller me faire un café ? Marc, apporte-moi un beigne au miel en passant… Marc, va me chercher un verre d'eau…

Jules voyait tout cela, entendait tout et rageait en lui-même.

Après leur départ, il dit à Francine qui n'avait rien remarqué d'anormal :

— As-tu vu comment elle le bosse, son mari ? Il ne manquait plus que le claquement de doigts ! Marc, va là, Marc, fais ça… Pis lui, soumis, à genoux devant elle, répond oui à toutes ses demandes. J'te dis…

— C'est que dans son état… Qui sait, elle se sent peut-être plus lourde…

— Voyons donc, elle n'est pas infirme, juste en famille, Francine ! Elle pourrait grouiller son cul de sa chaise, non ? Tu vois bien qu'elle le mène par le bout du nez et qu'il lui obéit comme un p'tit épagneul ! Moi, celle-là ! Peut-être une bonne épouse, comme tu dis, mais c'est pas moi qu'elle ferait ramper comme un enfant de chœur devant son ventre pas plus gros qu'un pamplemousse pour l'instant ! Maudit cave !

Chapitre 4

Johanne avait accouché d'un gros garçon qu'on prénomma Luc. Francine se promettait bien de le gâter, devenue grand-maman pour la première fois. Le titre de grand-père coiffa moins bien Jules qui, de toute façon, n'étant plus aussi attiré par les bébés, avait regardé son petit-fils d'un œil indifférent. Marc l'avait remarqué et avait dit à Johanne :

— On dirait qu'il ne l'aime pas, notre petit. As-tu vu son air bête ?

— Je ne crois pas que ce soit le cas, ton père n'a pas le sourire facile. Cela vient sans doute de ses appels à longueur de journée aux victimes des impôts avec lesquelles il s'engueule pour percevoir ce qu'ils doivent à l'État. Pas de tout repos, un travail comme le sien.

La pauvre bru l'excusait, sans songer que c'était peut-être à cause de son animosité envers elle que Jules avait été distant avec son enfant. Marc, néanmoins, se grattait encore la tête.

Puis, vint le tour de Renée de quitter le domicile familial pour épouser son fiancé Philippe que, naturellement, Jules n'aima pas dès leur première rencontre. Non pas que ce Philippe n'était pas un bon gars, mais il parlait de s'exiler au Manitoba où une promotion l'attendait, ce qui permettrait à sa femme de rester à la maison, de se faire vivre et de devenir mère. Jules Drouais avait en horreur de se faire enlever ses enfants par un étranger ou une étrangère. Il aurait fallu, pour lui plaire, qu'ils demeurent avec Francine et lui jusqu'à un âge beaucoup plus avancé. Et comme ce Philippe allait le priver de voir sa fille aussi souvent qu'il l'espérait, il le détesta davantage, faisant tout en son pouvoir pour briser leurs fiançailles, mais l'amour fut plus fort que les jérémiades du paternel, et Renée convola en justes noces avec l'élu de son cœur. Philippe, se foutant du beau-père, accepta la promotion à Winnipeg et Renée le suivit sans s'en plaindre. S'éloigner de ce père possessif, dont elle était la préférée, lui ferait le plus grand bien, même si, pour le faire, elle devait également quitter sa mère avec laquelle elle s'entendait si bien. Lorsque Renée mit au monde un an plus tard leur fils William, l'unique enfant qu'elle allait avoir, Jules, prétextant un problème de santé inexistant, laissa Francine s'y rendre seule. Cette dernière se doutait bien que son mari ne voulait pas revoir leur gendre qu'il n'aimait pas, mais elle n'insista pas de peur de gâcher son voyage si elle le faisait avec lui. Ravie de tenir ce petit William dans ses bras, elle félicita chaleureusement les parents, et Philippe s'empressa, après le baptême de l'enfant, de faire visiter les plus beaux endroits de Winnipeg à sa belle-mère, ce que Francine apprécia grandement. Seule avec sa mère à un certain moment, Renée lui avait avoué :

— Je sais que papa n'avait aucune raison de ne pas venir au baptême de William. Aucune raison autre qu'il n'aime pas mon mari. Mais c'est impardonnable pour le bébé et pour moi qu'il désigne comme « sa préférée ». Imagine si je ne l'étais pas ? Tu peux lui dire tout ça, maman, il faut qu'il admette qu'il a tort certaines fois et que nous ne sommes pas dupes de ses agissements. Il est dur, entêté et prévisible. Heureusement que tu es là pour compenser, mais je t'en prie, dis-lui ce que je pense de son attitude, sans que ça retombe sur toi.

— Ne crains rien pour moi, je lui dis pire que ça souvent, il s'emporte mais il oublie, sachant que je vais lui revenir avec autre chose de plus accablant s'il insiste pour avoir raison.

Mais de retour à la maison, madame Drouais ne dévoila rien de sa conversation avec Renée le concernant. C'eût été assez pour que, blessé, il prenne le téléphone et la réprimande au bout du fil, « préférée » ou pas. Elle laissa donc le sujet mort et lorsque sa fille lui demanda si elle lui avait parlé, elle répondit oui, mais qu'il l'avait écoutée d'une oreille sourde, plus contrarié par le fait d'avoir appris de Marc que Johanne attendait un autre enfant, que par la déception de Renée de ne pas l'avoir vu au baptême de son fils. Un pieux mensonge de la part de Francine à Renée, ne voulant pas défaire le lien privilégié que son mari entretenait avec sa « préférée ». Ce que Renée goba en disant à sa mère d'oublier ce petit différend. Quoiqu'il était vrai que l'annonce de la seconde grossesse de Johanne avait déplu à Jules qui avait traité intérieurement son garçon, cette fois, d'abruti irréfléchi! Mais, pire encore, c'était maintenant au tour de Sophie de vouloir quitter la maison, non pas pour se marier, mais pour vivre en appartement avec le vaurien qu'elle fréquentait: «Comme des concubins, Francine! Celle-là va finir par me donner des ulcères d'estomac! La tête aussi dure qu'un mulet! Pas moyen de la raisonner! Peux-tu essayer, toi?» Francine se risqua à demander à Sophie pourquoi elle voulait cohabiter avec ce prénommé Richard dit Ricky, peu prisé dans le quartier. Un gars qui travaillait on ne savait où, qui avait de mauvaises relations, mais qui avait le don de charmer les filles d'un sourire ou d'un regard troublant de ses yeux noirs. Le résultat fut donc que, au lieu d'aller s'installer avec lui en appartement, Sophie, belle comme un ange, réussit à convaincre Richard de l'épouser, de ne pas en faire une fille dont les parents seraient peu fiers. Et le chum en question, sans famille, membre d'un gang et porté sur les drogues douces, accepta de devenir son mari à la seule condition que les Drouais ne soient pas de la cérémonie le moment venu. Jules s'accommoda fort bien de cette abstinence, il ne tenait pas vraiment à voir sa plus jeune marier ce voyou sans avenir et sans argent. Moins près de Sophie que de ses deux autres enfants, Jules ne s'en fit pas pour autant le jour de son départ. Une tête dure de moins sous leur toit! Sophie épousa donc, dans la plus stricte intimité, ce bon à rien qui lui donna deux fils successivement et faisait vivre sa famille d'une semaine à l'autre, selon ses revenus pas très catholiques. Après presque trois ans de cette union vouée à rien, elle demanda le divorce et se retrouva seule avec ses enfants sur les bras et un travail à temps partiel dans un magasin à rayons. Jules, malgré l'erreur dont elle se repentait, ne leva pas le petit doigt pour lui venir en aide, au grand désespoir de sa femme qui la dépanna maintes fois pour ses fins de mois. Sophie finit par trouver un emploi plus avantageux dans un bureau et un logement plus convenable, sans avoir revu son ex-mari qui se foutait d'elle et de ses deux enfants, afin de refaire sa vie avec une danseuse de club de nuit, mère d'une petite fille qui n'était pas de lui, mais dont il s'occupa financièrement. Sophie, sans avoir exigé une pension du père de ses enfants, subvint à leurs besoins avec ses payes hebdomadaires et quelques emprunts à la caisse qu'elle remboursait de peine et de misère, avec le minimum requis.

Après avoir accouché d'une fille prénommée Karine, Johanne comptait bien ne plus tomber enceinte quand elle se fit prendre une troisième fois, un an et demi plus tard, pour enfin mettre au monde leur dernier enfant, une autre fille baptisée Marie-Ève. Chez les Drouais père, Jules sentait la maison vide et bien grande sans ses enfants. Ne sachant trop quoi faire de ses moments libres, il appelait souvent à Winnipeg, causait avec sa fille sans s'informer de son mari, mais prenait tout de même des nouvelles de son petit-fils William. C'était avec Renée qu'il s'entendait le mieux, vu le caractère hérité de sa mère que Jules manipulait assez bien. Son fils Marc ? Il s'y rendait de temps à autre, mais ne pouvait tolérer, sans raison aucune, sa belle-fille à qui il parlait à peine. De plus, sans l'avouer, il trouvait que son garçon n'était pas débrouillard, même si ce dernier avait réussi à donner une mise de fonds sur un bungalow qui allait héberger sa famille. Il avait d'ailleurs gardé de la place dans sa cour arrière pour y installer une piscine creusée un peu plus tard. Donc, pas si niais qu'il le pensait, le père ! Mais tout aurait bien été entre eux si Johanne n'avait pas été dans ses jambes. Et elle semblait encore être la maîtresse de la maison et la patronne de son mari, ce que Jules détestait constater quand il s'y rendait.

Quant à la plus jeune, Sophie, il la voyait rarement. Divorcée, elle fréquentait un homme, puis deux, puis trois, l'un après l'autre, ce qui en faisait le pendant féminin de son père qui en avait fait de même avec ses conquêtes. Bref, Sophie était trop semblable à lui sur ce plan pour qu'il s'en accommode. Il remarquait qu'elle avait tous les défauts que Francine lui reprochait souvent. La fille identique à son père, quoi ! Ce qui ne lui plaisait pas quand Francine lui disait : «Cesse de t'en plaindre, elle est pareille comme toi ! Ton portrait tout craché, celle-là !» Il le savait, mais ce n'était pas parce qu'elle était comme lui qu'il allait s'en rapprocher, au contraire. Il préférait de beaucoup Renée qui était le portrait de Francine avec ses qualités et ses quelques défauts. Alors, se retrouvant sans avoir rien à répliquer, sans pouvoir morigéner qui que ce soit, il se tourna vers sa belle-sœur, Mariette, et se mit à se mêler de ses affaires, surtout en ce qui concernait son héritage, alors qu'il avait eu peine à s'occuper du sien, n'étant pas expert en finances. Mariette allait souvent souper avec eux, elle les invitait même au restaurant et réglait l'addition chaque fois avec l'argent de son défunt père qu'elle ne savait pas comment dépenser. Et Jules acceptait. Il avait même dit à sa femme :

— Si la vieille fille veut tout payer, qu'elle le fasse, ça va nous faire ça de sauvé !

— Pas la vieille fille, Jules ! Aie au moins la décence de l'appeler par son prénom, Mariette fait tout cela pour nous faire plaisir. Ne l'insulte pas en la qualifiant de ce qu'elle n'aime pas ! Vas-tu finir par comprendre ?

— Bon, ça va, c'est plus fort que moi… Même Nicole la traite…

— Non, Nicole ne parle d'elle qu'en utilisant son prénom, jamais de termes de ce genre. Ce n'est pas de coutume dans ma famille de nous humilier les uns les autres, en cherchant des poux dans chaque personne. Les Vadnet ne sont pas les Drouais, Jules ! Tu n'as qu'un frère et tu ne peux parler de lui sans l'appeler Baquet !

— Bon, bon, ça va, je vais tenter de me corriger. Je l'aime bien, Mariette, et je ne veux surtout pas lui faire de la peine. Remarque que je dis vieille fille juste quand c'est à toi que je parle, jamais je ne le lui dirais en pleine face sachant que ça la blesse. Au fait, as-tu des nouvelles de Nicole ? Que devient-elle ?

— Non, j'en ai de moins en moins depuis que le père ne lui a rien laissé et qu'elle a perdu son drôle de moineau trop exigeant au nid. Elle doit sûrement en chercher un autre en ce moment ; un moins vieux cette fois, mais pas aussi jeune que le gringalet qui en avait eu peur. Un homme de son âge serait plus de mise. Elle appelle moins souvent et quand elle le fait, elle n'a rien de nouveau à me dire. Ne t'en fais pas par contre, dès qu'elle aura un nouvel amant dans ses filets, elle va se manifester et nous en mettre plein la vue. Surtout s'il a autant d'argent que celui qui se faisait rembourser au lit !

— Francine ! Tu n'as pas l'habitude de parler ainsi… Tu me reproches de le faire et tu parles de Nicole comme…

— Arrête ! Je sais, je plaisante, c'est permis de temps à autre, non ? Je ne fais que répéter ce qu'elle m'a dit de celui qui voulait chaque soir… Et puis, passons, c'est sans importance. Nicole sera toujours Nicole et rien ni personne ne la changera. L'argent, les bijoux, les fourrures, les voyages, elle n'a que ça en tête. Elle parle rarement de sa fille, on sent que Janna ne l'intéresse pas. Du moins pour le moment. Pas pendant qu'elle chasse, la vilaine !

— Bon, qu'est-ce qu'on mange ce soir ? Préfères-tu que je commande des mets italiens ?

— Non, ça, je peux en faire quand tu en as envie. J'ai mis au four un bon pâté chinois pour le faire dorer. Ça te va ?

— Oh oui ! surtout le tien ! Avec du blé d'Inde en crème ! Dix fois meilleur que celui de Johanne avec sa boîte de Niblets secs en gros grains ! Tu devrais lui donner des cours de cuisine, Francine ! Chanceuse que Marc ne s'en plaigne pas après avoir grandi avec ton savoir-faire culinaire. Mais comment le lui dire ? La boss des bécosses ne le prendrait pas !

— Jules !

Néanmoins, Francine avait noté que son cher mari avait de plus en plus de problèmes avec sa consommation d'alcool. Pas à la maison où il buvait modérément, mais lorsqu'il sortait avec des collègues pour ne rentrer qu'aux petites heures du matin. Un samedi, alors que Jules se levait avec la gueule de bois, Francine lui versa un café et déposa deux aspirines dans la soucoupe :

— Pourquoi ces pilules ? osa-t-il lui demander.

— Comme si tu ne le savais pas ! L'horloge du salon sonnait ses quatre coups quand tu es rentré en faisant du bruit et en bousculant, dans ton ébriété, des bibelots que j'ai ramassés ce matin.

— J'étais pas soûl à ce point-là, voyons…

— Oui, pire que la dernière fois ! De plus, tu conduis dans cet état ! T'imagines-tu ce qui pourrait t'arriver si on t'arrêtait avec un tel degré d'alcool dans le sang ? Ce serait…

— Ben, pis bon, c'est assez ! Je n'ai pas le goût de me faire tomber dessus quand je tente de me remettre de la veille. Tes aspirines vont suffire et si tu as des courses à faire, vas-y et laisse-moi tranquille, je me ferai à déjeuner seul quand j'aurai faim.

— Faim ? Il te faudra d'abord digérer ce que tu as mangé avec tes derniers verres, car en plus de sentir la tonne, tu puais l'ail à plein nez ! La prochaine fois, abstiens-toi de venir me rejoindre au lit, on a un divan au salon qui devrait faire l'affaire. Ce serait plus respectueux pour moi !

Sur ces mots lancés sur un ton de reproche, Francine sortit et se dirigea vers la voiture. Elle voulait faire ses emplettes tôt et éviter de s'obstiner avec Jules qui, sobre ou soûl, avait toujours ou presque le dernier mot. Or, à quoi bon l'engueuler, sentant qu'elle allait perdre une fois de plus ?

Resté seul, accroché à son mal de bloc, Jules Drouais se posait de sérieuses questions ce matin-là. Il était celui des trois comparses de la veille qui avait bu le plus. Celui qu'on voulait aller reconduire chez lui, mais qui s'entêtait à prendre sa voiture en leur ordonnant de se mêler de leurs affaires. Ils avaient tous bu dans ce bar malfamé, lui plus que les autres cependant. Et il avait payé deux danseuses pour des danses aux tables avant de se rendre dans un restaurant de deuxième ordre avaler des mets remplis d'ail et d'oignons, d'où l'haleine désagréable que Francine lui reprochait. Revivant sa soirée du mieux qu'il put, il eut soudainement honte. Qu'allaient donc penser ses collègues qui, eux, ne perdaient pas la carte comme lui? Sans aller plus loin dans ses justifications envers Francine, dès son retour, il ajouta cependant:

— Tu as raison sur certains points. Ma conduite est indigne de l'homme respectable que je suis au travail.

— Et à la maison, Jules! S'il fallait que Marc apprenne ce que son père fait de ses soirées… Remarque qu'il a déjà déduit que tu buvais beaucoup, même chez lui tu vides ses bouteilles de vin. Rassure-toi, cependant, je n'ai jamais rien révélé de tes mauvais penchants aux enfants. Ce problème est entre toi et moi, et…

— Oui, ne va pas plus loin, je vais le régler, ça, Francine…

— Il y a les Alcooliques anonymes qui pourraient t'aider…

— Je ne suis pas alcoolique, voyons! Ça me dérange juste quand je sors. Un alcoolique boit du matin au soir, il a besoin d'alcool pour survivre, moi j'ai seulement besoin de me divertir, mais je dépasse les bornes, je le sais.

— Pourquoi consommer autant? Tu n'es pas heureux seul avec moi depuis que les enfants ne sont plus là?

— Bien sûr, Francine, je t'aime et je n'ai rien à te reprocher. Je ne sais pas d'où vient ce problème passager, mais je vais consulter. Il faut que ça s'arrête ! Je vais perdre le respect de mes collègues si je continue à boire comme une éponge quand je sors. Ça se répand facilement dans un bureau ces choses-là…

Jules, de retour au travail lundi, s'adressa à un confrère qui semblait ne pas boire. S'informant de son cheminement, ce dernier lui avait répondu :

— J'ai cessé de consommer il y a sept ans. Avec l'aide des AA de mon quartier. Si tu veux t'en sortir, Jules, viens avec moi à une réunion et tu me diras si c'est l'endroit pour toi.

— Je ne sais pas, je ne me sens pas alcoolique, c'est juste quand je sors…

— Allons, tu n'as rien à perdre. La première fois, tu n'auras qu'à observer, écouter les autres, entendre ce qu'ils ont à dire. Des femmes comme des hommes aux prises avec ce grave problème. Viens donc ! Personne ne te connaît dans mon quartier, tu seras plus qu'anonyme parmi eux.

Et Jules se laissa convaincre parce que ce Daniel, plus jeune que lui, semblait si bien dans sa peau. Il accepta de le suivre et se retrouva parmi un assez bon groupe lors d'une réunion hebdomadaire. Il écoutait les autres, il les observait surtout, il expirait, respirait, fixait souvent la porte d'entrée, mais d'un regard sans expression. Daniel, cloué sur sa chaise de bois, l'avait constamment à l'œil. Jules resta jusqu'à la fin et évita de parler à ceux et celles qui tentaient de s'approcher de lui. Il implora Daniel des yeux afin de sortir vite de cet endroit, puis à l'extérieur, assis dans la voiture de son collègue plus que discret, il lui dit sans que ce dernier lui demande rien :

— Je vais parler de cette soirée à ma femme, lui dire ce que j'en ai conclu, je ne veux rien lui cacher.

— Rien à me dire à moi ? Tu as trouvé cela éprouvant ?

— Heu… oui… Pour être franc, ce mouvement n'est pas pour moi.

— Libre à toi, Jules. Si jamais l'envie te prenait de revenir, fais-moi signe.

Le brave samaritain le déposa à sa porte et, dès que rentré, Francine, qui l'avait vu sortir de la voiture de cet étranger, lui demanda :

— Qui est cet homme qui t'a ramené, Jules ? Je ne le reconnais pas…

— Évidemment, Francine, tu ne l'as jamais vu, c'est un collègue de travail que je ne fréquente pas habituellement, que cette fois seulement…

— Et pourquoi cette fois ? Suis-je trop indiscrète ?

— Non, assois-toi, sers-moi un café si tu en as de fait, on va causer de tout cela.

Francine s'empressa de lui verser un café encore chaud qu'elle avait préparé quelques minutes plus tôt et, assise en face de lui à la table de la salle à manger, il la regarda et lui avoua sans baisser les paupières.

— Je suis allé avec lui à une réunion des Alcooliques anonymes dont il fait partie depuis sept ans. Il m'a convaincu de m'y rendre avec lui pour observer, après que je lui aie révélé que je croyais avoir un problème.

Les yeux de Francine s'étaient illuminés. S'il fallait que son Jules trouve enfin un copain qui le mettrait sur la bonne voie. Agitée, elle lui demanda :

— Et puis ? Comment ça s'est passé ? Une belle expérience ? Vas-tu y retourner ?

— Non, plus jamais. Je n'ai pas aimé le groupe. La plupart sont de vrais alcooliques, pas des gens comme Daniel qui, lui, a de l'envergure. Des femmes et des hommes, la plupart des soûlons, qui essaient de s'en sortir. Et la majorité de ces personnes n'a pas de classe, des filles de rien, sauf une divorcée qui est venue raconter son histoire, et peut-être un ou deux hommes plus âgés qui, plus discrets, ne témoignèrent de rien. Non, ce monde-là n'est pas pour moi, Francine. Je sentais que mon cas était bien léger à côté des leurs. Daniel se traîne encore là et je me demande bien pourquoi, il ne boit plus depuis sept ans. Il était sans doute très avancé dans l'alcoolisme pour avoir encore besoin d'eux.

— Ça l'aide sûrement à maintenir son équilibre, lui répondit Francine. Il a probablement besoin de leur soutien constant.

— Peut-être, mais moi, je n'ai besoin de rien, mon problème est léger et je ne me taxe pas d'alcoolique. Ce n'est qu'une mauvaise habitude et je ne suis pas un cas unique. De toute façon, je vais m'en sortir seul, me raisonner, éviter le verre de trop qui me fait basculer, sans rien ni personne d'autre, sauf ma bonne volonté.

— Sans revoir ce Daniel qui semble avoir une bonne influence sur toi ?

— Non, c'est un collègue seulement, trop jeune pour que je me confie à lui. Je vais le saluer quand je le croiserai, mais je ne tiens pas à le fréquenter ni à lui parler de mon petit malaise, comparé à son grave problème. Laisse-moi faire,

Francine, regarde-moi aller… Tout va s'arranger. L'alcoolisme n'aura pas le dessus sur moi, crois-moi !

Toutefois, dès leur prochaine sortie, Jules avait rechuté et abusé des effets de la bière et du vin. Rentré sans faire de bruit, il avait pris le divan-lit pour la nuit, mais Francine, qui ne dormait pas, se doutait bien qu'il venait encore de faire un faux pas. Le lendemain, mine de rien, elle prépara le petit déjeuner et Jules se contenta d'une rôtie avec de la marmelade. Pas d'œuf poché comme d'habitude, il avait l'estomac au bord des lèvres. Douché, habillé, il se rendit à son travail après avoir embrassé sa femme qui ne faisait pas de suppléance ce jour-là. Ne lui reprochant rien, Francine l'avait laissé partir sans lui poser la moindre question, se doutant bien que sa cuite l'envahissait de remords. L'un des deux comparses de la veille n'était pas rentré, sans doute amoché lui aussi, et l'autre profitait d'un congé. Tant mieux ! Aucun regard à soutenir, aucun échange. Comme si de rien n'était, tout simplement. Mais Jules, rassemblant les parcelles encore vives de sa faible mémoire, se souvint s'être réveillé en sursaut la nuit dernière, dans le lit d'une fille qu'il ne connaissait pas. Une jolie femme aux cheveux noirs, le genre qu'il aimait, la trentaine ou un peu plus. Il ne se rappelait pas comment il s'était rendu chez elle ni s'être déshabillé ni avoir fait quoi que ce soit avec elle. Et il se souvenait encore moins d'être reparti de cet appartement d'une rue mal éclairée pour rentrer chez lui. Mais quelle disgrâce ! Ne pouvant se regarder dans une glace sans se maudire, il décida promptement d'aller consulter un thérapeute dont il avait retenu le nom parmi les heureux élus des impôts en retard. Il prit un rendez-vous en fin d'après-midi le jour même et prévint Francine qu'il ferait un peu de temps supplémentaire le soir pour clore quelques dossiers. Puis, déterminé, il se rendit chez ce thérapeute qui avait aussi travaillé en milieu défavorisé et carcéral, afin de lui raconter brièvement son histoire en prétendant qu'il n'était pas alcoolique, qu'il dérapait de temps à autre, et l'homme de lui dire :

— Vous êtes un alcoolique périodique, monsieur Drouais. Un homme qui se soûle quand l'occasion se présente. Un homme qui ne peut plus s'arrêter quand les effets se font sentir. L'état second vous sort de votre retenue et vous devenez l'autre, celui qui ne craint rien, celui qui se rend sans scrupules au-delà de sa ligne de conduite. Un état de boisson dangereux pour tout ce qui risque de s'ensuivre. Au même titre qu'un véritable alcoolique, même si ce sont les effets et non strictement l'alcool que vous recherchez à travers votre penchant.

Le thérapeute lui décrivit davantage son cas dans lequel Jules se reconnaissait grandement et, compétent en la matière, il lui donna comme conseil d'éviter ce genre de sorties, de ne plus aller avec ses compagnons d'infortune, de s'en tenir à sa femme et à ses enfants, et de boire raisonnablement, ce qu'il serait en mesure de faire avec de la volonté et un coup de pied au derrière.

Question de reprendre son souffle, le thérapeute avait fait une pause et Jules s'empressa de lui dire :
— Continuez… je veux tout savoir.
— Je n'ai rien à ajouter, à moins que vous…

Jules, malgré sa franchise envers lui, ne lui parla pas de la nuit précédente où il s'était retrouvé, sans savoir pourquoi, dans le lit d'une femme. Une inconnue, de surplus, rencontrée il ne se souvenait guère où, ils avaient fait trois endroits, cette fois-là. Avec cet écart de conduite, il s'était rendu au bout de sa corde. D'où son envie profonde de s'en sortir et d'où le nom du thérapeute avait surgi de ses dossiers. Mais, après cette consultation, rehaussé d'un cran dans son ego, il était déterminé à gagner, sans aide, là où il avait maintes fois échoué.

Néanmoins, le soir venu, seul avec Francine au salon, il décida de jouer franc jeu et de lui confier s'être rendu demander de l'aide pour sortir de son gouffre. Étonnée, mais fort heureuse de cet aveu, sa femme lui demanda :
— Tu as vu qui ? Ça valait le déplacement ?
— Je suis allé en thérapie. Un type dont on m'avait parlé. Il m'a gardé pas loin de deux heures dans son bureau, il m'a appris bien des choses.
— Comme quoi ?
— Que j'étais un périodique, Francine, pas un alcoolique pur et simple, mais un périodique. Un homme qui ne tombe dans son sombre penchant qu'à l'occasion seulement. Donc, peu enclin à cette grave maladie comme ceux que j'ai vus à la réunion de Daniel. Le thérapeute m'a donné de bons conseils que je vais suivre, et une manière de me comporter en milieu de travail, différente de celle que j'ai adoptée avec mes supposés copains.
— Va-t-il te revoir pour éviter des rechutes ?
— Non, pas nécessairement. De toute façon, ce ne sont pas les diplômes qui tapissent ses murs, mais cet homme a

compris mon problème et me l'a exposé de but en blanc. Pire, je n'ai rien eu à lui dire vraiment, il a vite détecté mon cas. Il fait de la thérapie dans les prisons et en milieu défavorisé. Il connaît la vie, quoi ! Donc, ayant absorbé le meilleur de sa compétence, c'est à moi de poursuivre seul, de changer, de me remettre sur les rails, à moins que je ne trébuche, ce dont je doute.

— Bon, puisque tu le dis. Il devait savoir de quoi il parlait, ce thérapeute, pour que tu le croies sur parole.

— Pour ça, oui, il en a vu d'autres, ça se sentait, mais j'ai gardé ses coordonnées au cas où… Quoique je ne m'en servirai jamais plus.

— Bien si tu le dis, merci, Jules. Grâce à Dieu, je vais cesser de m'inquiéter. Je savais qu'il allait veiller sur toi, tu es une si bonne personne…

— Je vais tenter de le devenir, Francine. Pour ton bonheur et le mien. Pour notre union, pour nos enfants, pour tout ce que le bon Dieu nous a donné.

Sans rien ajouter, Francine attendit de se rendre à la messe avec Jules le dimanche suivant, pour aller allumer deux gros lampions devant l'image bénie du Sacré-Cœur. Pour Jules, évidemment, en lui disant cependant qui c'était pour ses petits-enfants. Un pieux mensonge que le Seigneur allait certes lui pardonner.

Une semaine plus tard, il accepta d'aller souper chez Marc avec Francine. Il avait quelque chose à se prouver. Voyant que son fils s'amenait à la table avec deux bouteilles de vin, il lui dit:

— Non, Marc, une seulement pour Francine, Johanne et toi, cette fois. Moi, je ne prendrai qu'un demi-verre, rien de plus.

— Depuis quand ? C'est ton vin préféré, papa !

— Oui, je sais et je saurai l'apprécier avec une petite quantité seulement.

— Ben, pourquoi ?

— Parce que j'ai vu mon docteur et il m'a dit que j'avais le foie engorgé ! mentit-il. Ça te suffit, fiston ? Je dois tout couper, les repas gras comme la boisson ! Au fait, qu'as-tu fait pour souper, Johanne ?

— Un ragoût de boulettes en sauce brune avec des patates pilées, monsieur Drouais.

— Non, merci, trop gras pour moi. Un sandwich au jambon avec un soupçon de moutarde va faire mieux mon affaire.

Comme de coutume, malgré son enfer pavé de bonnes intentions, Jules n'avait pu s'empêcher de contrarier sa bru une fois de plus.

Depuis sa dernière mésaventure, Jules Drouais était relativement plus calme, s'abstenant de sortir avec ses comparses d'occasion, prétextant des recommandations du médecin face à l'alcool, et ces derniers le remplacèrent momentanément par un autre jeune collègue qui levait le coude facilement et qui les entraînait non dans les clubs de danseuses, mais dans les clubs de danseurs nus, sa préférence, un compagnon dont se lassèrent vite les deux autres, en regrettant que Jules soit dans l'impossibilité de les suivre présentement. Francine était enchantée de ses bonnes résolutions. Enfin, il serait plus souvent à la maison, seulement à elle et à sa famille. Si le sevrage de l'alcool comme celui des sorties ne fut pas facile pour celui qui avait tout lâché du jour au lendemain, il piétinait, il tournait en rond, il se battait contre ses démons et, un soir, n'en pouvant plus de cette vie sédentaire choisie par lui avec l'aide d'un thérapeute, il rechuta et se retrouva avec ses camarades dans un lieu malfamé, presque soûl, et prêt à replonger dans ses vices.

Fort heureusement, l'un d'entre eux le prit en main et le pria d'arrêter de boire, de laisser sa voiture dans le stationnement de l'endroit et le ramena chez lui où Francine l'attendait avec un regard débordant de reproches.

Jules, qui aurait pu commettre les pires bévues, la veille, expliquait à sa femme, le lendemain, qu'il avait seulement failli trébucher dans son mal et qu'il s'en était rendu compte juste à temps. Sans lui dire que c'était l'un de ses compagnons qui avait eu la générosité de le sortir de son gouffre et de le reconduire à la maison sans qu'il proteste trop. Francine, sentant qu'il était quasi sincère, lui pardonna cet écart propre à ceux aux prises avec des vices, et Jules lui jura, ce matin-là, que c'était la dernière fois qu'il osait défier sa forte volonté. Armé de son courage, il se départit de ses bouteilles de scotch, de rhum et de gin, en les remettant au compagnon qui lui avait évité une descente aux enfers, et ne garda à la maison que des demi-bouteilles de vin rouge et blanc pour les invités.

Comme cette chère Nicole qui aimait bien son verre de vin rouge avec les repas, èt Mariette, la vieille fille, qui taquinait du bout des lèvres le blanc quand Francine lui en offrait. Jules, pour sa part, s'en verserait à peine un soupçon pour les accompagner et, devant l'étonnement de sa curieuse belle-sœur face à cette retenue, il lui répéterait l'histoire de son foie engorgé et de sa vésicule biliaire bloquée de pierres qu'on devrait lui extraire s'il ne parvenait pas à les «désagréger» de lui-même. Ce qui coula aussi bien que de l'eau sur le dos d'un canard, dans son éloquence à l'expliquer. Et, pour appuyer plus fortement ce carnage d'une partie de son corps, il avait ajouté, en regardant Nicole : « Tu sais, j'avance en âge ! »

Chapitre 5

Vendredi 14 janvier 2000 :

— Bon, nous y voilà ! Je suis un retraité, Francine ! Fini les bureaux du gouvernement et les appels aux insoumis de l'impôt ! Je vais enfin pouvoir me consacrer à ma vie privée.

— J'en suis heureuse, Jules, nous allons vivre l'un pour l'autre désormais, car j'ai renoncé à la suppléance dans les écoles, j'ai enlevé mon nom des ex-enseignants disponibles. On a assez travaillé, tu ne trouves pas ? Il va nous falloir des projets maintenant. Dis, tu as apprécié le souper d'adieu de tes collègues, hier soir ?

— Oui, mais je m'en serais passé. Moi, les hommages honorifiques… Nous n'étions pas nombreux cependant, sept ou huit en tout avec mon supérieur immédiat. Je crois que je n'étais pas aimé tant que cela au sein des employés, mais qu'importe, j'en suis sorti, c'est l'essentiel. Un bon repas, par contre, un seul verre de vin pour moi, plusieurs pour d'autres. Je les ai remerciés au nom de toutes ces années et je suis vite rentré comme tu as pu le constater.

— Ce qui m'a enchantée. Je pense que tes déboires sont vraiment derrière toi, Jules. On dirait que tu as moins envie qu'avant de l'alcool, de ton vin rouge surtout.

— Pas moins envie, plus le goût, tout simplement. Je fais maintenant une grimace si la première gorgée est trop corsée, ce qui n'était pas le cas avant. Et je ne bois qu'un peu de vin blanc que j'aime moins que le rouge, ce qui m'a beaucoup aidé à diminuer.

— Tes compagnons d'infortune étaient-ils du souper, hier ?

— Non, ça fait longtemps qu'ils m'ont *flushé* ces deux-là. Dès qu'ils ont vu que ce n'était plus le *fun* de m'emmener, ils se sont éloignés, ce qui ne m'a pas dérangé. Ils n'étaient pas des amis, de toute façon, juste des copains d'occasion. Je ne m'en suis pas vraiment fait au cours de ces années. Le Daniel, celui qui m'avait traîné à sa réunion d'alcooliques, n'était pas présent, même s'il était invité. Ceux et celles qui étaient au repas étaient surtout des collègues qui travaillaient à mes côtés et que je saluais chaque jour. Et là, passons, tout ça est derrière moi, le souper de retraite aussi. Parlons maintenant de toi, tu vas le faire enfin ce voyage en Italie que tu te promettais tant ?

— Oui, avec Nicole, si elle trouve l'argent qu'il faut pour l'avion et le gîte. N'empêche que j'aurais préféré le faire avec toi, j'aurais été plus rassurée.

— Tiens ! je ne dis pas non. Je n'aime pas voyager, mais si c'est pour se rendre à Rome, visiter la basilique Saint-Pierre et assister à la messe du dimanche par le pape, ça m'intéresse.

— Tu es sérieux ? Ce sera tout cela, Jules, et même plus ! Surtout si c'est toi qui m'accompagnes. Nicole souhaite visiter Venise, elle, ce qui ne me tente pas. Moi, c'est Rome que je veux voir et tous les fidèles qui s'y rendent pour être sur le passage de Jean-Paul II quand il traverse la foule. Ou sa bénédiction papale du haut de son balcon. Après avoir tout visité ce qu'il y a de religieux à Rome, nous reviendrons, je te le promets. Quatre ou cinq jours seulement, pas plus. On aura un billet de retour ouvert.

Et Jules qui n'aimait pas les voyages et encore moins l'avion acquiesça pour accompagner Francine, surtout quand elle ajouta :

— Je vais appeler Nicole dès aujourd'hui. Je lui dirai que nous irons ensemble, toi et moi. Et ça devrait la soulager, elle ne trouve pas l'argent nécessaire pour ce périple, elle n'a personne pour l'entretenir en ce moment. À moins que Mariette…

— Non, surtout pas elle ! Toi pis ta générosité ! Pas de chien de poche, Francine, ou je change d'idée !

— D'accord, nous irons seuls, que nous deux, Jules. Je disais cela parce que Mariette est dévote et qu'elle a les moyens, contrairement à Nicole. Mais ça, c'est si tu n'avais pas décidé de m'accompagner.

Allons donc ! Jules savait que sa femme avait pensé à sa jeune sœur avec le cœur sur la main toujours grande ouverte pour elle. Mais, avisée, Francine ne revint pas sur le sujet, trop contente de se rendre à Rome avec son mari pour la protéger. Jules qui allait avoir soixante ans en février et Francine cinquante-neuf à la fin du même mois se promettaient bien tous les deux de rattraper le temps perdu, de consolider leur couple, de se rapprocher, de solidifier le lien qui s'était quelque peu effiloché à cause des problèmes de Jules avec l'alcool. Le 20 janvier, cependant, elle lui annonça une mauvaise nouvelle lorsqu'il se leva quelque peu après elle :

— L'actrice Hedy Lamarr est morte en Floride hier. Elle avait quatre-vingt-cinq ans. C'était ta préférée, Jules ! À cause de ses cheveux noirs, sans doute, d'où ta fixation sur les femmes à la chevelure de cette teinte. Elle est morte à Casselbury où elle vivait recluse et ruinée avec l'un de ses fils. Quel dommage !

— C'est triste en effet. Elle était si belle cette actrice. Tu te souviens comment je l'ai aimée dans *Samson et Dalila*? Nous étions allés voir le film à deux reprises, dix ans après sa sortie. En anglais comme en français. Elle était magnifique dans ce rôle. Et c'est là que, jeune homme, je suis tombé en amour avec elle. J'ai vu plusieurs de ses films ensuite. Un béguin, quoi ! Comme toi avec ton Rock Hudson que tu aimais tant…

— Un autre rendu de l'autre côté. Chacun son tour de partir, n'est-ce pas ? Le nôtre viendra aussi…

— N'en parle pas, Francine. Nous commençons à peine une deuxième vie pour tenter de rattraper en double le temps qui nous a échappé.

— Tu as raison, et comme nous avons encore de belles années devant nous…

Au début d'avril, les Drouais arrivaient à Dorval pour se rendre à Rome tel que planifié. Leur fils Marc était allé les reconduire assez tôt en fin de journée pour qu'ils aient le temps de manger à l'aéroport avant l'embarquement. Jules, nerveux à cause de sa peur de l'avion, peur transmise à sa fille Renée, n'en revenait pas de voir tant de passagers monter à bord de l'appareil, aussi gros fût-il. Francine, le sentant agité, lui donna un calmant, ce qui allait peut-être le faire dormir durant le voyage. Mais non ! Assis sur le bout de son siège, même s'il n'apercevait rien à l'extérieur, Jules n'apprécia guère le décollage et, rendu au-dessus des nuages, il demanda à sa femme s'il pouvait se commander une minuscule bouteille de vin pour décompresser et amoindrir son angoisse. Elle le regarda en fronçant les sourcils et lui répondit :

— Non, Jules, une seule risque d'en entraîner une de plus. Le vol n'est pas turbulent, tu n'as pas à t'énerver pour l'instant. Et si le sédatif que t'as pris ne t'aide pas à te détendre et à te faire dormir, je t'en donnerai la moitié d'un autre, mais oublie le vin, ta peur va finir par diminuer avec ces calmants, tu vas voir.

Mais ce ne fut pas le cas, les sédatifs n'eurent aucun effet sur lui et Jules passa la nuit les yeux grands ouverts, et les oreilles surtout, afin de percevoir le moindre bruit étrange de l'appareil. Il observait ses voisins qui, eux, bien enfoncés dans leur siège, jasaient tout en buvant un verre de scotch ou de vin que l'hôtesse leur avait servi. Et il s'en voulait d'être ainsi à la merci de sa femme, car selon lui la mini-bouteille de vin ne l'aurait pas fait rechuter et il aurait davantage maîtrisé le vol qui n'en finissait plus. Ils atterrirent enfin à Rome et, une fois tous les voyageurs dispersés à travers l'aéroport, ils trouvèrent un taxi qui les conduisit à l'hôtel où ils avaient réservé. Et c'est là que, les deux pieds sur terre, Jules ressentit finalement les effets des calmants. Ce qui le força à s'étendre sur le lit et à dormir durant de longues heures pendant que sa femme, plongée dans une revue américaine laissée sur place, le regardait… ronfler ! Sans s'en plaindre, sans rien dire, elle songeait en elle-même que ce voyage ne serait peut-être pas aussi agréable qu'il l'aurait été avec Nicole ou Mariette. Mais elle devait accepter les bons et les mauvais côtés de son mari qui, elle le savait, n'aimait pas se déplacer et encore moins partir au loin. Pour Jules, s'éloigner de sa maison était un supplice. Mais comme il avait voulu suivre Francine, il était évident qu'ils allaient souffrir tous les deux d'être ensemble. Elle, à cause du peu d'intérêt de son mari, et lui, parce qu'en s'étirant d'aise dans sa chambre d'hôtel après avoir dormi, il songeait à son patio, à son terrain où il aimait s'occuper des premiers bourgeons des arbustes, de ses vivaces, de son lilas qui allait bientôt reprendre vie, et quitter Rome dont il avait hâte de partir aussitôt arrivé.

Le lendemain, face au Vatican, il fut impressionné par la hauteur des bâtiments et par la foule dont on ne pouvait plus évaluer le nombre. Poussaillé de tous côtés, il avait dit à Francine :

— On étouffe ici, tout le monde nous bouscule. Ils n'ont jamais vu ça, un pape ?

— Non, faut croire, lui répondit-elle avec un sourire narquois. Pas plus que nous, Jules !

Le deuxième jour de leur arrivée, Francine et Jules avaient enfin aperçu Jean-Paul II passer en papemobile à travers les fidèles. Pas de trop près, ni de trop loin, juste assez pour le distinguer et recevoir ses bénédictions. Francine avait levé les mains vers lui comme tous les autres sur place et Jules avait trouvé cela exagéré :

— Voyons donc, comme s'il te voyait dans cette foule ! C'est ridicule de tenter d'attirer son regard.

— Ce n'est pas ce que je faisais, Jules, je lui envoyais mes prières, sachant qu'il allait les exaucer. C'est un saint homme, le pape, il représente Dieu sur Terre.

— Tu n'as pas à me le dire, je connais mon histoire sainte, tu sais. Bon, puisqu'il est rendu au bout de la rue et qu'on ne le voit plus, on va où maintenant ?

— Bien, voir la fontaine de Trevi, faire un tour aux Musées du Vatican, tu savais que Rome était la capitale de l'Italie ?

— Bien oui, voyons ! Qui ne le sait pas quand on vient ici ? Tu as de ces questions… Me prends-tu pour un illettré sans culture ?

— Bien sûr que non, mais comme on est surtout ici en pèlerinage religieux…

— Non, simplement en voyage, Francine. Je veux bien me pencher sur l'aspect spirituel de l'endroit, mais il serait temps de trouver un endroit où manger et nous asseoir, j'ai les pieds en compote, moi. Tu me fais marcher sans arrêt…

Ils dénichèrent un restaurant où l'on servait de la pizza aux olives et des cannellonis, et Jules put enfin se rassasier sans toutefois toucher au vin rouge qu'on lui proposait. Francine mangea peu, intéressée surtout par ses visites de lieux recommandés, mais Jules lui dit après le long dîner :

— Bon, on rentre à l'hôtel ? Un repos serait bénéfique, il y a tellement de monde ici, on suffoque dans cette foule.

— Déjà ? Je comptais visiter d'autres endroits en après-midi et en début de soirée…

— Non, sois raisonnable, gardons-en pour demain, car deux ou trois jours encore et nous revenons à Montréal, ce qui ne sera pas trop tôt pour moi.

Francine ne répondit rien, ne voulant surtout pas s'obstiner en plein restaurant où des touristes français et canadiens n'étaient pas loin. Elle le suivit à l'hôtel et, pendant qu'il fit une sieste, elle s'installa sur le balcon avec des brochures prises un peu partout, qui suggéraient d'autres bons sites à visiter.

Le soir venu, ils mangèrent à la petite salle de l'hôtel et remontèrent à la chambre où Jules se contenta d'un film en italien avec sous-titres français qu'on présentait à la télévision. Francine, déçue de la tournure des événements, en profita pour téléphoner à Marc et lui dire combien Rome était une belle ville et lui parler de Jean-Paul II qu'elle avait vu lors de sa traversée de la foule. À savoir si Jules appréciait ce voyage, Francine lui avait répondu :

— Oui, si on veut, mais ton père n'est pas aussi énergique que je l'aurais pensé, il aime bien ses pantoufles et son fauteuil à l'hôtel.

— Voyons, maman ! Rome, ce n'est quand même pas Montréal et encore moins Laval !

— Pour lui, c'est tout comme, Marc ! Ton père cherche des lilas partout ! Au Vatican et derrière les musées ! Il compare même certaines avenues de cette grande cité à notre boulevard des Prairies. Ah ! J'te dis !

Deux jours plus tard, sans trop en avoir envie, Jules suivit Francine dans ses longues marches et quelques visites en autocar. Tout ce qui l'embêtait, finalement. Des tours de ville inutiles avec un guide qui avait peine à traduire en anglais les écriteaux italiens qu'on croisait devant certains immeubles. Sorti enfin de cette carcasse ambulante qui tenait à peine la route et délivré de ses compagnons de trajet dont certains sentaient encore la sauce à spaghetti de la veille, il avait dit à Francine :

— Écoute, il est déjà trois heures, tu penses pas qu'il serait temps de regagner l'hôtel ?

— Pas tout de suite, voyons ! J'aimerais tellement aller aux catacombes de Rome et voir ensuite les jardins de la Villa Borghèse.

— Non, on en a assez vu comme ça ! Tu voulais voir le Saint-Père ? Tu l'as aperçu, tu lui as même envoyé tes prières pour les enfants, même s'il regardait ailleurs. Tu es venue à Rome pour voir le pape, le Vatican et la basilique Saint-Pierre. On a tout vu ça, Francine ! Assez, c'est assez et, comme on repart demain, ça nous laissera plus de temps pour faire nos valises. On a fait un voyage spirituel, toi et moi, pas une virée touristique comme toutes ces personnes avec la caméra à la main. Rentrons, allons manger au petit restaurant en face de notre hôtel et remontons faire tranquillement nos bagages. J'en profiterai ensuite pour me coucher tôt, sachant d'avance que je ne dormirai pas dans l'avion qui m'énerve déjà ! Même en première classe cette fois, avec nos billets ouverts qui ont coûté plus cher… Peux-tu penser à moi de temps en temps ?

— Je ne fais que ça, Jules ! Depuis notre départ ! J'ai même évoqué ton nom dans mes prières que j'ai adressées au Saint-Père quand j'ai levé mes bras vers lui. Est-ce penser juste à soi que d'agir ainsi ?

Le vol du retour fut encore plus pénible pour Jules que celui de l'arrivée. Il y avait beaucoup de turbulences et quelques femmes lançaient des petits cris quand ça brassait trop. Ce qui l'énervait au plus haut point ! Il avait murmuré à Francine dans une longue expiration :

— Ils prennent trop de monde, c'est pour ça que ça remue autant, c'est trop lourd avec les bagages en plus ! Pis on sent plus les poches d'air en avant qu'en arrière ! Et dire que ça nous a coûté un bras pour revenir n'importe quand… Il est quelle heure déjà ?

— Tu as ta montre, pourquoi me le demander ?

— Parce que je n'ose pas lever mon poignet de l'accoudoir du banc, je suis rivé de peur, ça ne se voit pas ?

— Bon, on arrive dans trois heures environ. Veux-tu un autre calmant ?

— Non, j'aimerais mieux une mini-bouteille de vin.

— Bon, ça va, on sonne l'agent de bord et tu t'arranges avec lui.

Un homme d'âge moyen en uniforme s'approcha de Jules et ce dernier lui commanda le vin en question non sans préciser : « Le rouge, s'il vous plaît. » Francine le regarda de travers, expira de mécontentement et Jules fit mine de ne pas s'en apercevoir en faisant des sourires à un bambin assis sur sa mère dans le banc de l'allée de l'autre côté. Avec sa bouteille de vin à la main, le verre de plastique sur la tablette, Jules cala le breuvage en quelques gorgées et, satisfait comme s'il avait avalé quatre sédatifs d'un seul coup, il appuya sa tête sur le coussin du haut du banc, ferma les yeux, et fit semblant de se taper un petit somme pour que sa femme ne revienne pas à la charge avec son Merlot rouge qu'elle désapprouvait. L'avion finit par se poser au sol brusquement, mais sans problème. Plusieurs personnes applaudissaient le capitaine et son copilote, ce que Jules trouva ridicule. Et ils purent enfin descendre de cet appareil que monsieur Drouais se jurait bien de ne jamais reprendre. À leur sortie, après les douanes et les bagages récupérés, ce qui prit un certain temps, ils reconnurent Marc qui leur signalait sa présence avec un grand sourire, derrière le long cordon de protection.

— Quel brave garçon ! de s'écrier Francine. Il est si dévoué pour nous. Il s'oublie pour ses parents chaque fois qu'on a besoin de lui. Tu ne trouves pas ?

— Ben, si tu l'dis !

Francine se jeta dans les bras de son fils, alors que Jules se contenta de lui serrer la main. S'enquérant de leur vol de retour, de leur séjour à Rome, il se sentit rassuré quand sa mère lui répondit que tout s'était assez bien passé. Une fois tous trois à bord de la voiture, Marc leur déclara :

— Ne vous énervez pas avec ça, mais Johanne est hospitalisée depuis hier soir.

— Mon Dieu ! Que lui est-il arrivé ?

— Une collision avec deux jeunes qui, en sens inverse, ont dérapé sur son auto. L'un des garçons a été conduit à l'hôpital avec une lésion à la tête et on a également transporté Johanne dont l'impact l'a blessée à la jambe gauche. Fort heureusement, elle n'a qu'une simple fracture, mais on la garde jusqu'à demain pour être certain que le choc ne lui a pas occasionné quelque chose au dos, on lui fait des radiographies en ce moment.

Jules qui n'avait encore rien dit, répliqua :

— Je suppose que les jeunes étaient en état d'ébriété ?

— Il appert que non, papa, le conducteur avait son permis depuis quatre mois seulement, une fausse manœuvre de sa part. Ses parents étaient dans tous leurs états. Ils craignaient tellement que la dame de l'autre voiture soit davantage blessée, mais le médecin de garde les a rassurés.

— Tout de même ! Qui s'occupe des enfants, Marc ? Je peux y aller après avoir déposé mes bagages…

— Non, maman, ce ne sera pas nécessaire. Sa mère est avec les jeunes, elle va passer la semaine, et même plus, avec Johanne après son congé de l'hôpital en fin de journée demain.

— Donc, tu t'en vas la rejoindre après nous avoir laissés à la maison ?

— Oui, elle sait que je suis venu vous chercher.

— Ce n'était pas nécessaire, nous aurions pu prendre un taxi, ton père et moi. Ta femme passe avant, voyons ! Quand tu seras de retour auprès d'elle, dis-lui que ton père et moi irons la voir ce soir. Tu me donnes le nom de l'hôpital et le numéro de la chambre ?

Jules, qui n'avait pas interrompu le verbiage de son épouse avec son fils, attendit d'être à la maison pour lui dire :

— Donc, tu vas aller la visiter ce soir, si j'ai bien compris ?

— Non, nous allons aller la visiter, Jules. Toi et moi ! Là, tu as certainement mieux compris ?

— Écoute, je suis fatigué, le décalage horaire me rentre dans le corps, j'ai mal à la tête avec ce fichu avion, j'aimerais me mettre au lit avec deux cachets d'aspirine. Elle n'a qu'une jambe cassée, Francine, elle n'est pas dans le coma. Une légère fracture selon Marc ! Elle va revenir demain chez elle ! Tu n'as pas besoin de moi si tu veux absolument aller la voir à l'hôpital.

— Oui, ensemble Jules. Ce qui fera plaisir à Marc.

— Mais je viens de te dire que dans mon cas, ce n'est pas nécessaire…

— Oui, ça l'est ! Tu es son beau-père, elle est notre bru à tous les deux. Arrête de te plaindre, fais une sieste maintenant, car après le souper, nous nous rendons à l'hôpital. Ça s'peut-tu tant de contrariétés ? Comme si je n'en avais pas eu assez à Rome !

— Que veux-tu insinuer ? J'ai été un mauvais compagnon ?

— Passons ! Je ne veux rien remuer pour le moment. Repose-toi un peu et prépare-toi à m'accompagner. Je n'aime pas conduire le soir et tu le sais.

— Tu pourrais demander à Marc de passer te prendre…

— Non, avec toi, Jules ! Laisse notre fils se détendre un peu, il en fait déjà beaucoup pour nous.

— Bien oui, comme si on ne faisait rien pour lui, nous autres !

Francine ne répliqua pas, préférant laisser Jules faire une sieste pendant qu'elle prendrait une douche et changerait de vêtements pour se rendre auprès de Johanne.

Le soir venu, Jules n'eut d'autre choix que d'accompagner Francine à l'hôpital. Déjà de mauvaise humeur d'être forcé à s'y rendre, sa femme l'avait fait s'arrêter devant un fleuriste pour aller acheter un bouquet de saison pour sa bru. Ils se stationnèrent et montèrent au troisième étage où Johanne se trouvait, assise dans un gros fauteuil, la jambe dans un plâtre jusqu'au genou, avec Marc à ses côtés et une autre patiente dans le lit près de la fenêtre qui observait les visiteurs. Contente de voir ses beaux-parents, Johanne les remercia pour les fleurs et raconta en menus détails ce qui lui était arrivé lors de la collision avec ces deux jeunes dont le conducteur avait tout juste dix-sept ans.

— Je ne comprends pas qu'on leur donne des permis à cet âge-là ! s'exclama Jules, sans lui demander comment elle allait.

— Heureusement, il n'est pas blessé gravement, juste une coupure au front qu'on a réglée avec des points de suture. Il est déjà chez lui. Son père est venu prendre de mes nouvelles avant leur départ et le garçon, encore mal à l'aise du geste inexpérimenté, est resté dans le corridor, trop timide pour me faire face. Quant à l'autre, le passager, il s'en est sorti indemne.

— Et toi, comment te sens-tu, Johanne ? Ça va se replacer cette jambe ?

— Oui, madame Drouais, sauf que ma mère va être avec nous un peu plus longtemps que prévu, car le quotidien avec des béquilles, ça ne sera pas de tout repos.

— Je peux aller te donner un coup de main, moi aussi, si ta mère a besoin d'un répit. Je n'ai rien d'autre à faire.

— Merci, j'en prends note, mais je pense que maman va tenir le coup. Elle a de bonnes épaules et des bras musclés. Telle mère, telle fille !

Jules aurait voulu l'approuver sur cet aveu, mais il se retint, se contentant de regarder ce qui se passait dans le couloir et au poste de l'étage en se promenant un peu partout pour ne pas être trop longtemps en présence de sa bru. Marc tenta d'engager la conversation avec lui pendant que sa mère parlait de Rome et du pape avec Johanne, mais Jules avait la tête ailleurs, une idée fixe l'obsédait, celle de rentrer le plus vite possible à la maison, de remettre ses pantoufles et de se barricader à l'abri du monde extérieur. Il en avait trop vu lors de son voyage, ça lui sortait par les oreilles, il avait besoin d'être seul avec son téléviseur, sa musique classique, les œuvres de Liszt et de Chopin, entre autres, pendant que sa femme chercherait de son côté à raconter leur voyage en entier à Mariette, faute de Nicole ce soir-là. Ils quittèrent l'hôpital après quarante minutes au chevet de la bru peu malmenée, et Jules échappa un soupir de soulagement.

— Ç'a été si difficile que ça de faire une bonne action ?

— Je suis fatigué, Francine ! Je n'ai pas fermé l'œil à bord de l'avion, j'ai le décalage qui me dérange, j'ai envie de dormir. Est-ce si dur à comprendre ?

Et pour la deuxième fois, il lui répéta :

— Tu pourrais penser à moi de temps en temps ?

Le lendemain, pendant que Jules était sur son terrain à regarder ses vivaces sortir de leur terre dégelée, Francine téléphona à Nicole qui s'informa sans plus attendre de son voyage avec son mari :

— J'ai beaucoup aimé Rome, j'ai vu le pape, j'ai vu la basilique, j'ai visité un musée, mais jamais plus je ne voyagerai avec Jules. Ce fut infernal !

— Comment ça ? Qu'est-ce qu'il a fait de pas correct, ton mari ?

— Rien fait, justement ! Aussitôt arrivé, il avait hâte de repartir. Il a été content de voir Jean-Paul II en personne, mais la foule l'épuisait, il ne voulait rien visiter ou presque avec moi. Il se plaignait sans cesse des gens venus de partout, des odeurs louches de certains touristes, d'un autocar en mauvaise condition selon lui et, comme il a peur de l'avion, les deux vols ont été désagréables pour moi. Bref, jamais plus je ne voyagerai avec lui, Nicole. Avec toi j'aurais pu tout aller voir, me détendre… Entre femmes, c'est nettement plus plaisant qu'avec son mari. Surtout quand il chiale constamment ! La prochaine fois, je t'avancerai encore l'argent s'il le faut, mais c'est ensemble que nous irons voir d'autres pays.

— Bien, je serais bonne partante, Francine, et si tu m'avances l'argent en plus… Je rembourse toujours mes dettes…

— Je le sais, voyons, mais cette fois, ça tombait mal… Aucune rencontre pour toi depuis notre départ ?

— Oui, un gérant de quincaillerie, mais pas intéressée, il est marié, il se cherche une maîtresse seulement. Puis, tu connais le cordonnier du centre d'achats ?

— Oui, j'y suis déjà allée.

— Bien, ce gentil monsieur voudrait me fréquenter. Il est divorcé depuis trois ans, ses enfants vivent avec leur mère, pas avec lui, il possède une maison à Vimont. Bref, un homme aimable, pas terriblement riche, mais pas pauvre, son commerce va bien.

— Alors, qu'est-ce qui t'empêche de faire un essai avec cet homme ?

— Premièrement, il n'a que quarante-deux ans, ce qui est jeune pour moi et, deuxièmement, si j'accepte de sortir avec lui, il devra d'abord se débarrasser de celle qu'il fréquente en ce moment, une femme libre de trente-neuf ans. Et je supporte mal qu'un homme puisse laisser abruptement sa blonde pour en fréquenter une autre. Je n'aimerais pas qu'on me fasse cela et qui sait si, avec lui, la même chose ne risquerait pas de m'arriver ? J'ai donc refusé de l'accompagner dans un souper de famille. Je ne voulais pas me montrer là avec mes dix-neuf ans de plus que lui. Tu imagines ? La blonde actuelle de son âge à peine quittée et une nouvelle beaucoup plus vieille à présenter à sa mère et ses sœurs. Non, trop de problèmes à l'horizon avec lui. J'y ai mis un terme avant de commencer. Tout ce qu'on a eu ensemble, c'est un souper dans un restaurant bien ordinaire des alentours. Alors, voilà ! C'est tout pour moi, quoique j'ai dans l'œil un bel homme de mon âge qui me complimente chaque fois que je le rencontre au dépanneur du coin. J'ai mené ma petite enquête, il est divorcé lui aussi, mais depuis plusieurs années. Il a une fille, mariée, qui vit à Saint-Hyacinthe et qu'il ne visite pas souvent, et il se cherche une compagne pour meubler sa solitude.

— Il a de l'argent, celui-là ?

— Assez pour me gâter, il a son bungalow, il possède un chalet à Saint-Sauveur en plus d'une auto récente.

— Alors, qu'est-ce qui te retient, maintenant ?

— Rien encore, j'y pense, j'attends, car après avoir épousé un Philippin, je ne t'apprends rien, je serais aux prises avec un Coréen cette fois !

— Ah ! non, pas un autre Asiatique ! Jules va hurler de rage !

— Tant pis ! Ton mari est le dernier de mes soucis !

La vie reprit son cours à Laval où Jules se terrait depuis son retour. Il allait à l'épicerie avec Francine et, de temps à autre, il l'invitait au cinéma Laval où l'on présentait parfois des films français comme *Gouttes d'eau sur pierres brûlantes* avec Bernard Giraudeau que Francine apprécia beaucoup plus que son mari. Et il se rendait souvent seul dans les magasins de musique afin d'écouter des disques classiques qu'il achetait parfois, ou des compilations de succès américains de sa jeunesse, comme entre autres celles de Dinah Shore ou Nat King Cole. Puis, chez le barbier, ainsi qu'à quelques restaurants pas loin avec sa femme. Bref, une vie sédentaire sans aucun imprévu lorsque possible. Il n'avait revu aucun collègue du ministère du Revenu ni reçu aucun coup de fil de quiconque pour s'informer de sa santé. Seul avec Francine et ses enfants de temps en temps, Jules Drouais était aux anges. Il adorait la solitude, ne se plaignait jamais de ne pas avoir de visite, quoiqu'il aimait recevoir de temps à autre Nicole à sa table, avec toutes ses aventures farfelues, mais moins Mariette avec sa bouche cousue.

Une vie sans histoire, quoi ! Dont Francine ne se lamentait pas, elle avait son bénévolat au comptoir de cadeaux de l'hôpital, des compagnes d'occasion, des sorties avec ses sœurs, des visites à son fils et sa femme quand Jules ne suivait pas, prétextant un problème de santé. Le début de la soixantaine allait être pour eux le bel âge. Toutefois, par un matin de septembre, Francine reçut un coup de fil de sa fille Sophie, la plus jeune, le mal de tête de son père, qui annonçait à sa mère qu'elle allait se remarier en novembre avec un divorcé tout comme elle, père de deux filles, et qu'elle les invitait à leurs noces.

Apprenant la nouvelle, Jules bondit de son fauteuil pour s'écrier :

— Quoi ! Se remarier ? Elle n'a pas eu assez d'un vaurien dans ses parages, celle-là ? Après son Ricky qu'elle n'a pas revu et qui a refait sa vie avec une autre. Qui est l'heureux élu, cette fois ?

— Je ne sais pas trop, elle m'en dira davantage quand elle rappellera, elle devait partir. Mais il est divorcé et il a deux enfants, deux filles. Elle compte l'épouser en novembre. Remarque qu'elle est encore jeune pour s'enfermer dans un célibat involontaire.

— C'était à elle de penser avec sa tête la première fois, de ne pas marier ce salaud, ce bandit, ce sans-cœur...

— Bon, bon, ne t'emporte pas, il n'est plus dans le décor, celui-là. Elle appelait pour nous inviter à ses noces. La date n'est pas encore déterminée.

— Et elle s'imagine qu'on va aller faire rire de nous autres en la voyant commettre une bêtise de plus avec son... son qui déjà ?

— Je ne sais rien de lui encore, sauf qu'il est latino, un Argentin, je crois. Je n'ai pas trop saisi...

— C'est ça ! Un Latino alors que ta sœur s'embarque avec un autre Asiatique ! Elles iraient bien ensemble ces deux-là ! Deux têtes de linotte ! Et elle pense qu'on va se déplacer pour aller applaudir sa deuxième gaffe ? Non, merci !

— Comme d'habitude, je devrai y aller seule…

— Oui, en maudit ! Pis, cette fois, n'essaie pas de me convaincre de t'accompagner ! Elle va me faire mourir, celle-là !

— Pis toi, t'as déjà oublié tout ce que tu m'as fait vivre ?

Chapitre 6

Jules n'avait pas dit son dernier mot. À l'insu de sa femme, il téléphona à sa fille Sophie pour lui proposer une rencontre avec lui le plus tôt possible.

— Je m'y attendais, papa. J'étais certaine que tu allais être contrarié par la nouvelle de mon mariage. Mais sache que je suis en âge de décider de mon avenir sans passer par mon père.

— Écoute, Sophie, juste un rendez-vous en tête-à-tête, ce qui ne changera rien à tes plans s'ils demeurent les mêmes, mais un café quelque part, est-ce trop te demander ?

— J'ai presque envie de te répondre oui, tu ne t'intéresses pas à moi, tu ne m'appelles jamais, il n'y a que maman qui le fait. Toi, à part Renée, les autres existent à peine, même Marc a maintes fois observé ton indifférence. Surtout à l'endroit de Johanne. Il ne s'en plaint pas par respect pour toi, mais moi je suis du genre à dire tout haut ce que les autres pensent tout bas. Comme toi, papa !

— Voilà qui est bien parti ! Alors, on se rencontre ?

— Puis-je emmener mon futur mari avec moi pour te le présenter ?

— Non, c'est toi seule que je veux rencontrer, mais ensuite s'il veut venir te chercher pendant que je serai encore là, qu'il le fasse, je lui verrai au moins la face.

— Non, le visage, papa ! Juan est un type respectable. Ne le juge pas comme tu l'as fait pour Ricky la première fois. Pour ce qui est de notre rendez-vous, que dirais-tu du restaurant à ciel ouvert du Centre Laval ? Ils ont de petites tables à côté du comptoir et, vers deux heures trente, il n'y a plus personne ou presque, nous pourrons jaser plus à l'aise.

— Bon, c'est bien. Ça te convient demain ?

— Oui, je suis en congé et, d'ailleurs, je change d'emploi dans deux semaines, on va m'engager au bureau de poste de Saint-Laurent. Un bon emploi syndiqué avec un salaire plus intéressant.

— Tant mieux pour toi, Sophie. Tu es très débrouillarde.

— Surtout fonceuse, je ne tenais pas à être secrétaire trop longtemps. Et j'aime le contact avec le public.

— Comme ta mère ! Tandis que moi, à moins que ce soit au téléphone…

— Bon, à demain, papa, mais n'arrive pas avec l'intention de me faire changer d'idée. Je l'aime, cet homme.

— Loin de moi cette idée, voyons ! À demain, ma chouette.

— Tiens ! C'est la première fois depuis que je suis adulte que tu m'appelles ainsi ! Ça me surprend ! Ça me ramène au temps de mon enfance quand j'avais autant d'importance que Renée pour toi.

Le lendemain, prétextant quelques achats chez Canadian Tire, Jules se rendit, sans sa femme, au restaurant qu'il localisa facilement au centre d'achats. Il n'eut pas à attendre trop longtemps, Sophie arriva en souriant, vêtue au dernier cri, jolie à faire tourner des têtes sur son passage. Jules se leva, l'embrassa et lui offrit la chaise de paille en face de la sienne. Elle commanda un café et un beigne au sucre tandis que lui se contenta d'un thé avec une tranche de gâteau aux pêches.

— Bon, ne perdons pas de temps, Sophie. Si je suis ici, ce n'est pas pour contrer ton projet, mais pour t'ouvrir les yeux sur un faux pas que tu pourrais commettre.

— Ce serait…

— Non, ne m'interromps pas, je risque d'oublier les mots exacts que je compte employer. Ce que je veux dire, c'est que cet homme, selon ta mère, a deux filles dont il a la garde. Pourquoi ? Sa femme les a abandonnées ?

— Non, papa, c'est Juan qui les a reprises. Dans son pays, les pères ont des privilèges, et comme sa femme ne parvenait pas à les faire bien vivre, Juan a donc décidé de les faire venir ici et de les élever à sa manière. Ses filles sont en préadolescence, ce qui n'est pas toujours facile. La plus vieille surtout. Sa mère n'en venait pas à bout !

— Et toi, tu le pourras ? Écoute-moi bien, Sophie, je n'aurais rien contre ton remariage si c'était avec un type d'ici, avec nos principes à nous, un gars libre pour s'unir à toi et à tes deux fils. Mais, penses-y bien, ma fille. Tu auras un meilleur emploi bientôt, un nouveau mari et deux enfants de plus dans ta maison, ce qui veut dire quatre enfants à élever et à torcher pour une dizaine d'années, sinon plus !

Et je ne te dis pas cela pour tes deux fils, tu les as enfantés, ceux-là. Mais ses filles, gâtées par leur père qui tente de compenser pour la mère, ça ne sera pas facile, crois-moi. Actuellement, tu es libre, tu as deux beaux garçons qui ne te causent aucun trouble, et tu irais t'engager avec un homme qui a deux filles difficiles à élever ? Un Argentin de surcroît ? Avec d'autres mœurs que les nôtres ? As-tu pensé à l'avenir qui t'attend avec lui et ses filles ? Il a quel âge, cet homme ?

— Quarante-six ans, papa.

— Ah ! mon Dieu ! Il va te dominer, ce ne sera pas long ! Ils en ont la réputation… Sais-tu au moins pourquoi il a quitté sa femme ?

— Non, c'est elle qui l'a mis à la porte, ce qui lui a permis de se rendre ici et de devenir citoyen canadien, il y a dix ans. Sa femme a gardé ses filles avec elle et ce n'est…

— Pourquoi l'a-t-elle mis à la porte ?

— Heu… je n'en sais rien, je ne l'ai pas questionné sur ce sujet.

— Tu vois ? C'est pourtant très important, Sophie. Tu t'apprêtes à épouser un homme dont tu ne connais pas grandchose. Tu le fréquentes depuis combien de temps, ce Juan ?

— Sept ou huit mois, je ne sais plus…

— Sophie ! Sois raisonnable ! Sois plus intelligente que lui ! C'est insensé ce que tu me dis là ! Tu le connais à peine, tu n'as vu que le bon côté de lui et tu te précipites dans un mariage sans même avoir analysé la situation. Il travaille au moins ?

— Oui, dans une imprimerie. C'est ce qu'il faisait en Argentine avant de venir ici.

— Te rends-tu compte comment tu hypothèques ta vie en t'unissant à lui ? Il a quinze ans de plus que toi ! Dans dix ans, il sera aussi vieux que moi ! Penses-y un peu ! Ne commets pas une gaffe, ne sois pas impulsive comme la première fois. Regarde où t'a mené ton premier mariage !

— Arrête, papa, ne me décourage pas, tout est prévu pour novembre. Attends au moins de le voir, peut-être changeras-tu d'idée ? Il sera ici vers trois heures.

Jules, sentant qu'il était sur la bonne voie, bifurqua quelque peu du sujet pour la faire parler de son prochain emploi, du salaire qu'elle recevrait, de sa modeste maison achetée récemment qu'elle réussissait à payer tout en élevant ses deux fils avec son propre argent. Il finit par lui demander :

— Tu t'arranges bien avec tout ce que tu as à acquitter chaque mois ?

— Oui, si on veut, mais avec les emprunts et les intérêts à verser, sans parler de l'hypothèque, ce n'est pas toujours facile chaque fois.

— Pourquoi tu ne t'adresses pas à moi ? Je pourrais te prêter tout ce dont tu as besoin, sans intérêt et au gré de tes rentrées d'argent pour les remboursements.

Ravie à l'idée de se sortir de ses problèmes avec la banque, Sophie en profita pour lui demander s'il pouvait régler ses dettes ou les transférer à son nom pour le moment… Et attendre qu'elle puisse être en mesure de le rembourser dès son nouvel emploi obtenu ? Bien sûr, c'est exactement ce qu'il venait de lui proposer, et mieux encore.

Il accepta, évidemment, sachant que c'était là un bon atout pour la faire changer d'idée sur ce mariage à l'horizon.

Puis, après leur goûter de milieu d'après-midi, il vit surgir l'Argentin, sans se lever, sans lui donner la main, en le saluant d'un simple signe de la tête. Gros et grand, le regard dur, le sourire absent, le Juan en question commanda un café noir et, toisant Sophie qu'il n'avait même pas embrassée sur la joue, il lui demanda :

— Tu peux t'occuper de mes filles ce soir ? J'ai un rendez-vous.

— Où ça ?

— Bien, c'est personnel, un rendez-vous d'affaires.

— D'accord, mais tu rentres de bonne heure, je travaille tôt demain, j'ai du retard dans les clients à rejoindre pour une rencontre.

Jules, faisant mine d'être poli, lui demanda de quelle région de l'Argentine il venait et Juan de lui répondre :

— Je suis né et j'ai grandi à Tandil, une ville de Buenos Aires. Mon père y vit encore. Ma mère est décédée, mon frère aussi.

— Pourquoi être venu ici si vous avez encore votre père ?

— Parce qu'il y a plus d'avenir ici, plus d'argent à faire, les salaires sont plus gros dans l'imprimerie qu'en Argentine.

— Oui, mais le coût de la vie est plus élevé…

— Non, pas vraiment.

Il avait répondu en fuyant le regard de son futur beau-père. Voyant cela, Jules ne le questionna pas davantage. Son idée était faite, ce géant aux mains aussi larges qu'un lutteur était peut-être un batteur de femmes. Il avait les traits durs, les cheveux noirs très courts, la chemise ouverte comme s'il était encore sur les lieux de son travail. Somme toute, Jules ne l'aima pas !

Lorsqu'ils se quittèrent, sur insistance de Juan qui avait dit à Sophie :

— Il faut nous en aller maintenant, j'ai plein de choses à faire chez moi. Je sors ce soir.

Ce propos força Jules à se lever et à partir non sans avoir demandé à l'oreille de sa fille, en l'embrassant, de le rappeler plus tard si elle en avait la chance. Et Sophie, encore sous le charme du prêt qu'il lui avait fait miroiter, lui murmura à l'insu de Juan :

— Oui, je le ferai quand les garçons seront couchés. Compte sur moi, on doit discuter de mes soucis financiers encore une fois. Embrasse maman pour moi.

Jules les regarda partir. Juan avait pris les devants et Sophie courait presque derrière lui. Aucun égard pour sa fille trop jeune et trop belle pour ce rustre. Respirant par le nez, il avait songé en lui-même : «Quelle brute! Quel saligaud! Et c'est ce gros tas de *merde* qu'elle veut épouser? *Over my dead body!*»

De retour à la maison, Francine lui avait demandé :

— Puis, comment s'est passée ta rencontre?

— Beaucoup mieux que je le pensais. Méfiante au départ, Sophie est devenue ensuite réceptive à mes propos et je t'assure qu'il n'est pas fait ce mariage. On doit se reparler ce soir, elle et moi.

— Était-elle avec lui?

— Non, il est venu la chercher à la fin seulement. Je ne lui ai même pas serré la main.

— De quoi a-t-il l'air, son Argentin?

— Un air bête! Une face de cochon, Francine! Un gros *beef* de quarante-six ans avec des mains de lutteur! Pas de sourire, aucun respect pour elle, je l'ai haï dès que je l'ai vu et notre fille s'en est aperçue.

— Alors, pourquoi en discuter une fois de plus ce soir ?

— Je t'en ferai part, mais pour l'instant, ne te mêle de rien, ça viendrait brouiller les cartes. Laisse tout ça entre Sophie et moi, n'interviens même pas avec une question maladroite. Et t'en fais pas, je te reviendrai assez vite avec ma solution. Ça me surprendrait que tu ailles aux noces en novembre…

Francine n'ajouta rien, et Jules, après son boniment, ne lui parla pas de l'arrangement financier qu'il avait préfiguré avec Sophie. Non pas qu'il avait tenté de l'acheter avec cette offre, mais c'était un solide argument pour atteindre son but face à son remariage. Il soupa légèrement, anxieux d'entendre le téléphone sonner et, vers neuf heures, Sophie l'appela enfin de la maison.

— Bon, te voilà ! Les enfants sont couchés ?

— Oui et sagement, ce soir. Vincent a un examen demain matin et Maxime, une pratique avec l'équipe de tennis de son école.

— Bon, et puis qu'est-ce que tu as retenu de notre conversation ? J'ai raison ou pas en ce qui regarde cet homme-là ?

— Peut-être, papa. Sur beaucoup de points en tout cas, mais j'aimerais pousser mon enquête un peu plus sur ses antécédents. Je ne veux pas me marier à l'aveuglette, je vais me renseigner et te revenir d'ici deux jours.

— Non, Sophie, laisse-moi le faire, j'ai les moyens plus que toi pour une enquête en Argentine et du coin précis d'où il vient. Je te promets d'être honnête, mais laisse-moi découvrir vraiment qui il est. Donne-moi ses coordonnées et fais-moi confiance. Je te reviendrai dès que je serai informé. Et pour ce que je t'ai proposé côté argent, réglons juste cette affaire avant et je m'occuperai ensuite d'un rendez-vous à la banque.

— J'espère que ta proposition tiendra toujours si tu ne trouves rien d'accablant sur Juan dans son pays ?

— Bien sûr, voyons…

Quoique Jules comptait bien sur une rupture et une annulation de projet de mariage avant de venir en aide à sa fille avec ses dettes. S'il perdait la partie, si Sophie s'entêtait, ce serait une tout autre histoire.

Muni des renseignements dont il avait besoin concernant ce mufle, il engagea un détective privé qui prit contact avec un collègue de Buenos Aires en Argentine pour investiguer sur le cas de ce Juan. Il exigea sa part naturellement, ce que Jules paya sans se plaindre. La liberté et le bonheur de sa fille n'avaient pas de prix. Il attendit un jour, deux, puis trois, et son enquêteur de Montréal lui revint avec un compte rendu qu'il voulait lui remettre en personne. Ce qui coûterait un peu plus cher qu'au téléphone. Jules se rendit au lieu convenu par le limier pour s'asseoir devant un café, ouvrir sa petite enregistreuse, ce que l'autre lui avait permis, et tendre l'oreille attentivement. Le détective, de concert avec celui d'Argentine, avait vite débrouillé l'affaire. Juan avait un casier judiciaire dans son pays d'origine. Il avait été accusé trois fois de violence conjugale envers sa femme, Nina, qui l'avait enfin traîné en cour avec un bleu au visage. Elle avait été tellement tabassée la troisième fois que le juge condamna Juan non pas à une amende, mais à six mois de prison avec, en plus, l'interdiction d'approcher son épouse par la suite. Il donna la garde des enfants à Nina et c'est elle qui, plus tard, ne venant pas à bout de ses filles, rompit la restriction pour les envoyer au Canada rejoindre leur père. De plus, avant ce procès, il avait été reconnu coupable de harcèlement envers une femme âgée à qui il avait tenté d'extirper de l'argent. Avec son pseudo-charme pour commencer et avec un serrage de bras par la suite. Apeurée, la dame en question avait porté plainte et Juan avait écopé d'une sévère amende à défaut de prison, et d'un premier casier judiciaire. Bref, un bon à rien, un abuseur de femmes, un profiteur qui aimait se faire vivre et mener ses proies à la baguette.

Très heureux de ne pas s'être trompé sur ce monstre d'homme, Jules s'empressa d'en avertir Sophie qui, entendant le résumé final de l'enquête, avait déclaré à son père :

— Dans ce cas-là, oublie ce remariage, papa. Je vais rompre avec lui dès ce soir et annuler les quelques préparatifs que nous avions faits. Mais je ne veux pas le confronter seule, on ne sait pas de quelle façon il va réagir avec ce qu'il a fait à la dame dans son pays, ainsi qu'à sa femme. Je vais tout simplement le sortir de ma vie, mais je tiens à être avec quelqu'un d'autre pour lui faire face. Je vais demander à Marc de m'accompagner.

— Bonne idée, quoique je connais un policier qui pourrait s'en charger.

— Alors, deux ça ne sera pas de trop. Et comme Juan craint la police d'ici, ça va le faire déguerpir encore plus vite.

Ce qui fut planifié fut fait et, le lendemain soir, alors que
Juan devait se rendre chez Sophie pour souper et y coucher,
un drôle de scénario se préparait. Sophie l'avait délivré de
son imperméable d'automne et lui avait demandé de passer
au salon où deux hommes l'attendaient. Elle ne lui présenta
pas son frère, se contentant de lui désigner l'autre individu
en lui disant que c'était un policier. Un colosse tout comme
lui qui fit craindre à Juan un mauvais parti sans savoir pourquoi encore. Puis elle lui débita sur un ton ferme :

— Juan, c'est fini entre nous. Tu sors de ma vie dès ce
soir. Ton casier judiciaire de l'Argentine t'a suivi jusqu'ici.
Les témoignages de la vieille dame que je ne nommerai pas
ainsi que le procès contre ta femme, Nina, pour violence.
J'ai tout en main pour le prouver et ces deux messieurs aussi.
Comme tu n'as rien qui t'appartient chez moi, je te demande
de partir sans faire d'esclandre et de ne plus jamais revenir.
Il n'y aura pas de mariage ni une rencontre de plus.

Puis, les bras croisés, elle s'attendait à ce qu'il réa-
gisse très fort, mais l'ours se transforma en agneau pour lui
répondre :

— On s'aimait, toi et moi, pense à mes filles…

— Voilà ! Tes deux filles se trouveront une autre mère
ailleurs. Tu n'auras qu'à la chercher pour elles. Tu pars et
tu ne reviens plus ici, c'est compris ? Si tu oses le faire, ces
hommes en sont témoins, je te poursuivrai en cour pour harcèlement et j'obtiendrai une sévère interdiction contre toi.

— Pas besoin d'aller si loin, Sophie, murmura-t-il
en tremblant. Je vais partir et tu ne me reverras pas. Des
femmes, il y en a d'autres partout. Tu n'es pas la seule, j'en
avais déjà une autre en tête au cas où tu changerais d'idée…

— Tu vois ? Profiteur jusqu'au bout ! Un beau salaud, Juan ! Un Argentin malhonnête qui fait honte à son pays ! Maintenant, disparais, sors de ma vie, tout est fini.

Marc et le policier n'avaient rien eu à dire, pas un seul mot. Mais le regard agressif de l'agent lui avait fait peur. Juan craignait les durs à cuire, il n'était fort que contre les femmes. Sans rien ajouter, anxieux de se sortir de ce mauvais pas, il avait vite repris son imperméable et franchi la porte pour se rendre à sa voiture. Soulagée, quoique tremblante sous l'effet de la discussion, Sophie se tourna vers Marc et le remercia de tout son cœur de s'être prêté à ce dénouement. Puis, davantage au policier qui avait fait peur à Juan avec un regard plus dur sur lui que Juan avait pu poser sur elle. Et c'est sur cette mise en scène que se termina l'idylle entre Sophie et Juan. Un mauvais pas d'évité grâce à son père et à son flair. Le soir venu, elle appela chez ses parents et c'est sa mère qui répondit :

— Je tiens à parler à papa, mais le mariage n'aura pas lieu, maman. Tout est fini entre Juan et moi.

— Ah oui ? De quelle façon ?

— Passe-moi papa, il te racontera tout par la suite. En faire le récit deux fois prendrait trop de temps.

Jules arracha presque le récepteur des mains de sa femme tellement il était pressé d'entendre le résultat de cette rencontre :

— Alors, Sophie, tu as bien réussi ? Il est parti ?

— Oui, papa, et calmement. Il ne reviendra plus à la charge. Ton ami policier, sans rien dire, le fusillait du regard, ce qui a fait peur à Juan qui semblait le craindre. Peut-être pour un autre mauvais coup qu'il a fait ici, je n'en sais rien, mais ce salaud avait déjà une fille en réserve au cas où je changerais d'idée.

— Tu vois ? Je ne m'étais pas trompé ! Une ordure de la pire espèce ! Ce qui est important, c'est que tu t'en sois sortie avec ta fierté, sans heurts et sans réplique haineuse de sa part. Comment s'est déroulée la rencontre ?

— Si tu le permets, papa, j'aimerais mieux que tu demandes à Marc, qui a tout observé, de te raconter la scène en menus détails. Je suis trop épuisée pour le faire. Rends-toi compte que je perds aussi la face dans tout ça. Mes camarades de travail s'attendaient à venir aux noces, tu saisis ? J'ai à m'expliquer à plusieurs personnes face à cette rupture, mais comme je change de travail bientôt, on n'en parlera pas longtemps, on oubliera…

— Oui, je comprends tout ça et je ne te demanderai rien de plus ce soir. J'espère seulement qu'il ne reviendra pas à la charge, cet homme, une idée de vengeance peut se manifester.

— Non, il aurait trop peur de mettre sa liberté en danger. Il a deux petites filles à sécuriser et une autre femme à trouver. Et puis le policier lui a fait tellement peur… Non, ne crains rien, je crois que nous n'en entendrons plus parler. Merci, papa, de m'avoir évité ce gouffre dans lequel j'allais plonger. Je t'en suis vraiment reconnaissante.

— Père un jour, père toujours, Sophie. Un père, c'est fait pour ça. Protecteur de ses enfants en tout temps. Dis, ta mère demande si tu veux venir souper avec tes fistons demain soir.

— Non, en semaine, c'est plus difficile avec eux. Ils viennent à peine de monter de classe, de changer de professeurs. Par contre, samedi, si cela vous va, je suis certaine que les garçons seraient contents de vous voir tous les deux. Ils se sentent négligés comparativement aux enfants de Marc. Si cela vous convient, demande à maman de faire un dessert aux ananas, Maxime en sera fou de joie. Bon, je te laisse, j'ai besoin de retrouver mon calme maintenant.

Après l'appel de sa fille, Jules s'empressa de téléphoner à Marc qui se fit un devoir et un plaisir de lui raconter en détail la scène dont il avait été témoin. Satisfait du compte rendu, Jules avait raccroché sans remercier son fils d'avoir consacré sa soirée à sa sœur. Comme si le pauvre Marc y avait été obligé ! Ce que Francine lui reprocha une fois de plus, ayant tendu l'oreille aux propos de Jules à leur aîné.

Le samedi soir, Sophie et ses fistons s'amenèrent pour le souper familial tel que convenu. Un pantalon noir d'automne, un chandail beige à col roulé, souliers plats, peu maquillée, la queue de cheval, Sophie était arrivée chez ses parents telle qu'elle était lorsqu'elle vivait encore avec eux. Ses deux enfants, Vincent et Maxime, étaient tout aussi à l'aise dans leurs vêtements. Madame Drouais avait préparé un gratin au four que ses petits-enfants aimaient tant, une salade César comme accompagnement et un bon gâteau aux ananas pour Maxime qui en raffolait, sans oublier les éclairs au chocolat qu'elle avait achetés pour Vincent qui les préférait à son dessert maison. À un certain moment, les garçons devinrent turbulents en se tiraillant sur le divan et Jules les rappela à l'ordre sévèrement :

— Hey ! Vous êtes maintenant assez grands ! On ne se comporte pas comme ça en visite chez ses grands-parents. Prenez le jeu de parchési et allez jouer sur la table à cartes du boudoir. Ça s'peut-tu être tannants comme ça ?

Sophie qui n'avait rien dit, habituée au tapage de ses petits, éleva la voix cette fois pour ajouter :

— Grand-papa a raison ! Vous vous calmez immédiatement tous les deux ou on rentre à la maison !

Ce qui fit taire les deux petits garnements qui, installés au boudoir, tournèrent de bord le carton de parchési pour jouer plutôt aux serpents et aux échelles au verso. Et on ne les entendit plus jusqu'au moment du départ, une heure plus tard.

Sophie avait bien sûr parlé de Juan qu'elle n'avait pas revu depuis leur rupture et raconta à ses parents comment elle s'était sortie d'embarras face à ses collègues devant l'annulation de son prochain mariage. Sans leur avouer ce que Juan était vraiment, elle invoqua plutôt une incompatibilité de caractère due aux façons de vivre de chaque pays, en ajoutant qu'elle n'était pas prête, réflexion faite, à travailler tout en prenant soin de quatre enfants à la maison. On la comprit, on l'approuva et l'une de ses compagnes de travail de lui dire :

— Quand le moment viendra, Sophie, tu rencontreras celui qui sera fait sur mesure pour toi.

— Peut-être, mais je ne le chercherai pas. Pour l'instant, ce qui m'énerve encore plus, c'est mon adaptation à Postes Canada où je serai en devoir dans deux semaines.

Sans ajouter, ça allait de soi, que ses troubles financiers seraient bientôt résolus par son père, ce qu'elle n'avait pas omis de discuter avec lui, à l'insu de sa mère, à la fin du souper chez eux. Jules avait acquiescé de la tête et lui avait chuchoté à l'oreille :

— Je t'appellerai lundi et le lendemain tout sera réglé pour toi.

Ce qui l'avait ravie. Ses ennuis financiers seraient dès lors chose du passé et, pour Jules, ce remariage insensé derrière lui. Ils avaient donc gagné chacun de leur côté. Mais Jules se permit de la rappeler à l'ordre en la prévenant que si elle retombait dans le même piège avec un autre homme, elle devrait s'en sortir toute seule, cette fois. Ce que Sophie, telle une gamine, agréa d'un signe de tête, en regardant par terre.

Le dimanche suivant, Francine et Jules étaient invités à souper chez Nicole, avec Mariette à ramasser en cours de route. La blonde sexagénaire tenait absolument à leur présenter le Coréen qui s'était épris d'elle et qui ne lâchait pas prise malgré un tantinet d'indifférence de la part de la « dévoreuse d'hommes ». Elle l'aimait bien, cet Asiatique, mais pas au sens profond du verbe aimer. Or, le dimanche en question, la voiture de Jules grimpait la côte de l'avenue où habitait Nicole, avec Francine à ses côtés et Mariette sur le siège arrière. Fidèle à elle-même, Nicole avait revêtu un pantalon d'intérieur de soie noire avec un chemisier de soie rouge. Bien coiffée, de longues boucles d'oreilles en or garnies de rubis complétaient son savant maquillage. Au salon, un petit homme grassouillet, à moitié chauve, souriant, tendait la main aux visiteurs en s'inclinant d'abord devant eux. Encore une fois, Mariette fut impressionnée. Monsieur Wang, qui parlait très bien le français, leur racontait son divorce d'il y a trois ans avec une Américaine nommée Sally. Puis, de sa première femme, décédée après avoir mis au monde leur fille unique prénommée Kim qui avait épousé un Québécois, avec lequel elle vivait à Sherbrooke depuis un an. Pour ensuite ajouter en riant : « Me voilà donc seul à m'ennuyer à cinquante ans ! » Francine avait sursauté et, regardant Nicole, cette dernière fit mine de n'avoir rien entendu. « Ah ! la menteuse ! » pensait Francine. « Me dire qu'il était de son âge quand il n'a que cinquante ans et qu'elle en a soixante et un ! » D'autant plus que Nicole lui avait aussi décrit son Coréen comme un bel homme, alors que monsieur Wang, tout en étant charmant, était dodu et presque chauve. Mais le souper fut élégant avec les fruits de mer que Nicole avait préparés, accompagnés d'un riz à la vapeur que Mariette, sans se gêner, arrosa de sauce soya. Monsieur Wang, regardant cette étrange créature qu'était Mariette, lui lança :

— Vous ne parlez pas beaucoup, madame.

— Je n'ai rien à dire, j'écoute, comme d'habitude.

Ce qui eut l'heur de clore la conversation entre eux. De son côté, Jules ne ménagea pas ses questions. Comme Wang parlait peu de sa première femme décédée, il le questionna plutôt sur la deuxième, voulant presque savoir ce qui n'avait pas marché entre eux. Embarrassé par ces questions, monsieur Wang répondit simplement :

— Nos coutumes nous ont séparés. Sally ne s'habituait pas aux miennes et j'avais des réticences face aux siennes.

— Mais Nicole n'a-t-elle pas les mêmes coutumes, elle aussi ?

— C'est différent, Nicole est canadienne tandis que Sally était américaine. Vraiment peu semblables, monsieur Drouais.

Prenez seulement le repas de ce soir, Sally détestait les fruits de mer et le riz, et je n'étais pas friand des frites qu'elle commandait chaque jour. Vous comprenez ? ajouta-t-il en riant.

— Votre fille s'accommode bien avec un Blanc ?

— Bien sûr, Kim est née ici, elle a grandi ici, elle n'avait aucun ami asiatique à l'école. Elle et Jean sont faits l'un pour l'autre. Elle ne veut pas d'enfants par contre. Fragile comme sa mère, elle craint de subir le même sort si elle donne naissance. Lui non plus ne veut pas être père, ils ont quatre petits chiens dont ils s'occupent avec soin et Kim les a tous baptisés ! Moka, Maple, Sammy et Lenny ! Trois garçons, une fille ! ajouta-t-il en riant. Kim et Jean sont très heureux ensemble… Tenez, regardez, j'ai une photo d'eux dans mon portefeuille.

Monsieur Wang leur exhiba la photo du mariage de sa fille avec Jean. Un très beau couple, une mariée ravissante au chignon noir avec un sourire éclatant. Lui, bel homme, épaules carrées, dans un élégant smoking gris.

— Très élégants tous les deux ! s'exclama Francine.

— Merci, madame, et ce qui me plaît particulièrement, c'est qu'ils m'invitent souvent à me joindre à eux. De bons enfants !

Après le digestif et quelques petits biscuits secs importés, Jules manifesta le désir de rentrer, de ne pas attendre qu'il fasse trop noir, et monsieur Wang s'inclina de nouveau pendant que Nicole les embrassait tour à tour. Les invités partis, monsieur Wang, qui passait la nuit chez Nicole, lui dit au moment d'aller au lit : « Du bien bon monde dans ta famille. Jules et Francine sont fort aimables. Mais l'autre, la plus jeune, est-ce qu'elle est malade ? »

Nicole laissa passer quatre jours avant de téléphoner à Francine. Elle n'avait même pas répondu à l'un de ses appels, faisant mine d'être absente. Puis, se décidant enfin, elle affronta sa sœur au bout du fil en lui demandant tout bonnement :

— Ça va, Francine ? Rien de nouveau chez toi ?

— Non, mais où donc étais-tu passée ? J'ai téléphoné, tu n'étais pas là, et tu ne m'as pas rappelée depuis notre souper chez toi.

— J'avais des choses à régler. Je ne suis pas riche et tu le sais. Alors, j'ai trouvé un autre emploi plus payant comme hôtesse dans une salle à manger d'hôtel. C'est moi qui recevrai les clients.

— En auras-tu seulement la force ? Debout à longueur de journée ? Est-ce qu'on ne les prend pas plus jeunes que toi pour l'accueil ?

— Dans les restaurants populaires, oui, mais dans une salle à manger d'hôtel comme celle où je travaillerai, on préfère des femmes plus âgées, distinguées et bien mises. Et j'ai quelque peu joué sur mon âge, la cinquantaine passe mieux.

— Parlant de ça, tu m'avais menti, Nicole, en me disant que monsieur Wang…

— Je t'arrête tout de suite, Francine. C'est terminé entre Wang et moi. Deux jours après notre souper familial, je lui ai demandé de ne plus revenir. Lors de votre venue, ce fut son dernier soir et sa dernière nuit chez moi.

— Pourquoi ? Qu'est-il arrivé ?

— Rien, sauf que je ne l'aimais pas. Je ne ressentais rien pour cet homme.

— Pourtant, il te portait sur la main, lui. Il parlait de toi avec affection…

— Oui, de sa part, c'était sûrement de l'amour, mais pas de la mienne. Une histoire d'amour, ça se vit à deux, Francine. J'avais beau essayer, la chimie ne passait pas. J'ai alors préféré être franche et lui avouer que c'était fini entre nous.

— Ce qui a dû lui faire de la peine…

— Bien sûr, il a pleuré. C'est la première fois que je voyais un Asiatique dans cet état, on les dit endurcis et fermés dans leurs sentiments. Faut croire que j'en avais un sensible. Ça m'a bouleversée, je te l'affirme, mais trop tard, je venais de lui avouer que je ne l'avais jamais aimé. Pas de place pour l'empathie quand la relation est finie. Je lui ai dit qu'il s'en trouverait une autre, de chercher parmi les Coréennes et il s'est emporté en m'affirmant qu'il n'aimait que les Canadiennes, blondes de préférence, et belles comme je le suis. Il m'aimait follement, mais je n'ai pas cédé. Il est donc parti et il n'a pas rappelé depuis. Remarque que c'était un bon gars et qu'il rencontrera bien vite une autre femme à aimer. Bon, rien à ajouter, je ne repartirai pas en quête d'homme pour l'instant. Je vais prendre du recul, analyser ma vie et mes comportements et, ensuite, on verra si j'ai encore envie de chercher l'âme sœur. Si seulement j'étais indépendante de fortune, je me passerais d'un compagnon à jamais, mais ce n'est pas le cas et tu le sais.

— N'empêche que tu en as eu que tu aimais et tu as fini par rompre quand même. Des hommes qui étaient à tes pieds, qui tentaient de décrocher la lune pour toi.

— Oui, je sais, et j'ai quelques regrets face à certains. *Mea culpa!* J'étais plus jeune, moins avertie, trop sûre de moi, ce qui n'est plus le cas. À mon âge, quand on en arrive à mentir pour un emploi, imagine ce que ce sera devant quelqu'un de plus jeune que moi.

— Cherches-en un plus vieux, Nicole ! Tu n'aurais pas à prétendre ! Il y a des sexagénaires, des septuagénaires…

— Les sexagénaires les veulent plus jeunes que moi et les septuagénaires m'arrivent avec leurs vices et leurs varices ! Non, merci !

Au même moment ou presque, Jules se dirigeait avec Sophie pour rencontrer le gérant de banque où elle faisait affaire. Ce dernier les reçut aimablement et, une fois dans le bureau, Jules de dire à ce monsieur :

— Je suis ici pour régler l'emprunt de ma fille avant terme. Je veux sortir d'ici avec elle la sachant délivrée de ses dettes, dont un gros montant qui la tenaille.

— Comme il vous plaira, monsieur Drouais, laissez-moi d'abord sortir son dossier. Votre compte est sous quel nom, madame ?

— Sophie Drouais.

Le gérant, ayant d'autres cas plus importants à régler, demanda à Jules s'il pouvait les transférer à un conseiller pour la transaction, ce que ce dernier accepta, voulant en finir assez vite avec ce changement. Ils passèrent donc dans un bureau adjacent où un plus jeune homme, mis au courant de leur réquisition, les accueillit avec tous les papiers et un sourire aimable. Il avait vite remarqué que la jeune femme, vêtue d'un deux-pièces vert, était très belle et distinguée. En quelques minutes, Jules transféra la dette avec intérêts sur son compte et régla le tout d'une simple signature. Sophie, débarrassée de ce fléau avait soupiré d'aise, son profil financier ne comptait maintenant que le montant de son dernier petit dépôt, aucune dette dans la marge de crédit, aucun relevé ennuyant à recevoir chaque mois avec découragement.

— Merci, papa, je vais te remettre tout cela à tes conditions. As-tu préparé des papiers pour que je les signe ?

— Pas encore, on fera cela plus tard, rien ne presse. Tu sais, j'aurais pu parler à ta mère de ce que je fais pour toi, mais je ne voulais pas qu'elle s'en mêle. Je l'aviserai ce soir, maintenant que tout est terminé.

— Oui, je préfère qu'elle soit au courant. Vous ne faites qu'un, elle et toi. Elle déteste les manigances dans son dos.

— T'en fais pas, je la connais et je me charge de tout lui dévoiler sans qu'elle me regarde de travers, cette fois. Bon, on va dîner maintenant ? On fête ça où, ma chouette ?

— Bien, où tu voudras. Un restaurant dans le nord de Montréal, de préférence. Il y en a plusieurs près du métro Henri-Bourassa.

— Tu sembles heureuse. C'était cette dette qui t'empoisonnait la vie ?

— Et comment donc ! En plus d'être délivrée de cet homme ! Tout ça grâce à toi, papa. Ce que je n'oublierai pas…

— Trêve de remerciements de la sorte, Sophie. Viens juste nous visiter plus souvent avec les enfants, nous en serons contents, ta mère et moi. Il est temps de renouer plus solidement, tu ne penses pas ?

— Oui, depuis longtemps, papa.

Le soir, après ses affaires de la journée, Jules rentra à la maison et confia à Francine le geste qu'il avait fait envers sa fille, qui en arrachait avec son argent depuis un certain temps. Sans ajouter toutefois que c'était presque une forme de chantage pour qu'elle sorte ce vaurien de Juan de sa vie. Heureuse de ce nouveau départ financier pour Sophie, un peu choquée d'avoir été mise au rancart de la transaction, elle avait ajouté :

— Pas chanceuse, celle-là ! Le bon Dieu ne la favorise pas autant que les autres, mais quand on peut faire notre part… Je suis contente que tu l'aies prise en main. Dire qu'elle aurait pu tomber entre celles de ce profiteur qui lui aurait brisé le cœur.

— Pas seulement le cœur, les bras aussi, Francine ! Sa première femme en a subi les contrecoups lors de son union avec lui. Mais c'est fini tout ça pour Sophie, avant de commencer. Elle a bien failli embarquer dans le bateau… Ah ! ce salaud ! Comme le premier mari, remarque !

— Sophie est trop frivole, elle se laisse manipuler sans s'en rendre compte. Mais là, avec une certaine maturité… Une chose cependant, Jules, il faudra, sans qu'elle s'en aperçoive, que tu surveilles un peu plus ses arrières si tu as la chance de jeter un coup d'œil dans son relevé bancaire…

— Bien, pourquoi ?
— Parce qu'elle est extrêmement dépensière !

Chapitre 7

Les années passent avec ses hauts et ses bas, et Jules, en février 2005, s'apprête à célébrer ses soixante-cinq ans dans la quiétude alors que Francine veut lui organiser un souper d'anniversaire chez l'un de leurs enfants.

— Non, pas ça, pas cette fois ! C'est ridicule d'être fêté à mon âge. J'ai accepté il y a cinq ans, mais plus maintenant. D'ailleurs, vous voulez souligner quoi ? Ma pension de vieillesse ? Non, Francine, pas chez Marc ni chez Sophie qui n'a même pas trouvé un mari sérieux avec qui je pourrais m'entretenir. Comme tu auras aussi ton anniversaire douze jours après le mien, allons fêter les deux occasions dans un restaurant en tête-à-tête. Que nous deux à parler de tout et de rien, de nos souvenirs, et planifier les jours à venir. C'est ça ou rien que je te propose, Francine, sinon je reste chez moi avec un bon livre et de la musique en sourdine.

— Dans ce cas-là, je préfère le restaurant à deux. Ce n'est pas à ton âge qu'on va t'imposer quoi que ce soit. Je vais avertir Marc de ne pas s'attendre à ce que nous allions chez lui comme il l'avait espéré.

— C'était encore chez Marc ? Raison de plus pour décommander. Elle et moi, tu sais…

— Oui, je sais, ne va pas plus loin dans tes suppositions. Je vais juste leur demander d'envoyer une carte de souhaits ou de te téléphoner.

— Même ça, je pourrais m'en passer !

Et lorsque le jour de son anniversaire arriva, c'est au restaurant *Le Bordelais* du boulevard Gouin que Francine et Jules allèrent célébrer le jour de fête de ce dernier. Sans en aviser le personnel pour ne pas qu'ils s'amènent à la fin du repas avec une pointe de gâteau surmontée d'une chandelle. Tout se déroula discrètement entre Francine et lui. Il avait opté pour le poisson du jour ; elle, pour le saumon poché avec sauce béarnaise. À cela s'était ajouté un demi-litre de vin blanc d'Australie, celui que Jules aimait le moins. Ce qui lui permit d'en laisser dans son verre, alors que si c'eût été un rouge de la France, une petite rechute aurait été possible. Ils parlèrent de leurs belles années, de leurs moins belles, de leurs différends qu'ils réglaient au fur et à mesure qu'ils survenaient, de leurs enfants, de Renée surtout, la préférée du paternel et, à un certain moment, Jules avait dit à sa femme :

— Tu sais, tu aurais pu inviter Mariette à se joindre à nous. Toujours seule à la maison à nourrir les moineaux qui se font voler leurs croûtes de pain par les écureuils. Peut-être que ça lui aurait fait plaisir.

— Une autre fois, Jules, les enfants n'auraient pas apprécié que ma sœur soit de ta fête et non eux autres.

— Toujours selon les enfants ! Le jour va-t-il venir où nous pourrons faire ce qui nous plaît sans avoir peur de les vexer ? C'est toi, Francine, qui a institué le culte de la maison pleine, de la table remplie des enfants et de leurs petits. On peut-tu avoir une vie à deux rien qu'à nous ? Sans avoir à leur rendre des comptes et pouvoir aller manger au restaurant en invitant qui l'on veut ? Bon, changeons de sujet, je risque de m'emporter et ce n'est pas l'endroit. Buvons plutôt à mon régime des rentes, à mon chèque de la sécurité de la vieillesse et à cette dernière année pour toi avant de bénéficier des mêmes avantages que moi.

Le soir, leur boîte vocale était remplie de chauds souhaits de Marc et de sa femme, Johanne, de ceux de Sophie, ainsi que ceux de Renée, du Manitoba, qui ne l'avait pas oublié. Ce dernier message lui avait plu davantage, d'autant plus que Renée avait ajouté après ses vœux d'usage : « Venez nous visiter cet été pendant que vous êtes en santé. Ce n'est pas si loin en voiture, papa ! Je m'ennuie de vous deux, William aussi ! » Elle n'avait pas mentionné le nom de son mari de peur que son père change d'idée juste en revoyant, en pensée, la face de carême de celui qui lui avait volé sa fille préférée. Le lendemain, alors que tout redevenait normal, Jules déblaya l'entrée de son garage ainsi que son balcon et le toit de son abri d'auto. Essoufflé, il était rentré en disant à Francine :

— Maudit hiver ! Il n'en finit pas cette année !

— Voyons, Jules, il ne fait que commencer ! C'est toi qui as de moins en moins de force pour ces tâches. On dirait que, peu à peu, l'énergie te lâche ! Tu en perds, mon vieux ! C'est l'âge…

— Ben, fais-le donc le déblayage si tu es encore jeune, toi ! On prétend que les femmes sont plus solides, plus résistantes ? Alors, vas-y ! La pelle est sur la galerie !

Quand vint le tour de l'anniversaire de Francine, le 25 février, Jules lui avait offert une jolie médaille en or avec, gravée en relief, l'image de sainte Anne. Elle en était folle de joie ! Sainte Anne était sa préférée lorsqu'elle avait des faveurs à demander. La mère de la Sainte Vierge avait certes l'oreille plus attentive aux mamans. Francine avait bien sûr un signet à l'effigie de sainte Anne dans son missel ainsi qu'une statuette de plâtre de la vénérée sainte, mais c'était la première fois qu'elle la recevait sous forme de bijou qu'elle porterait sans cesse à son cou. Fervente et très dévote, elle avait dit à Jules en l'attachant derrière sa nuque : « Je vais la faire bénir dimanche. Merci infiniment, c'est un cadeau qui va me porter chance. »

Le soir, invitée à souper chez Marc pour l'occasion, elle s'y rendit avec ses sœurs Nicole et Mariette. Jules s'en abstint, prétextant un mal de dos avec tous les efforts de déblayage des jours précédents. Ce qui fut accepté, cette fois, même si le brave sexagénaire ne ressentait aucun malaise lombaire. Francine se doutait bien de quelque chose, mais elle passa l'éponge après le magnifique cadeau qu'il lui avait offert et qu'elle montrait avec fierté à ses sœurs et à la famille de son cher Marc. Nicole avait profité de l'occasion pour lui remettre un ensemble de salière et poivrière en cristal, ayant remarqué que le sien était démodé, et Mariette avait eu la bonne idée de choyer sa dent sucrée avec une boîte de chocolats à la noix de coco ainsi qu'un foulard de soie vert olive pour agrémenter son manteau noir. Marc et Johanne, en plus du souper et du gâteau, lui offrirent un très joli châle à porter à l'intérieur lorsque c'était plus frisquet dans la maison. Ravie, Francine les embrassa tour à tour, de même que ses petits-enfants qui devenaient de plus en plus grands, et rentra chez elle les bras chargés, mais avec encore un doigt de libre pour vérifier si sa précieuse médaille était toujours nouée à son cou.

Mais les années qui avaient précédé ce moment présent ne s'étaient pas éteintes sans laisser, dans les cœurs des Drouais, des joies et des chagrins de toutes sortes. Quoique Francine s'attardait surtout aux artistes ou personnalités qui décédaient, ce qui l'affligeait chaque fois. En janvier 2001, George W. Bush devenait président des États-Unis, ce qui avait plu à Jules qui l'aimait bien. Un court moment d'enthousiasme pour le chef politique cependant, car en septembre, le 11 plus précisément, deux avions de ligne piratés par des terroristes percutaient les deux tours géantes du World Trade Center de New York. Un drame épouvantable qui coûta la vie à presque trois mille personnes. Jules suivait l'affaire de près, mais Francine était incapable de regarder la télévision, s'imaginant de pauvres pères et mères de famille plonger des très hauts étages pour tenter d'échapper aux flammes. Toutes ces innocentes victimes ! Ce qui avait secoué le monde entier et effrayé sérieusement les citoyens des États-Unis et du Canada qui redoutaient une récidive. Heureusement, le temps, ce grand maître, apaisa peu à peu les tourments des gens quoique personne n'allait oublier par la suite, l'un des gestes les plus meurtriers de l'histoire, après ceux de la Seconde Guerre mondiale en Allemagne. Pour s'éloigner graduellement de ce triste événement qui la hantait, Francine s'évadait dans ses revues artistiques qu'elle achetait régulièrement et apprit, avec un plus abordable chagrin, la mort de Gilbert Bécaud, le chanteur dont elle avait plusieurs disques. Ainsi que, plus tôt dans la même année, le décès de Jean-Pierre Aumont, l'acteur français qui avait été marié à la belle Maria Montez, de regrettée mémoire. L'année suivante, on apprenait le décès de la princesse Margaret, sœur de la reine Élisabeth II, qui venait de mourir d'un arrêt cardiaque à soixante et onze ans. Ce qui avait fait dire à Jules : « Pas une grosse perte, celle-là ! C'était la brebis noire de la famille royale ! » Mais il utilisa un tout autre ton lorsque, quelques semaines plus tard, c'était au tour de la reine mère de décéder à l'âge de cent un ans. « Elle, je l'aimais bien. Elle était si jolie ! Un sourire plaisant ! Faut croire que la mort de sa fille Margaret l'avait secouée. Il ne reste plus que la reine Élisabeth II de la famille de George VI. Somme toute, la plus digne, la seule par qui le scandale n'est jamais arrivé. »

Entre ces faits et les années suivantes, quelques sorties ici et là, une autre visite de Renée avec son fils en 2003, du jardinage pour Jules, un dépaysant voyage au Portugal pour Francine et Nicole dont elle avait couvert les frais. Et, finalement, en 2004, un beau mariage, celui de Luc, le fils aîné de Marc, qui, sans avoir encore vingt ans, épousait Louise, son tendre amour depuis le secondaire. Étudiants tous les deux, ils allaient habiter le sous-sol des parents de la jeune épouse jusqu'à ce qu'ils aient les moyens de s'établir ailleurs. Curieusement, le grand-père n'était pas proche de ce petit-fils. Luc ne le visitait pas et vice versa. Lorsque Jules allait chez son fils Marc, il discutait davantage avec sa petite-fille Karine qui l'obstinait sans cesse, ce qui, dans le fond, plaisait au grand-père, sachant qu'il allait avoir le dernier mot. Luc était à table avec tout le monde, parlait un peu, mais rarement à son grand-père qui l'intimidait. Il n'avait jamais été à l'aise avec lui, il craignait ses réparties, et Jules le perdit encore plus de vue lorsqu'il alla s'installer chez ses beaux-parents après leur union. Ce qui peinait Francine, mais qui laissait son mari indifférent. Sans doute du fait qu'il n'avait jamais souhaité ce premier enfant lorsque sa bru lui avait annoncé sa grossesse. Comme si le rejet de ce petit-fils s'était maintenu au cours de toutes ces années à cause d'elle. Peut-être… Qui sait ? Ce qui n'empêcha pas Jules de ramasser ses feuilles, l'automne venu, et de sortir ses pelles quand le calendrier tournait de page sur décembre.

Après leurs deux anniversaires, soulignés chacun à sa façon, Jules attendit patiemment que l'hiver se change en printemps et que ses lilas répandent enfin leur arôme dans la cour, même si Francine, allergique à ces arbustes qu'elle aimait tant, éternuait souvent. En avril, parcourant ses revues, Francine fut attristée d'apprendre la mort de l'actrice française Blanchette Brunoy. Sans tourner de page, levant les yeux sur son mari, elle lui demanda :

— Ça te dit quelque chose, Blanchette Brunoy ?

— Le nom, oui, mais pas plus. Une autre de tes vedettes décédée, je suppose ?

— Oui, elle avait quatre-vingt-neuf ans. Une bonne actrice. J'étais allée la voir avec maman dans *Le secret d'une mère,* à la salle paroissiale. J'avais à peine douze ans… L'un de ses plus beaux films !

— Avec un titre comme ça, un film à mouchoir, je présume ? C'est tout ce que tu allais voir avec ta mère.

— Bon, passons, rien ne t'émeut, toi ! As-tu pensé à un petit déplacement pour cet été ?

— Oui, j'aimerais bien qu'on aille à Toronto en train tous les deux.

— À Toronto ? Pourquoi faire, là ? Il n'y a rien de spécial à voir…

— Peut-être, mais le voyage en train sera une bonne détente. On ira en première classe. J'ai déjà fait ce trajet avec un collègue au temps de mon emploi et je t'assure qu'on y est bien traité. Le repas, la politesse des serveurs, le petit verre de vin…

— Bon, je vois ! Si c'est ce qui te ferait plaisir, je ne dis pas non, mais une fin de semaine seulement. Moi, Toronto, ce n'est pas ma tasse de thé, Jules. Si encore tu avais parlé de Vancouver…

— Non, c'est trop loin et il y a trop de monde qui va là en été. On va à Toronto ou nulle part ailleurs.

— Bon, ça va, on ira à Toronto. Je vérifierai les films qu'on pourra voir le soir dans un cinéma non loin de l'hôtel pour ne pas mourir d'ennui dans notre chambre.

Et ce que Jules Drouais voulait, Dieu le voulait, puisqu'à la mi-juillet, ils partaient tous deux pour le week-end planifié dans la Ville Reine. Le voyage en train fut agréable, le service enviable, et le panorama tout au long impeccable. Ils arrivèrent en fin d'après-midi et, une fois à l'hôtel, Francine, qui avait remarqué une église non loin, avait demandé au comptoir :

— Est-ce une église catholique ?

— Oui, madame, et il y a deux messes le dimanche. On peut vous assurer d'un réveil si vous le désirez.

— Non, j'ai mon *alarm clock,* répondit-elle pour leur démontrer qu'elle aussi parlait anglais, en le baragouinant cependant.

Voilà qu'elle aurait au moins une messe à assister, une communion à recevoir, ce qui était plus important que tout pour elle. Le soir, après avoir fureté dans le *Toronto Star* qu'on avait glissé le matin sous leur porte, elle regarda les pages cinéma et découvrit un film ou deux qui semblaient l'intéresser malgré son anglais limité. Non loin de leur hôtel, selon la réceptionniste, un cinéma présentait depuis deux semaines le film *Mr. & Mrs. Smith* avec Brad Pitt et Angelina Jolie. Francine hésitait, ce genre de film n'était pas dans ses cordes, mais Jules insista pour s'y rendre, sans lui dire toutefois que c'était pour voir Angelina Jolie qu'il trouvait superbe. Ils s'y rendirent, ce qui meubla une partie de la soirée, et allèrent ensuite manger dans un restaurant du quartier où était leur hôtel. À table, ils discutèrent du film et des acteurs, et Jules demanda à sa femme :

— Tu le trouves bien, Brad Pitt, toi ?

— Sympathique comme acteur, mais comme homme, pas du tout mon style. Ce qui n'est certes pas ton cas avec Angelina Jolie.

— Voyons, je parle du film…

Francine sourit, avala une bouchée, lui sourit encore et Jules comprit qu'elle avait compté un but. Ce qu'il avait aimé le plus du film, c'était la sensualité d'Angelina Jolie. Il ne répliqua rien, il savait qu'elle avait tout saisi, il avait naguère tant aimé les femmes sexées. Puis, pour l'éloigner du sujet et de l'objet de ses désirs, il lui demanda très sérieusement :

— C'est à neuf heures, la messe, dimanche matin ? Si on assiste à celle-là, faudra se lever tôt.

Le samedi, ils visitèrent quelques endroits en autocar, dont la tour du CN, le Musée des beaux-arts, le Chinatown et l'Aquarium Ripley. Le lendemain matin, après avoir assisté à la messe et communié, Francine demanda à un jeune prêtre qui se tenait près de la sortie s'il voulait bien bénir la médaille qu'elle avait au cou. L'aumônier s'y prêta de bonne grâce et, en sortant, elle avait dit à Jules : « Ma bonne sainte Anne est maintenant bénie dans les deux langues ».

Au retour, elle téléphona en catimini à Nicole pour lui dire :

— Finalement, ce fut assez sympathique, ce court voyage avec Jules. Plus agréable que notre séjour à Rome. Pas d'avion, pas loin, la détente en train, un film le soir, de bons repas, des visites en autocar et une messe catholique le dimanche. Bref, je me rends compte que plus c'est près de la maison, plus ça lui convient. Les voyages au loin, ce sera pour nous, Nicole. Je viens de comprendre ce qui pouvait être agréable pour lui. Mais n'oublie pas, ce n'est pas parce qu'on a vu le Portugal qu'on n'ira pas en Autriche cet automne.

— Wow ! Un voyage onéreux, celui-là. Moi, avec mes moyens…

— T'en fais pas, je te prêterai l'argent.

— Je veux bien croire, Francine, mais faudra que je te le rende un jour, cet argent-là ! Tu m'enfonces dans les dettes de plus en plus !

En début du mois d'août, alors que Jules et Francine étaient à l'oratoire Saint-Joseph pour assister à la messe et faire brûler de gros lampions au frère André à l'intention de leurs enfants et leurs petits-enfants, Francine revint à son banc et ressentit soudainement un malaise. Jules, l'ayant précédée et la regardant revenir de l'autel, remarqua qu'elle était pâle et titubante. Elle s'était même agrippée au pommeau d'un banc avant de revenir à sa place. Jules, la voyant s'asseoir et non se mettre à genoux, s'approcha d'elle pour lui demander :

— Qu'est-ce que tu as ? Ça ne va pas ? Une faiblesse ?

— Non, ça va se replacer, un étourdissement. J'ai monté trop de marches et un peu trop vite, je crois.

Jules attendit, mais l'observait souvent et remarqua que son malaise ne semblait pas disparaître puisque sa femme restait clouée au banc et ne s'agenouillait plus lors de prières générales qui l'exigeaient. À la fin de la courte cérémonie, elle attendit que tout le monde ou presque quitte la basilique pour prendre le bras de Jules avant de sortir à leur tour. Elle lui avait dit :

— Rendue à la maison, je vais m'étendre un peu. Je ne sais vraiment pas ce que j'ai. Mon repas d'hier soir, peut-être ?

— Voyons, c'était un pâté chinois comme tu les fais si bien. C'est ce que tu digères le plus facilement, et moi aussi. Comme dessert, une salade de fruits maison… Non, c'est autre chose, Francine. Il va falloir aller consulter. Je te sens encore étourdie, tu vacilles, je te suis des yeux…

— Ça va passer quand je me serai étendue à la maison, répondit-elle, toutefois inquiète.

— Ils arrivèrent au boulevard des Prairies et, aussitôt rentrés, Francine s'allongea sur le divan du salon. Jules qui la suivait de près lui conseilla son lit, mais elle préféra les bourrelets du sofa, expliquant qu'ils étaient plus mous que son matelas et que c'était ce qu'elle recherchait en ce moment. Elle finit par fermer les yeux sur un coussin décoratif et, au bout de trois quarts d'heure, les rouvrit à nouveau pour demander à Jules de la soulever pour qu'elle appuie sa tête sur le haut du sofa. Puis, un peu plus sûre d'elle, elle se leva, glissa ses pieds dans ses souliers à petits talons fins, et parcourut le salon sans la moindre trace d'étourdissements ressentis plus tôt.

— Ça s'est dissipé… Je pense que j'en ai trop fait hier. Le lavage, le repassage, l'époussetage…

— Oui, tu en fais trop et tu te fatigues plus vite qu'avant. Je t'ai toujours recommandé une femme de ménage, mais tu t'entêtes à tout faire seule.

— Tu as raison, mais là, avec ce qui m'arrive, je vais en engager une, la même qui va chez Mariette pour ses gros travaux comme les planchers et la lessive. Je vais l'appeler tout à l'heure pour avoir les coordonnées de la dame en question.

Puis, se sentant encore lasse de ce périple à l'oratoire, Francine suggéra qu'on fasse venir quelque chose pour le souper. Ils commandèrent des mets chinois parmi lesquels elle ne se servit qu'une portion de riz frit et quelques morceaux de *Pineapple Chicken* qu'elle aimait beaucoup. Jules se régala de tous les plats et remit les restes au réfrigérateur pour les reprendre le lendemain. Durant la soirée, mieux portante, Francine trouva la force d'appeler Nicole pour lui parler de son étrange malaise et ajouter :

— Je pense que je vais annuler le voyage en Autriche, Nicole, j'ai peur de ne pas en avoir l'énergie…

— Fais-le ! Ne joue pas avec ta santé ! On aura d'autres moments pour voir du pays. Pour l'instant, va consulter ton médecin au plus sacrant ! Ça peut être bénin, ton petit étourdissement, comme ça peut être plus sérieux. Tu veux que je t'accompagne ?

— Non, non, Jules va venir avec moi, il n'a rien à faire de spécial ici. Il se tourne les pouces bien souvent.

— Alors, vas-y et tiens-moi au courant de ta visite médicale. Pour ce qui est de l'Autriche, n'y pense même plus, ça m'arrange, moi. Une dette de moins envers toi !

Francine, qui avait le même médecin depuis plusieurs années, obtint un rendez-vous assez promptement. Accompagnée de Jules, elle s'y rendit et, après avoir raconté sa mésaventure, le docteur, perplexe, lui dit :

— Il se pourrait que ce soit causé par une fin tardive de ménopause, madame Drouais…

— Ça me surprendrait, ça fait au moins cinq ans que tout est fini de ce côté. Et je n'ai souffert de rien avant, s'y rapportant.

— Alors, il va falloir investiguer davantage. Je vais vous recommander un bon repos, mais je vais aussi vous faire passer des examens pour le foie, l'estomac, les reins et le cœur, en plus d'un bilan sanguin, d'une analyse d'urine… Êtes-vous prête à subir tout cela ?

— Oui, mais pas le même jour, j'espère !

— Non, ne vous inquiétez pas, on va vous donner des rendez-vous distancés les uns des autres, mais on va tenter de tout faire en une semaine, je veux en avoir le cœur net. Vous êtes une femme si forte, vous avez été rarement malade. Je vous ai toujours reçue pour une petite grippe par-ci par-là, ou quelques courbatures. C'est la première fois que vous m'arrivez avec quelque chose de plus sérieux.

Jules, qui n'avait encore rien dit, rétorqua au médecin :

— Elle se démène trop, docteur ! Elle est toujours sur une patte ! Elle sort souvent, elle visite ses enfants, elle magasine, puis elle revient travailler dans la maison jusqu'au soir. Pas moyen de l'asseoir, elle trouve sans cesse quelque chose à faire. Elle ne reste pas une minute en place ! Un vrai courant d'air ! Je pense que c'est plutôt ses nerfs !

— On verra bien, monsieur Drouais, on a des remèdes pour tout de nos jours.

— Vous pensez pas qu'avec l'âge…

— Il arrive qu'on soit moins robuste, mais pas malade pour autant. Votre femme et vous êtes encore jeunes pour parler de maux dus à l'âge avancé. On s'attarde sur cette possibilité avec les octogénaires, pas les p'tits jeunes sexagénaires !

Le médecin éclata de rire de sa petite farce et indiqua à Francine qu'on allait l'appeler pour les examens requis, de ne pas trop s'éloigner de la maison à moins que son mari puisse prendre les appels.

De retour dans la voiture, délivrée du cabinet médical et mécontente du portrait d'elle qu'avait fait Jules devant le docteur, elle le sermonna :

— Tu parles d'un bon, toi ! Aller lui dire que je reste pas une minute en place ! Assez pour qu'il me prenne pour une girouette ! Et ajouter que c'est mes nerfs ! De quoi tu t'mêles, Jules Drouais, quand je consulte mon docteur ?

— Je n'ai pas dit un seul mot pendant l'examen, Francine, juste à la fin, au moment de partir.

— Ben, c'est là que t'aurais dû te retenir ! Faut toujours que t'aies ton mot à ajouter ! C'est lui le docteur ! Toi, t'es juste mon chauffeur !

Toutefois, le soir, après un petit gueuleton, Francine avait regardé son mari pour lui dire :

— Excuse-moi, Jules, ce n'est pas ce que je voulais dire, tu es mon mari, pas juste mon chauffeur. J'étais en colère et ça m'a échappé. J'ai de ces sautes d'humeur de ce temps-là que je ne m'explique pas. Sans doute le fait que…

— Non, arrête, Francine, ce sont les contrariétés que tu supportes mal, et tu en as eu plusieurs ces derniers jours. Ça ne m'a pas choqué ce que tu m'as dit. C'est vrai que j'aurais dû me mêler de mes affaires.

— Non, Jules, on est un couple, il est normal que l'un s'inquiète de l'autre. Je ne voulais surtout pas te faire sentir comme quelqu'un de trop dans le bureau du médecin, j'ai eu tort, j'aurais dû te regarder plus souvent, chercher ton appui. Tu es mon mari, Jules, et je regrette d'avoir agi ainsi. Je m'en excuse encore…

— Bon, ça va, Francine. Je comprends ce qu'on peut éprouver quand on ne file pas. Je parle trop, je le sais, mais que veux-tu, je t'aime. Ce qui arrive aux autres, ce qu'ils font, ça m'indiffère, tu es la seule dont je me mêle de ses affaires.

Arborant un large sourire, Francine lui répondit :

— La seule, Jules ? Vraiment ?

Mais ce qu'elle avait retenu avec émoi de leurs derniers propos, c'est qu'il lui avait dit en terminant une phrase : « je t'aime ». Ce qui arrivait plus que rarement dans le couple, à moins de retrouver cet aveu qu'on soulignait timidement dans une carte de souhaits. Dans les dix jours qui suivirent, Francine subit tous les tests et examens prescrits par le médecin à l'hôpital de son quartier. Puis, exténuée par tous ces déplacements, elle avait dit à son mari :

— S'ils ne trouvent rien avec tout ce que j'ai passé, c'est que je n'ai rien ! Voyons ce que le docteur aura à dire des résultats. Il m'a convoquée à son bureau jeudi qui vient.

— Tu veux que je t'accompagne ?

— Oui, mais sans trop t'interposer entre le médecin et moi. Tu le laisses parler, tu me laisses répondre. C'est entendu ?

— Oui, oui, ne crains rien, je me contenterai d'observer et d'écouter.

Ils se rendirent donc chez le médecin le jour convenu et, dans son bureau, le docteur apprit à madame Drouais qu'elle n'avait rien de tout ce qu'il redoutait. Rien au foie, rien à l'estomac ni aux reins, rien du côté du cœur ni des articulations lombaires. Bref, rien qui clochait nulle part.

— Vous avez ressenti ce malaise une autre fois depuis ?

— Non… peut-être une fois en sortant de ma douche, mais j'étais sortie trop vite et ce fut sans doute une petite perte d'équilibre. Ce qui est normal quand on ne saisit pas la barre de protection.

— Oui, quoique dans votre cas, tout est à envisager. Vous ne comptez pas vous déplacer prochainement ?

— Non, j'ai annulé mon voyage en Autriche avec ma sœur. C'est trop loin, je crains de m'y hasarder.

— Bonne déduction, je vous conseille de ne pas trop vous éloigner, c'est si grand et si beau le Canada. Allez plutôt admirer les couleurs de l'automne qui s'en vient dans une accueillante auberge des Cantons de l'Est.

Elle se leva et, comme elle prenait son sac à main pour partir, Jules ne put s'empêcher de demander au docteur :

— Vous ne lui prescrivez rien, aucune pilule, aucun traitement ?

— Non, dans l'ignorance de son mal, je ne peux lui faire une ordonnance qui ne lui conviendrait pas. Attendons la suite. Si ça se reproduit, on songera à quelque chose…

— Et si c'était ses nerfs comme je vous le disais la dernière fois ?

— C'est possible que cela vienne du surmenage, de l'épuisement avec ses tâches domestiques, mais vous avez maintenant une femme de ménage, ce qui devrait donner un coup de main. Si vous le désirez, madame Drouais, je pourrais néanmoins vous prescrire un léger sédatif qui vous aiderait à décompresser et à vous détendre en fin de journée.

— Ben, ça ne pourrait pas nuire, docteur. Je ne dors pas bien, je mets du temps à fermer l'œil, j'ai toutes sortes de choses en tête…

— Alors, voici, allez chez votre pharmacien en partant d'ici et prenez un comprimé chaque soir tel que mentionné sur le flacon. Avec un autre durant le jour si vous en éprouvez le besoin, si vous vous sentez agitée. Seulement si c'est nécessaire, par exemple, c'est pour contrer l'anxiété. Il ne faudrait pas vous y habituer et en dépendre, vous comprenez ?

Elle le remercia et, de retour dans la voiture, elle dit à Jules :

— C'était plus fort que toi, hein ? Il fallait que tu t'impliques encore une fois !

— Écoute, Francine, il te laissait partir sans rien te donner, sans même te recommander une aspirine ! Tu vois ? J'ai parlé juste un peu et tu auras quelque chose à prendre qui va sûrement t'aider et non te nuire.

— Oui, tu as sans doute raison, Jules, je ne t'en voudrai pas cette fois. Il se peut que je sois trop nerveuse, j'ai tellement de choses à penser ces temps-ci…

— Comme quoi ?

— N'importe quoi !

Le mois d'août avait cédé sa place à l'automne, mais Jules avait suivi avec épouvante les méfaits de l'ouragan Katrina au sud des États-Unis qui avait fait presque deux mille morts ! La majorité des dégâts à La Nouvelle-Orléans, plus affectée que les autres états. Une tempête de force 5 avec des rafales à deux cent quatre-vingts kilomètres-heure. Plus de trois cents maisons emportées, bref des dommages confirmés à cent huit milliards de dollars. Une catastrophe qui allait garder Jules en haleine durant plusieurs mois.

Francine aussi suivait de près cette situation déplorable, mais sa condition physique recommençait à lui être défavorable. Comprimés pour contrer l'anxiété, ou pas.

Octobre, et le temps était plus frisquet. Jules ratissait les feuilles tombées de son érable sur son terrain avec un foulard de trois tours autour du cou, en plus de sa veste de daim doublée de mouton que sa femme lui avait achetée l'année précédente. Francine le surveillait de sa fenêtre alors que les écureuils fuyaient, de peur de rester accrochés à son râteau. Le soir, près du feu de foyer qu'il avait allumé, il décompressait de sa journée en écoutant l'album *Romance of the Violin* de Joshua Bell, tout en lisant un chapitre de la biographie d'Émile Zola, de Marc Bernard, empruntée à la bibliothèque de son quartier. Se croyant apaisé après des heures de dur labeur, il fut vite interrompu par Francine qui planifiait déjà le temps des Fêtes à venir.

— Crois-tu qu'on devrait faire le souper ici ou attendre une invitation des enfants ?

— Francine ! On n'est qu'au mois d'octobre ! Il n'y a pas un brin de neige dehors ! Attends un peu avant de me parler des Fêtes !

— C'est drôle, Marc m'en parle déjà ! C'est même lui qui m'a demandé ce qu'on comptait faire !

Jules, impatienté, songeait en lui-même : « Pareil comme sa mère, celui-là ! » Puis, levant les yeux sur Francine, il répondit :

— Il n'a que ça à faire, Marc ? Penser à Noël en automne et à Pâques en hiver ? Tu devrais lui donner une couple de tes petites pilules, ça le remettrait à l'heure du cadran ! Il vit non seulement à l'heure avancée, mais aux mois avancés, notre fils. Il a pourtant son travail, ses enfants qui demandent beaucoup de son temps, son équipe de bowling chaque semaine, sa femme qui a besoin sans cesse de quelque chose… Comment diable a-t-il déjà pu songer au souper de Noël? De toute façon, discute de tout ça avec lui, pas avec moi. Je suis en train de lire et j'écoute de la musique pour me détendre. Il m'arrive à moi aussi d'être éreinté en fin de journée!

— Bon, emporte-toi pas, reprends ton livre et oublie ce que je viens de te demander. De toute manière, si c'est chez lui que ça se passe, tu ne voudras pas y aller et, si c'est ici, tu vas recevoir Johanne avec un air bête comme d'habitude!

— J'suis fatigué, Francine. J'ai toutes les feuilles du terrain dans le corps depuis ce matin! Peux-tu lâcher ton fils et penser à ton mari de temps en temps? Tu m'rends au bout d'ma patience, sacrament!

Le 22 novembre 2005, Angela Merkel était élue chef du gouvernement allemand, devenant ainsi la première femme et la plus jeune personnalité à occuper ce poste. Jules suivit cette nomination de près, non pas par intérêt pour la politique, mais par curiosité pour l'Histoire dont il connaissait tous les personnages célèbres. Angela Merkel n'avait que cinquante et un ans et Jules la trouvait fort sympathique. Son épouse, pour sa part, ne s'était pas arrêtée au succès de cette dame qui n'était que politicienne et non une artiste comme ceux et celles qu'elle vénérait. En début de décembre, après une conversation avec Marc, il fut convenu que ce serait lui qui ferait le souper de Noël. Sa mère lui avait avoué ne pas avoir ni la force ni la santé pour accomplir cette tâche. Johanne, dans son carnet, avait compté inviter son fils Luc et sa jeune épouse, ses deux sœurs avec leurs maris, monsieur et madame Drouais, ses tantes Nicole et Mariette, et ses deux filles, Karine et Marie-Ève, si elles n'avaient pas d'autres engagements. Francine lui avait dit qu'elle se chargerait des frais du repas, de la dinde, des desserts, mais Marc avait refusé : « On a les moyens, maman. C'est notre invitation, pas la tienne. Sois juste notre convive avec papa, Johanne n'en demande pas plus. » Lorsque tout fut résolu dans les têtes de la mère et du fils, Francine s'empressa d'aviser son mari de la planification des Fêtes. Relevant les yeux de son journal, il fronça les sourcils et déclara :

— Dis-moi pas que je vais être obligé de me traîner là ! Moi, les tables de douze personnes et plus, ça me rend fou ! Pis elle qui se permet d'inviter ses deux sœurs…

— Bien, c'est chez elle que ça se passe. C'est normal, non ?

— Ce qui n'est pas normal, c'est d'être obligé d'y aller ! Tu ne pourrais pas t'y rendre avec tes sœurs pour une fois et leur dire que je ne me sens pas bien ?

— Non, Jules, pas cette fois. C'est moi qui ne vais pas bien, pas toi, et j'y vais sans chialer, moi !

— On sait bien, t'aimes ça les maisons pleines, toi !

— Oui, ça met de la gaieté dans le cœur, un tas de monde. Parce qu'ici c'est pas la joie qui fait sauter le toit !

— Que veux-tu dire au juste par ça ?

— Laisse faire, va pas plus loin. J'me comprends. Changement de sujet, savais-tu que la chanteuse Gloria Lasso était morte hier ? C'est elle qui interprétait *Le Torrent* et *Marianne,* deux chansons que j'ai encore sur des 45 tours dans mon coffret rouge. Elle a vendu quatre-vingts millions d'albums de ses chansons. Pas mal, hein ?

— Si on veut ! Elle devait être riche, la bonne femme, mais comme ma grand-mère disait : « Le coffre-fort ne suit pas le corbillard ! »

— Qu'importe, dimanche je vais faire brûler un lampion pour elle. Elle était Espagnole, donc catholique. Et quand on prie ainsi pour les autres, même ceux qu'on ne connaît pas, le bon Dieu nous le remet en indulgences plénières ! Tu savais ça, toi ?

— Non, mais si tu l'dis…

Chapitre 8

Plusieurs mois s'écoulèrent et, comme le temps court plus vite que le vent, l'année 2007 se réveilla avec ses deux premiers mois toujours froids au Québec. Francine, plus frileuse que jamais, s'apprêtait à se rendre chez son fils Marc pour un petit souper intime d'anniversaire pour ses soixante-six ans en cette fin de février. Cette fois, puisque peu de personnes seraient à table, Jules accepta de l'accompagner et de profiter du très bon *rosbif* de sa bru dont il n'appréciait que les talents culinaires. Karine était de la partie ainsi que Marie-Ève, mais Marc n'avait pas omis d'inviter la tante Mariette, toujours seule chez elle, qui se réjouissait des occasions d'écouter les autres parler. Tante Nicole, cependant, était en train de déménager une fois de plus, ayant rencontré un compagnon assez cossu qui l'invitait à partager son appartement. Un divorcé, sans enfants, qui avait trouvé en cette sexagénaire, un charme qui l'avait conquis dès le premier regard posé sur elle dans un supermarché. Chanceuse comme de coutume, Nicole l'avait croisé en achetant ses viandes froides au comptoir réfrigéré et la conversation s'était engagée. Il avait à peu près son âge, un an ou deux de moins peut-être, mais il cherchait déjà à remplacer sa précédente compagne avec laquelle il n'avait cohabité que deux ans. Nicole lui tombait donc du ciel !

Or, chez Marc, ce jour-là, il n'y avait que Jules et Francine, Marc, Johanne et leurs deux filles à table. Ce qui convenait à monsieur Drouais qui fuyait encore les « tables de noces », comme il les qualifiait quand il y avait plus de huit personnes présentes. Cette fois, avec la « vieille fille », ils seraient sept, la limite acceptable ou presque pour Jules Drouais. On parla de tout et Francine, renseignée à fond sur les célébrités qui disparaissaient, leur avait dit pendant le repas :

— L'abbé Pierre est mort le mois dernier en France. Il avait été classé dix-sept fois « personnalité de l'année ». Il avait quatre-vingt-quatorze ans.

Pour épater ses petites-filles, Jules rétorqua :

— Assez vieux pour faire un mort !

Karine et Marie-Ève s'esclaffèrent et, voyant que leur grand-mère fronçait les sourcils, l'aînée des deux lui avoua :

— On ne le connaissait pas nous autres, grand-mère. On ne nous apprend plus ces trucs-là dans les écoles.

— Pas une raison pour rire des farces plates de ton grand-père ! Renseigne-toi au lieu de t'amuser, ça te sera plus utile.

Jules, mal à l'aise de la tournure de la conversation, s'adressa à sa femme pour lui dire :

— Bah, une petite blague en passant ne fera pas de tort à personne. Je le connaissais bien cet abbé, seulement, sa mort comme son vécu n'intéressent pas les jeunes. Arrête de toujours parler des défunts d'un autre siècle, personne ne sait qui ils sont. Pas plus tes vieux acteurs que les gens célèbres du clergé. Karine et Marie-Ève sont à l'âge de Tom Cruise, pas de Bourvil !

— Ben, va au diable, Jules Drouais ! Je ne m'adressais pas aux filles, je regardais Marc et Johanne en mentionnant ce décès. Toi, tu cherches juste à avoir l'air *cool,* comme ils disent, pour te sentir moins vieux auprès des jeunes. Bon, mange maintenant, ça va refroidir et tu vas chialer si tes patates pilées sont tièdes.

Puis, comme si de rien n'était, Francine redevint joyeuse à la fin du repas, en déballant un joli présent de la part de Marc et Johanne. Un délicat bracelet en argent solide que Marie-Ève attachait déjà à son poignet. Jules, pour sa part, lui avait offert un chèque-cadeau d'un grand magasin et des chocolats à la menthe Laura Secord. Les filles, qui ne voulaient pas être en reste, lui avaient remis un abonnement à un magazine artistique français qu'elle achetait mensuellement. Mariette, timidement, lui avait sorti d'un sac une boîte de biscuits belges importés en lui disant : « C'est pas grand-chose, mais c'est de bon cœur. Je ne suis pas allée plus loin que chez l'épicier, je ne sors jamais, tu le sais. » Francine la remercia en l'embrassant sur la joue et ils revinrent finalement à la maison après avoir déposé Mariette qui avait, durant tout le repas, échangé deux ou trois mots avec Marc et Johanne. Plus portée à prêter l'oreille qu'à parler, cela ne l'avait pas empêchée de manger son assiette au complet et de même accepter une autre portion de viande arrosée de la sauce brune qu'elle aimait. Revenus à leur demeure, Jules se mit à l'aise pour écouter son bulletin de nouvelles et regarda sa femme qui avait légèrement titubé pour vite s'agripper à une chaise de la cuisine.

— Ça ne va pas, Francine ? Encore ces étourdissements qui reviennent ?

— Tu veux dire, qui ne partent pas. Tu n'es pas toujours là quand ça arrive.

— Alors, il te faudra être prudente quand tu iras magasiner seule. Tu devrais demander à Mariette de t'accompagner. Et pourquoi ne pas t'acheter une canne à la pharmacie pour t'aider à garder ton équilibre ?

— Voyons donc ! On va me prendre pour une infirme ! Tout le monde va me regarder ! Je suis bien trop jeune pour m'affubler d'une canne, Jules ! Plus tard, peut-être, si le docteur me la conseille, mais pas à mon âge ! Toutes les personnes qui en ont une pour se protéger ont au moins dix ans de plus que moi, à part les véritables handicapés, bien entendu.

— Bon, comme tu voudras, mais ton orgueil risque de te jouer des tours si ça continue de la sorte. Tu as revu le médecin depuis sa batterie de tests ?

— Non et je n'y tiens pas, il va me faire encore passer une série d'examens. En temps et lieu, j'irai le consulter. Laisse-moi en paix avec mon malaise, je suis assez grande pour m'en occuper moi-même !

— Que tu es soupe au lait ! Je te faisais part de ça dans le but de te venir en aide, Francine, pas pour aggraver la situation. On ne peut plus rien te dire…

— Je suis fatiguée, Jules, la soirée m'a épuisée. Moi, les jeunes avec leurs fous rires, j'ai de la misère avec ça. Karine surtout ! À son âge, elle devrait être plus sérieuse et nous parler de son emploi à la caisse au lieu de nous dire que Daniel Craig est séduisant. Tu le connais cet acteur-là, toi ?

— Oui, c'est le nouveau James Bond de l'écran ! On en a beaucoup parlé lors de la sortie de son film en novembre dernier. Ce genre de film ne me captive pas, mais pour Karine et Marie-Ève, c'est de leur âge.

— Que des films américains ! Comme si les Français ne faisaient pas de bonnes productions ! Elles ne s'intéressent même pas à Gérard Depardieu. Quelle drôle de génération !

— Depardieu ? Trop vieux pour elles ! Nos petites-filles sont en âge de rêver et ce n'est pas ce gros ventru qui va leur plaire ! Tout de même ! Trouves-en un autre, Francine !

Le mois suivant, Nicole appela Francine alors qu'elle était dans tous ses états :

— Francine ! Ça va me faire mourir !

— Mon Dieu, qu'est-ce qui t'arrive ? Un drame ?

— Pire, c'est Janna ! Sa collègue de travail, une dénommée Julie, m'a téléphoné des Philippines où elles étaient en vacances, et voilà que Janna est à l'hôpital, elle a été heurtée par une voiture qui filait à toute allure.

— Seigneur ! Comment est-elle ? Tu as de ses nouvelles ?

— Non, j'en attends d'une minute à l'autre, sa compagne de voyage va m'appeler dès que possible, elle est à son chevet.

— Qu'est-elle allée faire aux Philippines, Janna ?

— Elle tenait à rencontrer le frère de son père, le présenter à sa collègue, c'est le seul encore en vie de cette famille, sa femme est morte. Puis, elle voulait voir le pays de Rodrigo, là où il avait grandi, et où il était enterré. Un voyage instructif et très émouvant, selon sa camarade. Bon, je te laisse, j'ai une deuxième ligne qui sonne. Je te rappelle !

— Qu'est-ce qu'il y a ? demanda Jules qui s'était rapproché.

— C'est Nicole ! Sa fille a eu un accident de voiture aux Philippines, on l'a transportée à l'hôpital.

— Que faisait-elle là ?

— En quête de ses origines, Jules ! C'est normal, elle voulait tout apprendre de ses ancêtres, rencontrer son vieil oncle encore vivant, comme je te le disais.

— Elle était avec qui ?

— Une compagne de travail, elle ne serait pas partie seule. Janna n'est pas du genre téméraire.

Nicole téléphona de nouveau à Francine pour lui donner des nouvelles :

— Ça va aller, ils vont la remettre sur pied après l'avoir opérée au dos, là où elle a été frappée. Ça me soulage, ça aurait pu être pire, même fatal.

— Donc, tu vas te rendre auprès d'elle, je suppose ?

— Non, pourquoi irais-je ? Sa collègue est avec elle et son oncle la visite chaque jour.

— Voyons, Nicole ! Ta fille ! On a besoin de sa mère dans ces moments-là !

— Pas à trente et un ans, Francine ! Ce n'est plus une enfant ! Et comme tout semble bien se passer…

— Ne serait-ce que pour la voir, te rassurer, une opération au dos, ça peut être grave.

— Non, je lui parlerai au téléphone, mais je n'ai pas l'intention de me rendre là. C'est coûteux un tel déplacement et je n'ai pas les moyens…

— Tu viens d'emménager avec un homme qui en a...

— Oui, mais ça me gêne de lui quêter de l'argent, je viens à peine de m'installer.

— Je peux te prêter la somme, si tu veux.

— Non, Francine, je n'irai pas. Janna va m'appeler de l'hôpital demain. Sa collègue va rester auprès d'elle jusqu'à ce qu'elle se rétablisse.

— Ça n'a pas de sens ! Une pure étrangère ! Et sa convalescence peut durer des mois.

— Alors, la Julie en question reviendra si c'est trop long et l'oncle de Janna prendra la relève.

— Oui, mais...

— Arrête, Francine ! J'ai les nerfs à fleur de peau ! Pour une fois, mêle-toi de tes affaires, je suis assez vieille pour savoir ce que j'ai à faire !

— Bon, si tu le prends sur ce ton, fais ce que tu voudras, mais ce n'est pas moi qui laisserais ma fille seule après un grave accident.

Et Francine raccrocha, outrée du ton que Nicole avait employé envers elle. Jules, qui avait deviné comment ça s'était terminé, lui demanda :

— Pas contente, ta sœur ? Elle t'a vite évincée du portrait ?

— Oui, imagine ! Avoir une fille blessée aux Philippines et l'abandonner aux bons soins de sa compagne de voyage. Une collègue de bureau, tout simplement. Elle ne pense qu'à elle, Nicole ! Rarement aux autres, pas même à sa fille qui a failli mourir ! Un nouvel homme dans sa vie, le bal est parti ! Au diable le reste de l'humanité !

— Oui, très spéciale, ta grande sœur et, face à ce qui arrive à Janna, c'est une maudite sans cœur !

Malgré tout, Nicole, qui avait la mémoire courte, rappela Francine comme pour poursuivre une conversation qui s'était pourtant mal terminée. Mais Francine, habituée à son drôle de comportement, ne revint pas sur le sujet et lui demanda simplement des nouvelles de Janna :

— Elle va mieux, on ne l'a pas opérée finalement. Elle est robuste et se remettra comme un chat de ses blessures qui semblaient pires qu'elles ne l'étaient vraiment. Elle sera de retour ici dans une semaine avec sa collègue et elle pourra bénéficier d'un congé de maladie à l'étranger une fois rendue chez elle, ses assurances y pourvoiront. Et toi, comment ça va ? Assez bonne, la santé ? Tes étourdissements ?

— Ça va, rien de plus grave de ce côté.

— Bon, tant mieux ! Dis, quand donc pourrais-je aller te présenter mon nouvel ami ? Je pense que Jules sera heureux de le connaître, celui-là.

— Ah oui ? Pourquoi ?

— Parce qu'avant d'être à son compte dans la construction, Guy a été à l'emploi du gouvernement provincial dans la perception des impôts, lui aussi.

— Je vois, mais ne viens pas nous le présenter trop vite, Nicole. Pour le temps que durent tes liaisons, toi… Si tu fais plus de six mois avec lui en couple, on t'invitera, mais pas avant. De plus, dans mon état, je ne suis pas en mesure de recevoir de ce temps-là, j'ai des vertiges fréquemment.

— Alors, tu pourrais venir chez nous avec Jules, si tu préfères.

— Non, Jules ne sera pas intéressé. Restons chacun de notre côté pour l'instant, je t'aviserai quand nous serons en mesure de rencontrer ce Guy qui arrive à peine dans ta vie. Et lorsque Janna rentrera au pays, demande-lui de nous téléphoner pour nous donner de ses nouvelles, ça va ?

— Bien, si c'est ce que tu préfères… Mais j'aurais cru…

— Écoute, il faut que je te laisse, Nicole, j'attends un coup de fil du plombier, nous avons un tuyau de crevé au sous-sol. À plus tard, si tu veux bien.

Et Francine raccrocha sur ce pieux mensonge sans même un au revoir à sa sœur qu'elle supportait de moins en moins depuis ses malaises de santé fréquents. Jules qui avait intercepté quelques bribes de la conversation avait souri quand sa femme avait mentionné « le plombier ». Le réalisant, Francine lui avait dit au sujet de Nicole :

— Ça s'peut-tu ? Une femme de son âge parler comme une fille de quinze ans ? Dès qu'elle a un nouveau chum, c'est la fin du monde ! Et retiens bien ce que j'te dis, sa relation va durer le temps d'une rose !

Quelques semaines plus tard, Sophie les invitait à souper chez elle, alors que les jeunes seraient là ainsi que la blonde de Vincent, une adolescente de seize ans comme lui, qu'il fréquentait depuis peu. Embarrassé de refuser après le rapprochement qu'il avait fait avec la plus jeune de ses filles, Jules fut contraint de mettre sa chemise blanche et de s'y rendre avec Francine qui, elle, portait un pantalon noir et un blouson rouge, ainsi que des souliers à talons plats, au cas où elle pourrait tituber et peut-être tomber. D'ailleurs, depuis quelque temps, elle ne portait que le pantalon, plus en confiance de se faire moins mal si quelque chose survenait qu'en ayant une robe. Elle en avait fait l'acquisition de plusieurs de style classique, pour ne pas avoir à retourner souvent pour de nouveaux achats.

Sophie les reçut avec gentillesse et Jules fut surpris de voir déjà les jeunes à table en train d'avaler leur soupe sans les avoir attendus. Puis, au moment des présentations, lorsque Vincent lui présenta sa copine Mélanie, cette dernière le fit sursauter lorsqu'elle répondit au « Bonsoir, mademoiselle » de Jules par un « Salut ! » sans plus. Estomaqué, il la regarda et lui dit devant tout le monde :

— Écoute, quand on se fait présenter à des personnes de mon âge et de celui de ma femme, c'est : « Enchantée, monsieur ou madame », et non « Salut ! » Ton « Salut ! », garde-le pour tes copains d'école. Ta mère ne te l'a pas appris ?

Sophie, mal à l'aise, mais d'accord avec son père, avait regardé Vincent en lui faisant un air de reproche. De toute façon, elle n'aimait pas cette Mélanie mal éduquée et souhaitait que son plus vieux s'en débarrasse pour chercher une fille plus distinguée. À table, alors qu'ils étaient tous assis, attendant maintenant le plat principal, Jules remarqua que la blonde de son petit-fils mâchait de la gomme. La regardant une fois de plus, il lui dit :

— De la gomme, ça ne se mâche pas durant un repas. Pas même avant ni après, c'est très mal vu de la part d'une jeune fille.

Excédée par le grand-père, mais confuse une fois de plus, Mélanie retira sa gomme qu'on ne vit pas disparaître, cependant. Ils mangèrent, Jules causait avec sa fille, Francine avec Maxime, son plus jeune petit-fils, plus agréable que l'aîné qui semblait bouder depuis les reproches faits à sa blonde. À la fin du repas, dessert et café terminés, Mélanie mâchait de nouveau de la gomme. Interloqué, Jules s'adressa à sa femme pour lui dire : « Je gage qu'elle l'avait collée en dessous de la table ! » Ce que tous avaient entendu et qui fit s'éloigner de la salle à manger Vincent et sa vilaine petite compagne. Sophie, sur la défensive, avait dit à son père :

— Tu sais, on ne les choisit pas pour eux !

— Je comprends, Sophie, mais tu les as quand même mieux éduqués que ça, tes garçons. Vincent était si gentil, il y a à peine un an. Comment a-t-il pu changer à ce point ? Même lui a perdu ses bonnes manières…

— Papa ! Ils se sont élevés seuls, ces enfants-là ! Pas de père pour les reprendre et celui qu'ils ont et qu'ils n'ont jamais revu n'était pas du genre plus éduqué que ses fistons le sont. J'ai fait mon possible, mais sans mari, au travail sans cesse, je n'ai pu remplacer deux parents à la fois.

— Non, je sais bien et je ne te le reproche pas, mais dommage qu'il semble vouloir mal tourner, celui-là. Maxime est encore le même bon p'tit gars, lui.

— Attends juste un an ou deux, il sera influencé par Vincent et ça n'ira pas mieux. Je prie juste le bon Dieu pour qu'ils restent tous les deux dans le droit chemin.

— Bon, passons. Je suis surpris parce que, agir de la sorte n'a jamais été le cas de l'un de nos enfants.

— Ce qui se comprend, vous étiez deux à nous élever, papa, et un enfant a besoin de son père et de sa mère pour bien tourner. Ce qui n'est pas leur cas.

— Assez discuté des enfants, clama Francine du bout de son fauteuil où elle semblait inconfortable. Il faudrait songer à partir, Jules. Je commence à me sentir fatiguée, la tête me tourne un peu.

Francine se leva et ce qui risquait d'arriver se produisit ; elle perdit l'équilibre et retomba dans son fauteuil sans être capable de se relever une seconde fois sans l'aide de son mari.

— Ça semble devenir sérieux, maman. As-tu revu le médecin dernièrement ?

— Non, mais va falloir qu'elle y aille ! répondit Jules à la place de sa femme. Ta mère a la tête dure, pas même moyen de lui acheter une canne !

— Recommence pas ça, Jules, et ramène-moi à la maison. Ton souper était très réussi, Sophie, le poulet cuit à point. Bon, on va aller saluer les jeunes et retourner à la maison.

— Pas nécessaire, Francine, ils sont en bas, c'est à eux de monter pour nous souhaiter bonne nuit, pas à toi de descendre avec tes vertiges.

— Les enfants ! Vos grands-parents s'en vont ! de leur crier leur mère.

Maxime monta pour les embrasser, mais pas Vincent qui avait préféré rester au sous-sol à faire du *necking* avec sa blonde mal élevée. Dans la voiture, Jules, prenant la parole, dit à sa femme :

— Elle a manqué son coup avec ses enfants, notre pauvre Sophie.

— Elle t'en a expliqué la cause, Jules.

— Qu'importe… Elle n'a jamais eu la fibre maternelle, celle-là. Loin d'être comme Renée avec son fils.

— On sait bien, toi, ta Renée… Elle a toujours été une femme à la maison, Renée, et elle n'a eu qu'un seul garçon !

Ne la compare pas à Sophie ni même à Johanne qui, elles, avaient une plus dure tâche à remplir.

— Qu'est-ce qu'elle vient faire dans nos propos concernant nos filles, la bru ?

Après l'éclosion de nouveaux lilas et de pissenlits du terrain de Jules, Francine se décida à se rendre chez le médecin, après d'autres manifestations de son déséquilibre, sans parler de son changement d'humeur depuis l'apparition du « malaise ». Elle demanda à Jules de la conduire jusque-là, mais de ne pas entrer avec elle, de retourner travailler autour de la maison, qu'elle allait le rappeler une fois sa visite médicale terminée. Il ne s'opposa pas, il accepta même de bon gré son commandement. Inutile de s'obstiner avec elle maintenant, elle devenait plus maussade chaque fois et refusait tous ses conseils. Il la déposa donc chez son médecin qui la reçut avec bienveillance, mais devant le progrès de sa maladie, il ne se permit pas de lui donner un diagnostic et lui prescrivit quelques tests et examens, pas trop nombreux cette fois, qu'on lui ferait à l'hôpital en deux jours consécutifs seulement. Puis, sans qu'elle en parle, il lui recommanda fortement de se servir d'une canne pour se mouvoir, ce qui lui éviterait de tomber sans s'y attendre. Il remarqua par son rictus qu'elle était défavorable à sa suggestion, mais il insista :

— Il le faut, madame Drouais, c'est une protection qui s'impose dans votre cas. Elle pourra même vous être utile dans la maison et dans vos petits déplacements pour descendre au jardin si vous n'avez pas de rampe de sécurité. Utilisez-la le plus souvent possible. Protégez-vous, ça vous rendra moins irritable dans les moments d'inquiétude.

Francine se plia finalement à la proposition et téléphona à son mari pour qu'il revienne la chercher. Dans la voiture, lorsqu'il s'informa de sa visite et des résultats, elle lui dit qu'elle devait subir d'autres examens, qu'on allait l'appeler, mais ne mentionna en aucun temps l'usage immédiat d'une canne. Toutefois, le lendemain, sans en parler à Jules qui était sorti, elle se rendit dans un centre où l'on vendait à peu près tout pour les handicapés et, après avoir expliqué son cas à la jeune fille qui allait lui conseiller une canne sans doute appropriée, cette dernière, maladroitement, lui demanda : « Souffrez-vous d'un début de Parkinson, madame ? » Sans avoir rien demandé, Francine entendait pour la première fois le diagnostic accroché à sa curieuse maladie. Troublée, encore sous le choc, elle revint à la maison en taxi et montra à Jules, revenu de ses courses, lorsqu'il rentra après avoir nettoyé un outil, la jolie canne au pommeau d'argent qu'on venait de lui vendre.

— Tiens ! Tu y es allée ! Comment as-tu fait pour t'y rendre toute seule ?

— Je ne suis pas infirme. J'ai pris un taxi, ce n'était pas loin.

— C'était une ordonnance du médecin ?

— Non, une suggestion, Jules, mais j'ai obtempéré. Une précaution de plus lorsque j'irai faire des courses avec Mariette.

Et le reste de la journée s'écoula sans que Francine parle à Jules du violent verdict reçu interrogativement par la préposée au magasin des articles pour handicapés. Si elle avait su ce qui l'attendait, elle se serait plutôt rendue chez Jean Coutu ! Mais le mal était fait et c'est la tête remplie de doutes et de craintes qu'elle se coucha ce soir-là. Sans le moindre aveu à son mari qui, tout comme elle, n'aurait pas dormi de la nuit.

Un mois plus tard, fin mai, après des examens et des tests passés à l'hôpital, Francine se sentait plus confiante puisque son médecin ne l'avait pas rappelée pour des résultats ni pour un autre rendez-vous. Elle se disait que la préposée qui ne connaissait rien de son cas avait déduit n'importe quoi ! Une si jeune femme ne devait pas être prise au sérieux et, avec sa force de caractère, madame Drouais parvint à s'enlever temporairement de la tête le nom d'une si terrible malade.

Quelques semaines de plus et Sophie rappelait à la maison pour annoncer à ses parents avoir fait la connaissance d'un très bon garçon et qu'ils en étaient au projet de mariage tous les deux. Jules faillit tomber à la renverse ! Sa fille était tellement insouciante en amour. Il avait encore en tête l'Argentin dont il l'avait délivrée. Mais, le rassurant sur la nature de son amoureux, Sophie avait ajouté :

— Tu vas l'aimer, papa, c'est un bon Québécois, attends de le rencontrer, tu vas être impressionné. Un beau gars à part ça ! Tu nous invites quand ?

— Écoute, pas pour souper, c'est trop demander à ta mère ces temps-ci. Mais si tu veux passer un après-midi ou un soir pour venir prendre un verre, ça nous irait sûrement.

Francine, qui avait tout entendu sur un autre téléphone de la maison, avait ajouté :

— Oui, Sophie, appelle-nous la veille avant de venir et nous vous recevrons pour un petit brunch en fin de matinée ou pour un *drink,* le soir, selon vos temps libres.

— Va pour le petit brunch, maman, nous sommes libres tous les deux le samedi. Ça vous convient, celui qui vient?

Tel qu'entendu, Sophie arriva chez ses parents le samedi matin, accompagnée d'un bel homme dans la trentaine qu'elle leur présenta comme étant André. Francine le trouva charmant dès le premier regard et Jules, plus méfiant, se demandait comment un tel intrus pouvait être entré sous leur toit. Madame Drouais avait préparé la veille un délicieux brunch consistant en des œufs farcis, des roulés au jambon, des fromages de différentes sortes sur des cure-dents, de la salade de chou, des olives géantes importées, des biscuits salés, des petits desserts sucrés, du café, du thé, du chocolat chaud et du vin blanc. Un réel festin que le prétendant apprécia vivement. Très poli sans avoir tout à fait le vocabulaire d'un professionnel, André fit bonne impression en répondant honnêtement à toutes les questions de la mère, plus curieuse que son époux sur les intentions du chum de sa fille:

— Vous n'avez jamais été marié, André?

— Non, j'attendais sans doute de trouver la perle rare. Mais de nos jours, encore célibataire à trente-cinq ans et plus, c'est très fréquent. La plupart des couples deviennent parents à presque quarante ans maintenant.

— C'est votre intention?

— Je ne dis pas non, mais comme Sophie est déjà mère de deux grands enfants... Une décision qui se prend à deux, vous savez.

— Que faites-vous dans la vie? questionna Jules.

— Je suis dans la rénovation. Je suis à mon compte et je me rends dans les résidences qui ont besoin de changements dans leur cuisine ou leur salle de bain. Bref, pour toutes sortes de travaux désirés. Je touche à tous les métiers. J'engage un *helper* au besoin, et je ne manque pas d'ouvrage, j'ai déjà deux bons contrats à honorer d'ici la fin de l'été.

— Donc, vous ne faites pas partie d'une entreprise, si je vous comprends bien.

— Non, je suis mon propre *boss* et mon salaire hebdomadaire est celui que je fais en travaillant de mes deux mains. Mais ça va bien, je n'ai jamais manqué de contrat ni d'argent.

— Papa ! Est-ce bien nécessaire toutes ces questions ? On dirait un interrogatoire pour un emploi.

— Non, non, je suis seulement curieux quand je rencontre du nouveau monde. Je sors si peu et j'aime savoir ce que font les autres dans la vie. J'ai travaillé toute ma vie dans une cloison ouverte du gouvernement, moi. Ce que fait monsieur m'intéresse vivement.

— Pas monsieur, juste André, je serai bientôt de la famille. J'attends seulement que votre fille fixe la date.

— Tu veux te marier quand, Sophie ? enchaîna sa mère.

— Bien, si André est d'accord, le mois de septembre ferait mon affaire. Mais il sait que je souhaite un mariage intime, avec ses parents, sa sœur et son conjoint, et mes deux enfants. Et vous deux, évidemment ! Une cérémonie suivie d'un lunch dans un restaurant. J'en connais un qui possède une petite salle accommodée pour recevoir dix personnes, c'est tout ce dont nous aurons besoin. D'ailleurs, pas de robe blanche ni de smoking pour lui, j'ai un joli tailleur bleu presque neuf et André a de beaux complets, dont un noir, qui fera l'affaire.

— Ce qui ne me coûtera pas cher ! ajouta le prétendant, en regardant son futur beau-père.

— En effet, c'est plus que raisonnable. Dites, deux enfants, des adolescents de surcroît, ça ne vous fait pas peur ?

— Heu, non, pas pour l'instant. Je m'entends bien avec Maxime, un peu moins avec Vincent, il faut l'apprivoiser celui-là, mais ça viendra. Je trouverai bien le moyen…

— Si vous le dites, si vous êtes confiant… Au moins, vous en êtes conscient, répliqua Jules.

— Alors, vous approuvez mon choix, papa, maman ? Il m'arrive d'avoir une bonne intuition, vous ne pensez pas ?

— Oui, oui, mais j'espère que ton futur en a une aussi bonne que toi. Au fait, vous vous êtes rencontrés comment ? demanda Jules.

— Par le biais d'une agence de rencontre sérieuse sur Internet. Pas n'importe laquelle, je cherchais une charmante compagne et on m'a envoyé le nom et la photo de la plus jolie femme de la terre, votre fille.

— Puisque ça marche comme ça de nos jours, espérons que vous avez fait le bon choix tous les deux. Vous savez, un mariage après une si courte fréquentation, ça porte parfois à se poser des questions.

— Avec raison, monsieur Drouais, mais rendus à notre âge, il ne faudrait pas miser sur une longue fréquentation, vous ne trouvez pas ?

— Si vous le dites…

À l'heure du départ et avec la bénédiction des parents en bandoulière, Sophie et André regagnèrent le toit familial de la fiancée. En cours de route, Sophie lui demanda :

— Tu les as trouvés comment tous les deux ?

— Ta mère, un charme ! J'ai senti qu'elle m'aimait après trente minutes dans la salle à manger. Ton père me semble plus méfiant, plus observateur, mais c'est normal, il surveille sa petite fille de près. Surtout après un premier échec. Mais nous deviendrons de bons amis, j'en suis certain. Parce que si je te rends heureuse, ce que je compte faire, il le sera pour nous. Mon père était également sur ses gardes quand ma sœur s'est mariée après un court laps de temps, il y a trois ans. Il regardait mon beau-frère de travers et, aujourd'hui, ils sont les deux meilleurs amis du monde. Tu verras, ça viendra pour moi aussi !

De leur côté, Jules et Francine, restés seuls alors qu'elle débarrassait la table, se questionnaient du regard :

— Il m'a l'air bien cet homme. Un beau sourire et vraiment séduisant. Difficile à croire qu'il n'a pas eu plusieurs femmes dans sa vie.

— Oui, Francine, mais ce n'était guère le moment pour fouiller dans son passé.

— De toute façon, Jules, trop de filles, c'est comme pas assez. Et puisqu'il a eu recours à une agence pour rencontrer, c'est qu'il n'était plus certain de trouver sa future au coin de la rue.

— Il a parié sur Sophie, c'est tout dire. Remarque que c'est lui qui prend un risque avec une mère de deux adolescents. Il faut qu'il l'aime en maudit !

— Quant à elle, tu connais ta fille, n'est-ce pas ? Tellement imprévisible ! Souvent irréfléchie ! Et avoir besoin de passer par une agence pour se trouver un homme…

— Oui, ça me dépasse un peu, je l'avoue, mais, de cette façon, le gars sait au moins à quoi s'attendre.

— Une chose me préoccupe, cependant. Puisque sa sœur et son mari seront de la noce, pourquoi ne pas avoir invité Marc et Johanne ?

— Voyons donc ! Ça ne se compare pas ! André n'a qu'une sœur, lui ! De notre côté, on a aussi Renée, son fils et son mari qui se seraient déplacés. Et tant qu'à y être, pourquoi pas Nicole et Mariette ? Ça fait ben du monde à messe, ça ! Elle a parlé d'un mariage très intime, va pas plus loin, c'est très bien comme ça !

Sans lui dire que le nom de Johanne venait de le faire sursauter. Surtout pas elle à leurs côtés ! Puis, pour enchaîner, il s'empressa d'ajouter :

— Une chose me fatigue, moi, et c'est son gagne-pain. Rien de régulier comme travail, pas de salaire hebdomadaire…

— Ben quoi ? Il peut gagner sa vie sans être un fonctionnaire avec sa paye chaque semaine.

— C'est quand même pas un avocat, Francine.

— Pis ! Ça change quoi ? Il est à son compte ! C'est tout à fait honorable, Jules !

— Non, pas tout à fait, parce que, pour les rentrées de piastres et de sous, moi, un cogneur de clous…

Le 8 septembre 2007. Sophie et André prononcèrent les vœux qui les unissaient pour le meilleur et pour le pire. Comme prévu, elle avait revêtu un tailleur bleu avec un tout petit bouquet de quelques fleurs dans ses mains gantées. Lui, encore plus séduisant ce jour-là, avait un œillet blanc à la boutonnière de son complet noir, et tenait tendrement la main gauche de sa bien-aimée dans la sienne. Peu d'invités, exactement ce qu'avait désiré Sophie. Ses parents, ceux du marié, la sœur d'André et son époux, et ses deux fistons quelque peu endimanchés pour l'occasion. Dix personnes en tout pour partager leur bonheur. Après la courte cérémonie, Francine alluma un gros lampion en demandant au Seigneur de les protéger, et ils se rendirent au restaurant où on avait réservé pour eux un salon privé pour un petit groupe de dix ou douze, pas davantage. Ils eurent droit à une douce musique de fond, un repas de classe, de bons vins rouges et blancs de France, de la bière pour le père d'André, et un très beau gâteau surmonté d'une plaque en sucre sur laquelle on lisait : *Vive les Mariés*. Sans parler des cafés divers, du thé vert importé et des digestifs qui n'eurent guère de succès. Sauf pour Francine qui trempa ses lèvres dans un Parfait Amour de Marie Brizard. On embrassa les mariés qui allaient utiliser la voiture d'André pour se rendre dans une charmante auberge de la Nouvelle-Angleterre, un peu après avoir franchi les douanes américaines. Jules, curieux de l'attitude de son petit fils Vincent, remarqua que ce dernier lui avait gentiment souri en arrivant. Prenant à part son autre petit-fils, Maxime, il lui avait demandé :

— Ton frère n'a pas eu l'idée d'emmener sa blonde aux noces ?

Maxime de lui répondre en le chuchotant presque :

— Non, grand-père, Vincent n'a plus sa blonde que tu n'aimais pas. Il était tanné d'elle et il s'en cherche une autre.

— Bon, voilà pourquoi il est plus réceptif ce matin. Cette fille n'était pas pour lui, elle n'avait aucune éducation. Mal élevée sans doute par une mère et un père absents de la maison.

— Non, ils étaient divorcés, ses parents. Sa mère buvait beaucoup et son père est en prison.

— Oh ! Quel couple ! J'ai quasiment de la compassion pour la Mélanie, maintenant. Pas facile d'avoir des parents comme ça ! Pis toi, tu l'aimes le nouveau mari de ta mère ?

— André ? Oui, beaucoup. Il est *cool*, il aime les sports, il regarde le hockey avec Vincent et le soccer et le tennis avec moi. Il est toujours de bonne humeur. Mais on ne l'appelle pas papa, on est trop vieux pour ça, on l'appelle André et il nous gâte beaucoup. Il nous donne de l'argent et il emmène souvent maman au restaurant. Un vrai bon gars, grand-père ! On le connaît de la tête aux pieds, ça fait déjà un bout de temps qu'il a déménagé chez nous. Y vient pas juste d'arriver !

Sur le chemin du retour, Francine demanda à Jules :

— C'est toi qui as défrayé le coût des repas et de la boisson ?

— Non, je pense que c'est André qui a tout payé. Je l'aurais bien fait, mais Sophie ne m'a rien demandé.

— Tu aurais pu le leur offrir, non ? Tu es le père de la mariée…

— Oui, la première fois, je l'aurais fait, même si elle épousait son Ricky, un bandit, mais comme nous n'étions pas invités… Et cette fois, le père du marié aurait pu s'en charger. C'est la première union de son fils.

— Je pense qu'ils n'ont pas beaucoup d'argent, les parents de notre nouveau gendre.

— Bien, moi non plus ! J'ai déjà marié une fille et j'ai payé la moitié des noces de Marc. Ça devrait être assez !

Puis, comme pour bifurquer du sujet, il ajouta :

— Le repas était bon, cependant, Sophie a fait un choix judicieux. Un bœuf braisé pour moi, un poulet à la moutarde pour toi, deux bons plats au menu. Puis un gâteau de noces de qualité, les cafés allongés, le choix des vins et les digestifs que personne n'a commandés, sauf toi, il ne manquait absolument rien. Tout était bien !

Sans ajouter que lors du repas, à son insu, il avait bu au bar de l'endroit, trois verres de vin rouge et non du blanc !

Chapitre 9

2010, trois années d'écoulées sans trop de changements chez les Vadnet-Drouais. Nicole avait quitté son amant, Guy, après seulement cinq mois de vie à deux. Elle ne l'aimait plus. Pas même le temps requis pour le présenter à Francine et Jules. Néanmoins, durant cette courte liaison, elle avait réussi à visiter la Californie avec lui et il avait réglé ses dettes ainsi que les voyages qu'elle devait à Francine. Un soulagement pour elle ! De cette façon, elle pourrait recommencer à accepter que sa sœur la réinvite à crédit à l'accompagner en voyage, si l'état de santé de Francine le lui permettait. Ce que souhaitait de tout cœur Nicole qui se voyait mal rester sans bouger à Montréal. Et pas question de songer à partir avec Mariette qui avait maintenant vendu sa maison et qui vivait dans une résidence assez haut de gamme qu'elle pouvait se payer avec l'héritage de son père. Le plus loin que se rendait la « vieille fille », c'était à Sainte-Anne-de-Beaupré, en pèlerinage avec les bénévoles de l'immeuble. En autobus, bien entendu, avec une chambre privée et non à deux, le soir à l'hôtel, ce qui lui évitait de partager la sienne avec une autre dame, étant trop timide et trop scrupuleuse pour enfiler ses vêtements de nuit devant une étrangère ou presque.

En janvier 2010, un violent tremblement de terre à Haïti avait fait plus de deux cent mille morts ! Une catastrophe sans pareille que Jules avait déplorée, sachant que la plupart des survivants étaient sans abri et démunis, en plus de pleurer les défunts qui faisaient partie pour certains de leur proche parenté. Francine avait été secouée par ce sombre événement, ce qui ne l'empêcha pas, cependant, de sentir son cœur s'arrêter presque quand elle entendit à la radio, deux mois plus tard, que Jean Ferrat venait de s'éteindre à l'âge de soixante-dix-neuf ans. Elle en avait informé Jules en lui disant :

— Rappelle-toi, c'est lui qui chantait *C'est beau la vie*. J'ai ce disque dans un tiroir de ma commode, je l'écoute encore. Quelle perte !

— Oui, je me souviens de lui, mais ta triste nouvelle, à côté du peuple haïtien, ce n'est rien. Je pense encore aux nombreux problèmes que ces braves gens ont à surmonter pour tenter de reconstruire leur pays.

En avril, Jules travaillait penché sur ses arbustes lorsqu'il fut surpris par une douleur au creux de la poitrine qui le fit regagner de peine et de misère sa maison. Francine, le voyant rentrer dans ce piètre état, s'empressa de composer le 911 et, trente minutes plus tard, Jules était allongé sur une civière à l'hôpital le plus proche où l'on s'affairait auprès de lui. C'était une crise cardiaque, lui qui n'avait pas éprouvé de signes avant-coureurs côté cœur jusqu'à ce jour. Francine, qui était montée dans l'ambulance avec lui, avait pris soin d'apporter sa carte d'assurance maladie et autres papiers avec elle.

— Retourne à la maison en taxi, lui avait-il dit faiblement. Ils vont me garder toute la nuit et demain on verra ce que penseront les cardiologues.

— Non, je ne te quitte pas, je dormirai sur un banc s'il le faut, mais je dois rester auprès de toi. Mon Dieu ! Que s'est-il passé pour que tu en arrives à cela ? Tu as forcé avec un outil trop lourd ?

— Pas de questions, je n'ai pas de souffle ! Va-t'en à la maison et prends de mes nouvelles, ce soir, au poste des infirmières. Allez, va t'étendre sur ton lit, tu n'as même pas ta canne pour te promener dans ces grands couloirs.

Francine n'eut d'autre choix que de lui obéir et, de retour chez eux, elle s'empressa de joindre Marc pour lui annoncer cette mauvaise nouvelle. Inquiet, le fils se rendit chez sa mère et discuta avec elle du sort de son père :

— Que vont-ils faire ? L'opérer ou quoi ?

— Je n'en sais rien, ils vont l'examiner de près demain matin. Je dois rappeler ce soir…

— On devrait y aller, Johanne et moi, et revenir te dire quels sont les derniers développements.

— Ce serait bon de ta part, je n'ai pas la force pour y retourner ce soir. Ça m'a étourdie ces énervements-là.

Marc passa donc chez lui pour prendre Johanne qui se fit un devoir de se rendre auprès de son beau-père, mais lorsqu'ils arrivèrent, Jules, qui gardait un œil ouvert pour observer tout ce qu'on lui faisait, les aperçut se dirigeant vers lui et, fermant vite les yeux, il fit mine de dormir quand Marc lui demanda :

— Ça va papa ? Est-ce qu'on te dérange ?

Une infirmière de garde s'empressa de leur dire :

— Il est fatigué, monsieur, ne lui parlez pas trop, il est sous observation et on va venir au petit jour constater son état. Au fait, je n'ai pas encore consulté son dossier dans les menus détails, il a quel âge, votre père ?

— Soixante-dix ans depuis peu et, comme vous le suggérez, nous n'allons pas rester, ma mère va s'inquiéter. Viens, Johanne, on va retourner chez maman.

Ils quittèrent la salle commune où Jules était couché dans un coin derrière un rideau et, après leur départ, ayant rouvert les yeux, il laissa échapper un soupir de soulagement. En lui-même, malgré la bienveillance de son fils et de sa bru, il murmura intérieurement :

— Lui, oui, mais pas elle !

Dès le lendemain matin, Francine était de retour avec Marc, seul cette fois, au chevet de son mari. Ne le trouvant pas, elle s'informa auprès des infirmières et l'une d'entre elles leur déclara :

— Il est en salle d'opération, madame. On l'a monté dès que les cardiologues l'ont vu, on craignait une récidive.

— Que vont-ils lui faire ?

— Je ne sais pas, nous n'avons pas encore ces renseignements. Je vous conseille de monter au cinquième et de vous informer en cardiologie où l'on va sans doute l'hospitaliser après l'opération.

— Pas moyen de rien savoir avec ces infirmières ! s'exclama Francine à son fils qui était resté sur un fauteuil non loin. Viens, on va monter au cinquième pour en apprendre davantage.

Mais encore là, on leur demanda d'attendre sa sortie de la salle d'opération, on ne pouvait savoir ce qui s'y passait sans être sur les lieux. Marc comprit la situation et s'évertua de convaincre sa mère de s'asseoir et d'attendre qu'on vienne s'adresser à eux. Deux heures plus tard, sans savoir où était son mari, Francine se fit demander par une infirmière :

— Vous êtes madame Drouais ?

— Oui, où donc est mon mari ? C'est fini l'opération ?

— Votre mari vient d'arriver à la chambre 530, vous pouvez le voir. Ce monsieur est avec vous ?

— Oui, c'est mon fils, on peut y aller ensemble ?

— Oui, que vous deux, il faut qu'il se repose maintenant. Allez vite sur les lieux, un médecin est encore sur place, il vous expliquera…

Francine n'attendit pas la fin de sa phrase pour se précipiter avec sa canne vers la chambre mentionnée où elle aperçut son mari, les yeux fermés, blanc comme un suaire…

— Qu'est-il arrivé ? Je suis sa femme !

— Votre époux a subi un quadruple pontage, madame. Tout va bien aller maintenant, mais ne tentez pas de trop le faire parler, ça risquerait de l'épuiser. Il n'a pas fait d'angine avant son grave malaise ?

— Pas à ce que je sache, il était si robuste, il ne se plaignait de rien.

— Bien, prenez-en soin, il lui faudra un long repos à sa sortie de l'hôpital. Mais ne craignez rien, tout va bien aller, l'opération s'est bien passée.

— Merci docteur, murmura Marc qui n'avait encore rien dit. Nous allons veiller sur lui.

Quand Jules finit par ouvrir les yeux et apercevoir à ses côtés sa femme et son fils, il voulut leur parler, mais il était trop faible pour s'exprimer. Francine, les larmes aux yeux, l'empêcha de continuer :

— Ne te force pas à nous raconter, le docteur nous a tout appris. Garde tes forces pour te remettre, on t'a fait un quadruple pontage.

— Je sais… parvint-il à répondre.

— Tu nous as fait peur, on a cru te perdre.

— Mais non, maman, nous étions conscients que papa était assez fort pour passer à travers, ajouta Marc qui en voulait presque à sa mère d'être trop éloquente dans ses propos négatifs.

De retour à la maison après une semaine d'hospitalisation, Jules regagna sa chambre pour à peine en sortir. Non pas qu'il ne se sentait pas assez fort pour le faire, mais les douleurs suite à l'opération le retenaient au lit ou, à deux pas plus loin, dans un large fauteuil. Avec, bien entendu, à portée de la main, les médicaments pour contrer ces douleurs, et le peu de nourriture qu'il pouvait avaler.

Malgré son propre problème de santé, Francine le veilla jour et nuit les premiers temps, pour ensuite avoir recours à une infirmière privée pour une semaine ou deux. Puis, après le départ de cette dernière, reprenant son rôle, elle s'était assise près de lui un soir pour lui avouer, les larmes aux yeux :

— Si tu savais comme je t'aime ! S'il avait fallu que tu n'en réchappes pas, je serais morte avec toi ! Ne t'avise plus jamais de songer à partir avant moi, Jules Drouais ! Je ne te survivrais pas. Tu m'imagines vivre sans toi ?

Il lui prit la main, la pressa dans la sienne et lui répondit avec un sourire :

— On ne peut quand même pas s'en aller ensemble… C'est la décision du bon Dieu, tout ça.

— Peut-être, mais que ce soit moi et non toi, la première. Et puis à ce propos, puisque tu parles de cela, j'irai à la messe demain afin de prier pour toi. Et j'allumerai le gros lampion que j'ai promis à sainte Anne si elle te ramenait à la maison.

La regardant avec tendresse, il ajouta :

— Je ne te le dis pas souvent, mais je t'aime, Francine, de toute mon âme depuis le premier jour. Et je ne t'en dirai pas plus, j'ai peur de sentir une larme tombée de mon œil sur ma joue.

Étonnée d'un tel aveu et ne sachant quoi répondre, Francine lui prit la main et, la posant sur son cœur, l'humecta ensuite de baisers plus que touchants.

La maladie de Jules les avait vraiment rapprochés l'un de l'autre. Ils avaient réalisé qu'ils ne pouvaient vivre ensemble en s'obstinant sans cesse et, comme Francine était plus souvent en faute que lui dans ce domaine, elle avait fait amende honorable à l'église en allumant son gros lampion et en promettant au Ciel d'être indulgente si, de son côté, il ne l'épuisait pas trop avec ses remarques désobligeantes sur bien des gens. Quoique, en se taisant, elle allait endurer son caractère grognon en prêtant moins l'oreille à ses fortes opinions qu'elle allait devoir prendre avec un grain de sel. Deux mois plus tard, alors que la santé semblait revenir dans les artères de Jules, Francine lui arriva un beau matin avec un adorable petit chat roux dans les bras.

— Regarde ! Je l'ai trouvé sur notre patio hier soir, il était affamé, je l'ai nourri et il a l'air de vouloir rester. Il n'a pas de médaille au cou, rien pour l'identifier, mais il est si mignon… Devrions-nous le garder ?

— Bien sûr, donne-le-moi un instant…

Puis, le cajolant et devant les ronronnements du chat qui venait de l'accepter, Jules, qui aimait les animaux avait dit à sa femme :

— Pourvu qu'on ne vienne pas nous le réclamer !

C'est ainsi que Tutti fit son apparition dans la maison des Drouais pour y vivre un second destin. Il n'était pas vieux, le vétérinaire l'avait affirmé à Francine. On l'avait sans doute abandonné, il était maigre, ce que Francine allait vite régler en lui achetant les petites boîtes de nourriture les plus chères et en le gâtant de temps à autre avec des foies de porc bouillis dont le chat semblait raffoler. Pas dérangeant, ce petit animal, il était presque toujours sur les genoux de Jules, qui se l'était approprié pour le grand bonheur de Francine, qui éternuait souvent quand il s'approchait d'elle. Une allergie ? Probablement, mais qu'elle allait surmonter pourvu que son mari soit heureux d'avoir un si gentil compagnon avec lui. Quand Jules sortait sur son balcon arrière pour regarder son terrain, le chat le suivait, mais se dégageait bien vite de son maître quand un écureuil avait l'audace de descendre de l'un des arbres. C'était un chasseur, ce petit rouquin, et Jules s'en aperçut rapidement, car il ne tolérait aucun autre animal sur le terrain, autant un chien qu'un ver de terre !

Mauvaise nouvelle cependant, mais pas du côté de la santé cette fois. Sophie avait appelé sa mère pour lui dire que son union avec André battait de l'aile après trois ans de mariage :

— Qu'est-ce qui se passe, Sophie ? J'ai remarqué que tu venais souvent sans lui dernièrement. Est-ce à cause des enfants qui ne sont guère faciles depuis qu'ils sont adultes ?

— Non, pas vraiment, même si André s'est distancé de Vincent, et pour cause ! C'est un voyou, ce garçon, pas moyen de lui mettre du plomb dans la tête ! Dix-neuf ans seulement et déjà quatre blondes derrière lui ! Il n'est pas satisfait longtemps, il en cherche toujours une autre. André a tenté de lui parler, de le raisonner, mais il l'a envoyé promener. Inutile de te dire que mon cher époux s'en est éloigné pas à peu près. Pis Maxime, qui réussit mieux que son frère dans les études, s'est épris d'une Mexicaine de son âge à l'école. Dix-huit ans seulement et il parle déjà de la marier quand il fera assez d'argent. Mais où ? Il travaille dans un dépanneur les fins de semaine, ce qui ne le rendra pas riche, et pour les études, c'est encore moi qui paye avec ce qu'il me reste de mon salaire.

— André s'est éloigné de lui aussi ?

— Non, c'est Maxime qui, après les incidents avec Vincent, supportait mal les reproches d'André en ce qui concerne ses projets avec Frida.

— Frida… je suppose que c'est sa Mexicaine, celle-là ?

— Oui, assez fine, de belles manières, mais ce n'est pas la plus brillante de son école, ça fait deux fois qu'elle tente de terminer son secondaire. On dirait que ça ne rentre pas. Elle parle d'aller travailler à temps plein, d'abandonner ses études, et Maxime l'approuve. Il prétend qu'avec une bonne job il va réussir à la faire vivre. Imagine ! Dix-huit ans tous les deux, maman, des adolescents majeurs, mais encore aux couches.

— Ce qui ne m'explique pas ce qui ne va pas entre André et toi.

— C'est de nature matrimoniale, maman. Il s'est mis dans la tête de vouloir un enfant à quarante ans, alors que je lui ai dit que je n'en désirais pas. Souviens-toi, il avait accepté cette condition quand je vous l'avais présenté. Il ne voulait que moi, que moi seule. Il semblait m'adorer ! Mais le temps a terni ses sentiments, car depuis quelques mois, vu ses absences à répétition, j'ai fini par découvrir qu'il était amoureux d'une fille de vingt-cinq ans. En plein ce qu'il lui faut pour lui donner un enfant. Et à part ça, je l'ai vue, maman, et elle n'a rien à m'envier côté apparence. D'autant plus qu'avec mes presque trente-neuf ans, j'ai la taille plus épaisse que la sienne et le besoin charnel moins évident sans doute. Non pas qu'André en demande tant de ce côté, mais avec cette envie de paternité, je ne veux pas prendre de chance. Je ne veux plus d'enfant et je vais aller voir le médecin pour une ligature des trompes si ça continue. Il y a toujours des limites à dialoguer avec un homme qui dit t'aimer et qui change d'idée de jour en jour quand il est contrarié.

— Non, ne fais pas cela, pas de mutilation de la sorte à cause de lui, Sophie. Si ça ne fonctionne plus entre vous deux et qu'il te trompe avec une autre sans trop s'en cacher, vous n'avez qu'à rompre, à vous quitter, et à vivre en paix l'un sans l'autre. Ne le retiens pas de force s'il compte partir, Sophie. Tu as encore un bon bout de chemin à faire sans lui, si tu en arrives à cela.

— Tu as sans doute raison, mais comment faire ensuite avec deux gars encore aux études et à la maison, incapables de se faire vivre eux-mêmes? Je m'en arrache déjà les cheveux rien qu'à y penser!

— Tu veux que je lui parle, Sophie? Que je sois directe avec lui?

— Non, maman, surtout pas! Ça risquerait de se retourner contre moi. Et je ne veux pas que tu racontes ça à papa, il se remet à peine de son opération qui a failli lui coûter la vie. Non, ne va pas plus loin, j'avais seulement besoin de me confier, maman, et je suis assez vieille pour régler mes problèmes de couple avec lui. Je vais finir par crever l'abcès, ne t'en fais pas. Ce qui me choque, c'est que je me croyais engagée avec lui pour la vie et voilà que ça risque de se terminer ainsi. Pas chanceuse en amour, moi! Contente d'avoir enfin trouvé, je serai bientôt deux fois divorcée.

— Tu y penses déjà, tu en es rendue là, ma fille?

— Bien voyons, maman! J'ai ma fierté, non? Tu penses que je vais continuer de défaire notre lit chaque soir pour un homme qui couche avec une autre? Non! Une bonne discussion et, s'il le faut, une séparation pour commencer. Ensuite, selon ses intentions, ce sera le divorce. Je suis une Drouais avec le caractère et l'orgueil de mon père, et je ne laisserai pas mon mari faire de moi, dans cette histoire de fesses avec sa petite garce, le dindon de la farce !

Jules, un peu avant l'été, avait dit à Francine :

— J'en ai assez d'être toujours ici entre ces murs. Puisque je ne peux plus travailler comme avant sur mon terrain et que je confie tout à des paysagistes, je ne passerai pas les mois chauds à lire tout simplement et à regarder des films en location. Il nous faut voyager, Francine, sortir de la maison un peu.

— Mais, pour aller où avec notre état de santé ? Toi et ton angine, moi et mes pertes d'équilibre...

— Je sais et je ne parle pas d'aller loin, juste un déplacement dans une autre province. Tiens ! comme se rendre chez Renée au Manitoba ! Elle serait contente de nous voir arriver, William aussi.

Devinant qu'il avait déjà panifié ce déplacement avec Renée quelques jours auparavant, elle sourit et lui répondit narquoisement :

— Que te conseille Renée, la voiture ou l'avion ?

— Rien, voyons, je viens juste de penser à cette destination.

— À d'autres, Jules ! Tu as toujours eu le malheur de mal mentir. Mais je ne t'en veux pas, ça me convient à moi aussi. Un petit séjour chez elle où tout est calme, loin des énervements que me cause Nicole. Elle veut aller en Espagne avec moi, celle-là ! Comme si je serais à l'aise avec une canne dans les rues de Madrid ou de Barcelone ! Elle ne pense qu'à elle ! Cherchera-t-elle à revenir à Montréal avec un Espagnol, cette fois ? Comme elle est revenue des Philippines avec Rodrigo, autrefois ? Non, je préfère de beaucoup l'accalmie de Winnipeg, avec l'hospitalité de notre fille et de son mari, si tu parviens à t'en accommoder !

— Oui, la maladie m'a changé, je vais être plus courtois avec lui, je ne le vois jamais ou presque, on va bien s'arranger tous les deux.

— Bon, dans ce cas, j'accepte de te suivre et de confier Tutti à Mariette qui le gardera durant notre absence.

— Pauvre chat ! Il va s'ennuyer à mourir !

— Arrête, elle en prendra grand soin. Mais comment comptes-tu te rendre à Winnipeg. En voiture ?

— Non, ce serait trop épuisant pour moi et comme tu ne conduis pas sur les autoroutes, ce ne serait pas reposant pour toi non plus. Juste à penser à traverser l'Ontario qui n'en finit pas me tue. J'aimais ça pourtant, mais tout a changé maintenant. Et ne me parle pas de l'avion, mon cardiologue me le déconseille, ça pourrait causer des phlébites. Il ne veut pas me voir en haute altitude après une telle opération. Non, j'ai trouvé, nous irons en train, Francine, en première classe avec les repas et la *roomette* pour dormir s'il y a lieu. J'attendais ta réponse avant de commencer à réserver.

— Bonne idée ! Je n'ai jamais pensé à me rendre chez elle en train. Une solution pour toi comme pour moi, je n'aime pas particulièrement l'avion moi non plus, je serai beaucoup plus détendue dans un train. Alors, vas-y, appelle-la, ta Renée, et dis-lui qu'on va arriver cet été quand on aura décidé des jours qui lui conviennent aussi. Une semaine, pas plus, cependant, j'aime bien dormir dans mon lit, moi. Oui, rappelle-la et parle-lui du début de juillet si possible, ce serait un bon moment pour nous y rendre. Et comme William sera en vacances…

Imprévisible comme toujours, Sophie téléphona à sa mère une semaine plus tard pour lui dire :

— Maman, c'est fait ! André et moi sommes séparés. Il a bouclé ses valises comme je le lui ai demandé, puis il a pris le bord pour se rendre sans doute chez sa p'tite jeune qui vit en appartement.

— Il n'a pas tenté de rester ? De s'amender ?

— Tu crois ? Même pas, il est choyé aux as par sa p'tite… Je me retiens, maman ! Mais il a même eu l'audace de me dire qu'il en avait assez de coucher avec un poisson mort ! Il m'a traitée de femme frigide, peu romantique, sans aucune sensualité, d'où le poisson mort qui est venu en dernier ! J'ai failli lui lancer mon verre au visage !

— Dis donc, ça n'a pas été long depuis notre conversation… Tu l'as provoqué, j'imagine ? Telle que je te connais…

— Si tu veux, mais moi, le voir rentrer avec l'eau de toilette de l'autre qui empestait la maison, ça m'a mis hors de moi. Pas même la bonne idée de prendre une douche avant de partir de chez elle ! C'est plutôt lui qui m'a narguée. Il cherchait à me quitter, mais ne savait pas comment faire. Je lui ai simplifié la tâche, même si je vais souffrir un peu sur le plan budgétaire pour un certain temps.

— T'en fais pas, on va t'aider si tu es mal prise, Sophie.

— Tu dis « on », tu as déjà parlé à papa de nos discordes ?

— Non, pas encore, mais là, je devrai le faire. J'aime bien le ménager, mais il doit apprendre la vérité. D'autant plus que « sa chouette » comme il t'appelle, ne doit souffrir en aucun temps. Ni d'argent ni de personne. Il va sûrement te rappeler quand je lui aurai tout raconté, mais attendons, je connais ses bons et ses mauvais jours depuis son opération. André est parti en saluant les jeunes ?

— Tu penses ? Il n'a même pas attendu que Maxime revienne de ses cours. Il est parti sans avoir rien à leur expliquer. Lui qui a joué au hockey et au tennis avec eux. Il a oublié ces belles années…

— Faut croire qu'eux autres aussi, par contre ! Ils s'étaient éloignés de lui…

— Oui, je sais, mais c'est sans importance qu'il soit parti sans les voir. Ils vont s'en remettre comme d'un jouet brisé. Vincent, avec encore une nouvelle blonde et Maxime, avec sa Frida accrochée à lui comme une sangsue. Bon, je te laisse, maman, j'ai la chambre à nettoyer et le lit à défaire pour le refaire ce soir avec des draps et des taies d'oreillers neufs. Pour moi seule, maintenant !

Le soir, après le souper, Francine annonça à Jules, sans le brusquer, que Sophie et André s'étaient séparés. Sans s'emporter, sans trop s'en mêler, il avait répondu :

— Je sentais ça venir, Francine, ils ne nous visitaient plus tous les deux. André m'a vu qu'une seule fois après mon opération. Avec le temps, j'ai compris qu'entre eux ça n'allait plus. Il est parti sans lui causer d'ennuis, j'espère ?

— Oui, sans un mot de trop, l'autre l'attendait à son appartement. Il a décidé d'avoir un ou deux enfants, ce que Sophie ne voulait pas.

— La paternité tardive, comme ça arrive chez bien des gars. Bon, pas trop découragée, la petite ?

— Non, un peu anxieuse sur le plan monétaire, mais ça devrait aller…

— Laisse-moi ça, Francine, je vais l'appeler demain soir.

Et c'est ce que fit Jules qui, sans aucun reproche à sa fille, lui avait dit après sa brève confession :

— Ne t'en fais pas avec ce que tu ne recevras plus de lui, côté argent, je m'en chargerai. Je serai toujours là pour toi, ma chouette.

— Tu n'es pas trop dépassé par cet autre échec, papa ?

— Non, mais je ne voudrais pas que ce soit un « Jamais deux sans trois ! » La prochaine fois, arrange-toi pour être bien certaine que l'amoureux ou le mari en question soit sur la même longueur d'onde que toi.

— Non, plus jamais, papa ! C'est fini les hommes pour moi !

— Voyons, Sophie, tes deux enfants devenus grands vont partir un jour et, penses-y, tu n'as même pas quarante ans ! Une jolie femme comme toi…

Le séjour à Winnipeg s'écoula tel que souhaité par le couple. Renée les avait bien accueillis tous les deux, Philippe aussi, et William, présent à la gare pour les prendre en voiture avec sa mère, leur avait sauté dans les bras. Un beau et grand garçon de dix-sept ans, à ce moment-là. Studieux et sérieux, il avait plu à Francine qui s'était mise sous son aile tout au long de leur séjour. Pour aller dans les musées comme pour visiter des centres d'achats, William était devenu sa canne de remplacement, elle lui tenait le bras constamment. Jules fit des efforts pour être aimable avec son gendre qu'il n'aimait pas plus que sa bru, ce qui embarrassait Francine qui remarquait qu'il ne lui parlait pas beaucoup, malgré les promesses faites avant le départ. Renée, discrète à souhait, ne questionna pas trop sa mère quand elle apprit que Sophie avait divorcé de son second mari. Pas trop proche de sa petite sœur, elle ne lui voulait aucun mal, mais ne cherchait pas à savoir ce qui lui arrivait de bon. Tel était le lien qui les unissait toutes les deux. Mais Renée s'informa de Marc et de Johanne, qu'elle aimait bien, de sa tante Mariette et de sa vie incolore, la pauvre femme. Un peu moins de tante Nicole et très peu de Vincent et Maxime, les fils de Sophie, de l'âge de William à peu près. À table, Francine échangeait beaucoup avec son gendre, Jules, un peu, pas souvent. Mais, somme toute, leur séjour fut agréable et Winnipeg leur plaisait énormément. La ville était très propre, les restaurants de qualité et les centres d'achats comblaient Francine. Bref, tout semblait leur convenir, il n'y avait pas de violence au cœur de cette ville. Et ce, même si Jules avait trouvé le passage en train, spécialement au Manitoba, d'une monotonie sans pareille. Ils quittèrent donc la jolie maison de leur fille après une semaine et reprirent le trajet qui les ramènerait à Montréal. Un long parcours durant lequel Jules sommeilla beaucoup pendant que Francine, entre les repas, se replongeait dans la biographie de la regrettée Martine Carol, la *Madame du Barry* de l'écran, un livre de 1979 emprunté à la bibliothèque de son quartier. Arrivés en gare, ils descendirent et récupérèrent leurs bagages pour ensuite apercevoir Marc qui venait les prendre avec son fils Luc, dans sa voiture neuve, pour les ramener à la maison où Mariette les attendait avec Tutti qui semblait heureux de retrouver son maître. Puis, voyant que Jules et Francine avaient fait un bon voyage et qu'ils avaient apprécié leur séjour, Marc et Luc repartirent non sans déposer la tante Mariette en chemin. Et Jules fit une autre sieste dans son fauteuil avec son chat sur les genoux, pendant que Francine faisait dégeler un pâté au poulet pour un petit souper à deux, plus tard, en soirée.

À peine deux jours après être revenus de Winnipeg, Francine reçut un appel de Manon, la femme de Claude dit Baquet, qu'elle connaissait très peu, elle ne l'avait rencontrée qu'à leur inqualifiable mariage. Cette dernière voulait parler à Jules, c'était urgent, disait-elle. Craignant le pire, Francine passa le récepteur à son mari qui répondit sans le moindre empressement :

— Oui, que me voulez-vous ?

— Ben voyons, lâche le vous, j'suis ta belle-sœur !

— On se connaît très peu, madame, que puis-je faire pour vous ?

— Madame en plus ! Manon, viarge ! As-tu renié ton frère, toi ?

— Bon, qu'est-ce qu'il a Baquet ? On s'est perdus de vue lui et moi.

— J'sais, mais là, vous allez vous retrouver parce que ton frère est mal pris, y a pas une cenne, moi non plus, pis y a besoin de ton aide ! On a des dettes par-dessus la tête…

Jules l'interrompit brusquement pour lui demander :

— Il est là, Baquet ? Passez-le-moi !

— Pas question, c'est moi qui t'ai appelé, c'est à moi qu'tu vas parler ! Pis là, écoute-moi bien, t'as pas mal de foin à la banque, un p'tit cinq mille piastres, tu peux nous prêter ça, non ? J'dis prêter, mais entre nous, un don ferait mieux notre affaire.

— Ah oui ? Et pourquoi donc ?

— Parce que t'en as d'collé, c't'affaire !

C'était le comble et ne pouvant supporter cette Manon une minute de plus, Jules lui avait raccroché, d'un coup sec, la ligne au nez. Étrangement, la belle-sœur effrontée n'avait pas rappelé, retenue sans doute par Baquet, et comme ce dernier n'était en rien malade ni à l'agonie, Jules en avait déduit qu'il ne lui devait rien. Son frère aurait-il trépassé que Jules se serait contenté d'envoyer à sa femme mal engueulée qu'un pot de fleurs bon marché !

L'automne se manifesta et Francine, toujours avide de nécrologics chez les vedettes, apprenait à Jules en octobre que la chanteuse Colette Renard venait de mourir à quatre-vingt-six ans. Jules, qui ne la connaissait pas et qui ne se souvenait même pas de son nom, répondit à sa femme pour lui faire plaisir : «Elle avait une très jolie voix de soprano, cette chanteuse.» Ce qui n'était pourtant pas le cas. Puis, c'était à son tour d'annoncer à sa femme, qui ne le savait pas, que l'acteur américain Tony Curtis était mort le 29 septembre à quatre-vingt-cinq ans, selon une source qui en avait un peu parlé.

— Ah oui ? lui avait répondu Francine qui se levait à peine de sa nuit. C'est de valeur, mais je ne l'aimais pas tellement, lui. Il n'a jamais fait de grands films…

— Ben voyons, *Trapeze* avec Burt Lancaster et Gina Lollobrigida, tu ne t'en souviens pas ?

— Oui, mais ce n'était pas Robert Hossein ton Curtis, et encore moins Alain Delon !

— Recommence pas avec tes acteurs français qui sont meilleurs que ceux des États-Unis et de l'Angleterre selon toi, je ne suis pas d'accord. Quand on pense à un Alec Guinness qui a reçu tant de trophées, dont un Oscar…

— Alec qui ?

Mais novembre, avec ses temps sales et pluvieux, allait apporter une éprouvante contrariété chez les Drouais. En ce premier vendredi, le 5 au matin, alors que Francine s'était rendue avec sa canne dans un grand magasin à rayons, elle était montée au deuxième étage pour voir les draps qu'ils annonçaient en vente. Ayant effectué son achat, elle redescendit, mais perdit l'équilibre dans l'escalier mobile pour se retrouver six marches plus bas avec la canne partie au loin et des badauds en train de la déprendre de sa fâcheuse position, rendue à la dernière marche qu'elle bloquait avec son corps. On avait fait venir Urgences-santé et elle fut conduite à l'hôpital où on la garda sous observation après avoir averti Jules de l'accident. Sans perdre une minute, Jules arriva sur les lieux et trouva Francine à l'urgence avec deux médecins à côté d'elle, dont l'un évaluait les blessures subies. Fort heureusement, ni la colonne ni la hanche n'avaient été touchées. Mais elle s'était brisé un os de la cuisse dans sa chute et on devait la mettre dans un plâtre pour un mois, ce qu'on allait faire au premier étage, après lui avoir donné un cachet pour contrer les douleurs. En milieu d'après-midi, retenue dans une chambre à deux où elle était seule cependant, elle reçut Jules avec son plâtre qui montait jusque dans l'aine et, assise sur le lit, elle le regarda et se mit à pleurer. Jules la réconforta :

— Allons donc, ce n'est pas si grave, je vais te ramener et prendre soin de toi à mon tour, ne t'en fais pas. Mais comment as-tu fait pour trébucher ? Une perte d'équilibre ou une chaussure accrochée sur le bord d'une marche ?

— Non, j'ai eu un terrible étourdissement qui m'a presque causé un évanouissement. Chanceuse que l'escalier roulant ne soit pas trop bondé, il n'y avait personne en avant de moi, sauf un homme rendu en bas. C'est d'ailleurs lui qui m'a secourue, il avait entendu le vacarme derrière lui. Je ne peux plus sortir seule, Jules. J'ai ma leçon. Et, dis-moi, on a retrouvé ma canne ?

— Oui, ne t'en fais pas, on m'en a averti et j'irai la chercher lundi ou mardi, ou je demanderai à Marc de passer la prendre. On ne va pas te garder ici, tu sais. Le médecin va signer ton congé ce soir et tu reviendras à la maison où je vais m'occuper de toi.

— Mais je ne pourrai pas marcher jusque-là amanchée de la sorte ?

— Oui, avec des béquilles et mes bras encore assez forts pour t'y aider… D'ailleurs, Marc s'en vient pour me donner un coup de main.

Et Marc arriva avec sa douce moitié, ce qui fit sourciller Jules, pour aider son père à rentrer sa mère dans la maison avec ses effets, plus son achat de draps que Johanne transportait en plus de son sac à main et celui de sa belle-mère.

Dans les semaines qui suivirent, Jules prit soin de Francine comme elle l'avait fait avec lui lors de son opération. Même si le cas de sa femme n'était pas aussi grave, il eut autant d'attention pour elle afin qu'elle reste dans son lit ou dans une chaise longue, et qu'elle se déplace le moins possible avec ses béquilles, allant jusqu'à lui préparer ses repas qui consistaient le plus souvent en des sandwichs, des pâtes avec sauce et des salades de légumes. Ce qui permit à Francine de perdre du poids durant sa convalescence. Le soir, au coucher, il lui demandait sans cesse :

— Tu n'as pas mal ? Ça s'endure ce gros plâtre dans ton lit temporaire ? Tu aimerais avoir un oreiller de plus ? Bref, il la couvait comme on le fait d'une enfant qui a trébuché et qui se plaint d'une éraflure au genou. Ce qui impatientait Francine qui, sans le lui dire, faisait ses propres efforts pour se sortir d'embarras.

— Il ne faut plus te hasarder seule dans ces grands magasins à escaliers mécaniques, c'est trop dangereux pour toi. Ne fréquente que ceux qui sont au rez-de-chaussée avec aucune marche à grimper pour y entrer. Avec Mariette, tu ne risqueras rien. Avant que je l'oublie, j'aimerais te dire que Nicole va venir passer l'après-midi avec toi, elle a téléphoné tantôt.

— Ah non ! Elle m'énerve ces jours-ci, celle-là ! Elle veut juste venir se pavaner et me faire voir ses achats récents, dont trois paires de souliers. Imagine-toi donc qu'elle porte encore des talons hauts à son âge ! Soixante et onze ans et juchée sur ses quatre pouces comme une poule sur une clôture ! Pour me narguer évidemment ! Elle aime me montrer qu'elle est toujours jeune et vive d'allure, sans égard pour moi qui, avec mes pertes d'équilibre, chausse des souliers à talons plats pour ne pas m'enfarger dans ma canne ! Va-t-elle venir seule ?

— Non, avec Mariette qu'elle va prendre en passant.

— Voilà qui est mieux, même si Mariette va se retenir de parler pour ne pas me déranger. Ce qui va permettre à Nicole de prendre tout le plancher ! Ah ! Seigneur ! Comme si j'avais besoin de ça aujourd'hui !

— Ne t'en fais pas, je serai là et tu me feras un petit signe de ton auriculaire quand tu en auras assez et je m'arrangerai pour qu'elles partent et te laissent te reposer. Comme ça, la visite sera écourtée selon ta volonté.

— Ça va, tu es bien bon pour moi, Jules, mais on ne peut pas dire que l'année qui s'achève aura été généreuse pour nous deux.

— Non, en effet, mais il faut considérer que les épreuves du bon Dieu rapportent des indulgences.

— Oui, tout comme celles de sainte Anne.

Décembre, son temps des Fêtes, et Francine insista pour que le souper de Noël se passe chez elle, ce qui lui éviterait de sortir ou de glisser quelque part. Depuis sa chute, méfiante de sa condition physique, elle longeait les murs au lieu de se risquer et se fier seulement sur sa canne. Elle chargea Sophie de tout aller acheter et de venir préparer le repas familial avec elle. Côté présents, elle avait demandé à Jules d'aller acheter des chèques-cadeaux pour ceux et celles qui seraient de la fête. La veille de Noël, délivrée de son gros plâtre, elle avait demandé à Jules de la conduire à la messe de minuit à l'église près de chez eux. Sur les lieux, écoutant les cantiques dès son entrée, elle sentit une larme lui effleurer le dessus de la main. Très émotive, elle avait toujours été sensible à l'ambiance des célébrations de Noël et, cette fois, plus que de coutume. Le *Minuit, chrétiens* chanté par un baryton de la paroisse lui avait fait vibrer le cœur. Puis, les enfants qui avaient entonné en chœur le *Adeste fideles* l'avaient remuée. Elle revoyait Marc à leur âge, dans la chorale, puis Renée et Sophie, tour à tour, avec leur voile de communiante. Et que dire des cloches de l'église qui la faisait frémir à la sortie. C'était comme si le petit Jésus de la crèche qu'elle était allée prier lui signifiait que les jours à venir leur seraient bénéfiques. Jules avait allumé de gros lampions et Francine ne lui demanda pas pour qui. Elle savait que l'un d'eux était pour elle, évidemment. Puis de retour à la maison, ils avaient écouté des airs de Noël comme chaque année, et Jules avait des frissons quand il entendait *Petit Papa Noël* par Tino Rossi, la chanson préférée de sa grand-mère quand il était enfant, devenue la sienne avec les ans. Près du feu de foyer, ils s'embrassèrent, Francine lui murmura : « Je t'aime », il lui répondit : « Moi aussi ».

Le lendemain, au souper habilement préparé par Sophie avec l'aide de sa mère pour ce qu'elle pouvait faire, les fils de Sophie ne se présentèrent pas, Vincent était chez sa blonde et Maxime fêtait avec sa Mexicaine dans un restaurant avec les parents de celle-ci. Nicole s'amena les bras chargés de cadeaux et habillée comme une poupée de trente ans, avec quarante et un de plus sur les épaules. Mariette suivait avec un gâteau aux fruits confectionné par les bénévoles et vendus aux résidentes. Marc, Johanne et leurs filles se joignirent au groupe. Karine, très belle, vêtue de vert, et Marie-Ève qui avait demandé si son amoureux pouvait se joindre à eux. Luc, le fils de Marc, n'était pas venu, il soupait avec sa femme chez ses beaux-parents. Jules, craignant bien d'être le seul mâle assis à table, Marc étant sans cesse debout à servir avec Sophie, fut ravi de voir arriver l'amoureux de Marie-Ève, ce qui le sauvait de se sentir comme un seul homme parmi les femmes. Ce que Karine se serait empressée, pour le taquiner, de souligner. Renée, Philippe et William se manifestèrent au bout du fil et, la soirée terminée, alors que tous rentraient chez eux, Jules se fit une joie de dire à sa femme :

— T'as vu, Francine, je n'ai pris que deux verres de vin ce soir, du blanc seulement !

— Oui, je t'observais, mais tu n'avais pas le choix, je n'ai pas fait ouvrir le rouge. Avec de la dinde, le blanc était plus approprié. Alors, vante-toi pas trop de ton exploit, t'avais rien à combattre sans le rouge sur la table !

Il éclata de rire et, au moment du coucher, alors qu'il priait pour toute la parenté, Francine, dans le boudoir, encerclait la statue de sainte Anne d'un chapelet de perles satinées, en l'implorant tout bas : « Demandez donc, s'il vous plaît, à l'Enfant-Jésus, votre petit-fils bien-aimé, de protéger le cœur de Jules en cette nouvelle année. »

Chapitre 10

Cinq longues années avec ses quatre saisons, et Francine s'apprêtait à se rendre au mariage de son petit-fils Maxime avec Frida, sa Mexicaine qu'il fréquentait depuis longtemps. Il avait attendu d'être plus mûr, d'avoir un emploi stable avant de convoler avec sa dulcinée, d'autant plus que celle-ci avait bûché pour se trouver un travail avec ses difficultés en langue française. Elle avait enfin déniché un job dans une station-service reconnue où elle était caissière. Car compter n'était pas un problème pour elle. Lui, de son côté, était assistant-gérant dans un entrepôt de matériaux de rénovation, ce qui requérait les muscles qu'il avait. Sophie leur avait trouvé un logement dans un triplex où le loyer était abordable. Donc, un bon départ pour le jeune couple qui s'aimait comme au premier jour. Jules n'avait pas voulu assister à ce mariage de troisième ordre, comme il disait à sa femme, prétextant une santé très instable pour s'en soustraire, même si depuis son attaque cardiaque suivie de son opération et maintenant son angine plus que passagère, il pouvait se permettre des sorties et activités au gré des jours. Et ce, bien portant ou malade à certains moments. À soixante-quinze ans révolus, de plus en plus grognon en raison de sa condition physique, il faisait souvent un pas en avant, un autre en arrière. Et Francine supportait ses changements d'humeur, se disant que son angine ne pouvait le garder déluré et souriant quand les crises survenaient. Surtout l'hiver avec ses vents forts et son humidité presque constante. Retenu à la maison la plupart du temps, Jules regardait la télévision ou lisait quand le cœur lui en disait. Récemment, il avait plongé dans la biographie de Bernadette Lafont, l'actrice et compagne de vie du comédien Gérard Blain, que sa femme avait laissé traîner au boudoir et qu'il déposait souvent, peu intéressé par la vedette et son histoire. Mais il allait le poursuivre jusqu'à la fin, Jules ne délaissait jamais un livre en chemin, s'il l'avait commencé.

Or, en ce samedi de 2015, il n'assista pas au mariage de son petit-fils. Francine, accompagnée de Nicole fut de la noce, ce qui permit à toutes deux d'offrir de bons présents en argent au jeune couple qui apprécia ce geste de leur part. Cassés comme des clous, ces cadeaux inattendus les rendraient plus à l'aise un certain temps. Donc, Sophie avec son autre fils, Vincent, mal attriqué, sous les effets du cannabis ou d'une substance quelconque, avec une fille du même style que lui à son bras, puis la tante Nicole, grand-mère Francine et la parenté de la mariée étaient tous de la cérémonie et de la fête qui allait suivre. Aucune cousine, ni Karine ni Marie-Ève, aucun cousin et pas même l'oncle Marc et tante Johanne, qui avaient pourtant été invités. Seulement trois ou quatre autres personnes du côté de la jeune épouse. Une bénédiction nuptiale de courte durée et Frida, dans sa robe blanche achetée d'une femme qui l'avait déjà portée, avec Maxime dans son complet du dimanche avec un nœud papillon trouvé dans un tiroir la veille pour sa chemise blanche, se rendirent dans un restaurant mexicain où un léger buffet agrémenté de vin allait être offert aux invités. Puis, un gâteau d'un seul étage avec un petit couple sur le dessus, des prises de photos, et la fête était terminée. Réception peu coûteuse payée par le père de la mariée qui, sans être riche, avait tout réglé du lunch, le vin compris. Un bon geste de sa part, il semblait fauché le pauvre homme, mais gardait sa fierté. Sortant de l'endroit, Nicole avait dit à Francine, à bord de la voiture :

— Ça fait pitié ! Se marier juste une fois et ne pas être capables de se permettre quelque chose de plus respectable. Je suis touchée cependant par l'attitude de Maxime qui avait l'air si heureux, peu lui importait l'ambiance de ce restaurant et le peu de choix qu'il y avait au buffet. Il me semble que Sophie aurait pu leur aider…

— Elle a tenté de le faire, mais le papa de Frida s'y est opposé, alléguant que c'était au père de la mariée de défrayer le coût de cette journée. Orgueilleux malgré son peu d'argent, selon sa fille, il voulait faire bonne figure devant les invités.

— Nous étions pourtant peu nombreux, mais l'important, c'est que Maxime paraissait fier d'avoir sa Frida à son bras, il attendait ce jour-là depuis ses dix-huit ans.

— Oui, mais as-tu vu de quoi avait l'air Vincent ? Il n'est déjà plus le beau garçon qu'il était, adolescent. Il a engraissé, surtout des fesses et du ventre, il est habillé tout croche, il n'était pas rasé, pas même de complet avec une cravate sur une chemise. Il travaille où, donc, pour être si mal emmanché ? Sans parler de sa blonde…

— Sa dixième blonde, Nicole, je ne les compte plus. Je ne sais pas ni où ni comment il gagne de l'argent pour se payer des drogues comme il en prend ! C'est lamentable, et Jules a bien raison de dire que celui-là, c'est le portrait tout craché de son père. Parce que Ricky, que tu as peu connu, n'était guère mieux que son fils aîné.

— Je me souviens de lui, Francine, mais avoue qu'il était plus beau que Vincent à son âge, même s'il avait l'air d'un bum. Et plus jasant que son fils aussi, Vincent ne m'a guère adressé la parole.

— Oui, parce que c'est sans doute difficile d'avoir quelque chose d'intelligent à dire quand on est sous l'effet de la drogue. Au temps de Ricky avec Sophie, les drogues fortes n'étaient pas en cause, ce n'était qu'un voyou qui avait fait des enfants pour ensuite les abandonner à leur mère sans jamais les revoir. Quel père dénaturé !

— Finalement, tout est terminé pour aujourd'hui, mais, avant de rentrer, que dirais-tu d'arrêter quelque part en chemin pour aller prendre une bouchée et compenser pour ce que nous n'avons guère mangé de ce buffet à salades Iceberg avec des pois verts et des carottes coupées en dés ? On aurait dit de la macédoine en canne !

— Bonne idée, Nicole, mais c'est moi qui t'invite.

— Non, moi ! J'ai encore les moyens de payer un repas à ma petite sœur au restaurant.

— Je n'en doute pas, vieille riche ! rétorqua Francine en riant.

Après avoir prétexté un malaise pour ne pas aller aux noces de son petit-fils, Jules Drouais se retrouva quelques jours plus tard à l'urgence de l'hôpital avec une main sur le cœur, l'autre pour sortir sa carte d'assurance maladie, avec Marc à ses côtés qu'il avait appelé pour l'accompagner. Il avait passé la moitié de la nuit très mal en point sans l'avouer à Francine, avec une forte angine qui ne le quittait pas, et c'est pendant qu'elle était au centre d'achats avec Mariette qu'il s'était enfin rendu à l'hôpital avec son fils qu'il avait appelé à l'aide. Il avait tout essayé pour éviter d'y aller : ses médicaments, un autre timbre sur le bras pour enrayer le mal et même une forte dose de sa nitroglycérine en aérosol. Mais rien n'y fit et, avec la peur au ventre, il dut se résoudre à suivre son fils sans plus tarder. Francine, ne le trouvant pas à la maison à son retour, inquiète sans bon sens, avait téléphoné à son garçon. Mais c'est Johanne qui lui avait appris que son mari était à l'hôpital avec Marc. Ne pouvant aller le rejoindre pour l'instant sans Mariette rentrée chez elle, ne pouvant se fier que sur sa canne ce jour-là, elle attendit patiemment que son fils lui téléphone pour lui donner des nouvelles de son père.

Sur place, le cardiologue attitré ordonna une coronarographie afin d'examiner l'état des artères de Jules et, après ce cathéter très inconfortable, on décida de lui installer deux *stents* pour ouvrir celles qui étaient bloquées, qui nuisaient à la circulation du sang et qui lui causaient ce lourd malaise. Ce n'était pas comme la première fois, bien entendu, et le soir même, Jules regagnait son domicile avec Marc qui avait passé la journée à ses côtés, non sans avoir averti sa mère de l'état encourageant de son père. Le voyant rentrer et s'asseoir dans son fauteuil, Francine, dans son affolement, lui avait demandé :

— Qu'est-ce que je peux faire pour toi ? Je suis si nerveuse !

— Non, reste calme, ce dont j'ai besoin, c'est d'un repos de vingt-quatre heures et la reprise du quotidien très lentement. Ils m'ont encore épargné et remis en ordre, mais je dois modérer davantage mon train de vie, je suis lourdement hypothéqué avec ces tuteurs en pleine poitrine non loin du cœur. On ne connaît pas la durée de leur efficacité, mais on croit bien qu'avant deux ans, je n'aurai pas d'autres problèmes de ce côté. Reste à voir…

Francine retrouva donc ses esprits pour dire à Marc qui se faisait couler un café :

— Il me fait de ces peurs quand il se tient le thorax, je me demande chaque fois s'il va mourir dans mes bras !

Puis, se tournant vers son mari, elle ajouta :

— Surveille davantage ton alimentation, Jules. D'ailleurs, je le ferai pour toi. Des légumes verts, moins de bœuf, moins de foie de veau, rien de gras finalement.

— C'est ça ! Pourquoi ne pas tenter de faire de moi un végétarien, un coup parti ? Tu sais que je déteste ça, les légumes, le brocoli en particulier ! J'ai pourtant perdu assez de poids dernièrement, tu veux me rendre squelettique ?

— Non, et ne sois pas de mauvaise humeur pour de simples remarques, je tiens à toi, je tiens à te garder en vie le plus longtemps possible. Je sais que nous allons tous mourir un jour, mais…

Il l'interrompit pour lui répondre d'un trait devant Marc :

— Alors, laisse le Seigneur en décider, Francine ! Tes petits soins me stressent plus que mes malaises. Occupe-toi plutôt de ton état qui laisse à désirer de plus en plus. Il serait temps que tu consultes, tu titubes et tu tombes trop souvent, tu vas finir par avoir besoin de deux cannes !

Les conseils de Jules n'étaient pas tombés dans l'oreille d'une sourde. Francine savait qu'elle devait prendre un rendez-vous, quitte à ne pas aimer ce que lui dirait son médecin de famille. D'autres médicaments, sans doute ? Plus forts et avec des effets secondaires désastreux ? Moins de sorties, plus de repos et de détente à la maison, de légers exercices, moins d'anxiété et les soins à donner à leur chat, ce qu'elle ne faisait pas, elle y était allergique. Bref, elle s'attendait à tout cela, mais après sa consultation et quelques comprimés de plus prescrits par le médecin, Francine se fit dire :

— Il faudrait passer à autre chose, madame Drouais.

— Que voulez-vous dire, docteur ?

— Je pense à un déambulateur…

— Un quoi ?

— Si vous préférez, à une marchette pour vous soutenir. La canne, ce n'est plus suffisant pour vous.

Elle faillit s'évanouir de surprise et de colère.

— Une marchette ? Comme celle des enfants qui font leurs premiers pas ? Vous n'y pensez pas, docteur ? Jamais je ne m'abaisserai à cela, voyons ! C'est humiliant de se promener avec ça parmi la foule. Non, merci, pas pour moi !

— Désolé, madame Drouais, libre à vous, mais vous ne pourrez plus vous rendre loin avec juste votre canne.

Elle ne suffit plus à empêcher vos chutes. Le déambulateur serait plus adéquat pour tous vos déplacements, même
ceux à la maison. Vous ne serez pas la seule, plusieurs personnes les utilisent pour leurs sorties. On s'y habitue, vous
savez…

— Oui ? Pas moi ! J'ai encore trop de fierté pour m'afficher comme une infirme de cette espèce avec une marchette !
Je vais poursuivre ma maladie avec ma canne.

— Libre à vous, madame Drouais, je ne peux vous y
obliger, mais vous allez finir par vous rendre compte que
vous en êtes au stade où vous devrez suivre mon conseil.

Furieuse, de retour chez elle, Francine apostropha son
mari qui la questionnait :

— Imagine-toi donc que le docteur veut que je remplace
ma canne par une marchette ! Ça s'peut-tu me lancer ça en
pleine face ? Il a sorti un autre nom plus distingué que marchette, car il savait que j'allais sauter au plafond avec le nom
commun que tout le monde connaît. Et puis, tu ne parles
pas ? Je l'ai envoyé promener, tu penses bien ! Allez, dis
quelque chose, fais pas juste me regarder la bouche ouverte !
Qu'en dis-tu ? Viens pas me dire que le docteur a pensé avec
sa tête en me suggérant une telle humiliation !

— Oui, j'y pensais moi aussi.

Il va sans dire que Nicole n'avait pas perdu de temps
après sa dernière désillusion. Depuis un an ou presque, elle
avait réussi à attirer un homme âgé dans ses filets. Un veuf
qui avait plusieurs enfants éparpillés ici et là au Canada.
Comme il habitait seul dans un condominium, elle s'était
jointe à lui, mais anticipait un peu plus qu'un cinq pièces

avec autant de voisins sur les étages. Eugène, parce que c'était son nom, avait succombé aux charmes de la septua-génaire qui semblait faite pour lui, malgré l'opposition de ses sept filles et garçons. « C'est ma vie, avait-il dit à Nicole, qu'ils se mêlent de leurs affaires ! »

Les enfants craignaient que cette vieille blonde à l'al-lure dépensière allait laver leur père de son argent, de toutes ses économies et de son condo, ce qui s'avérait leur héri-tage. L'une de ses filles, surtout, n'adressait pas la parole à Nicole quand elle la croisait et Eugène en était si insulté qu'il ordonna à cette dernière de ne plus se montrer chez lui. Eugène, quatre-vingts ans, n'avait cependant pas une santé reluisante. À bout de souffle, il consultait son médecin chaque mois pour tenter de retrouver un peu d'énergie pour contrer ce que sa dulcinée lui enlevait au lit. Parce que Nicole, à soixante-quinze ans, était encore capable de le rendre au bout de son souffle si elle y mettait du sien, avec en tête une idée préconçue. Or, après quatre mois, elle le convainquit d'acheter une jolie maison dans le nord de la métropole. Il hésita un peu et elle lui dit :

— Ce ne sera pas pour y emménager, Eugène, mais comme investissement. Nous la louerons, elle va se payer toute seule et tu y gagneras beaucoup plus qu'avec juste un compte en banque et des placements qui te rapportent peu.

— Mes enfants vont encore chialer...

— Allons, ne leur dis rien et si tu ne veux pas que ça se sache, mets-la à mon nom, cette maison. Du moins jusqu'à ce qu'on la revende d'ici dix ans avec un gros profit.

— Voyons donc, à mon âge, c'est risqué dix ans...

— Alors, quand tu en auras envie, nous trouverons un acheteur, Eugène. Ne t'en fais pas avec ça, tu auras au moins empoché un profit intéressant avec le prix des maisons qui augmente.

Et le vieux, aussi peureux était-il en affaires, se laissa embobiner par sa charmante compagne qui lui cuisinait de si bons plats et qui portait des blousons provocants et des parfums qu'il aimait bien humer lorsqu'il passait près d'elle. Or, à l'insu de la famille, Eugène fit l'acquisition de ladite maison, qui n'était pas si petite qu'il le croyait. Un achat en argent comptant, bien entendu, et Nicole Vadnet, sans arrière-pensée, se disait-elle, se retrouva propriétaire d'une agréable demeure qu'elle allait louer pour un certain temps. Six mois plus tard, Eugène eut un sérieux malaise qui le conduisit à l'hôpital et dont il ne se remit pas. Il va sans dire que ses enfants s'empressèrent de chasser des parages l'intruse qui s'y trouvait encore. Ils enterrèrent leur père et firent en sorte que sa compagne quitte le condo dans les semaines qui suivirent. Nicole ne se fit pas prier, ayant déjà averti les occupants de la maison qu'ils devraient se trouver un autre gîte, qu'elle reprenait possession de son bien pour l'habiter elle-même.

Attendant leur déménagement, elle loua une chambre d'hôtel avec l'argent que le vieux lui donnait et qu'elle avait amassé et, un mois plus tard, après avoir dédommagé les locataires, elle entrait avec ses meubles en entreposage dans la spacieuse demeure achetée en son nom, sans que personne de la famille n'en sache jamais rien. Finis les problèmes avec eux ! Nicole se retrouva donc seule et libre, n'en ayant pas espéré autant en si peu de temps. Elle avait dit à Francine au bout du fil :

— Eugène a levé les pattes, je n'ai pas eu à le quitter, celui-là, c'est lui qui l'a fait.

— Ah oui ? Mais tu vas aller où, maintenant ?

— Dans la vaste maison qu'il m'a achetée et que nous avions louée. Je m'y installe d'ici un mois. En attendant, je loge dans un petit hôtel pas trop cher de la rue Cherrier. Une chambre seulement et le déjeuner inclus.

— Mais comment as-tu fait pour que la maison soit à ton nom ? Tu l'avais convaincu de te faire un tel don ?

— Non, c'était un placement de sa part, mais comme il payait beaucoup d'impôts avec ses autres investissements un peu partout, il ne pouvait l'ajouter à ses biens, tu comprends ? Je te raconterai tout ça quand on se verra.

— Une autre manigance de ta part ! Comment fais-tu pour décrocher des amants aussi vieux soient-ils, à ton âge ?

— Ben, tu viens de le dire, « aussi vieux soient-ils », parce que je suis toujours la plus jeune parmi les vieux et, cela dit sans prétention, encore agréable.

Et c'est ainsi que, propriétaire d'une somptueuse résidence payée et fort bien meublée, Nicole put se sentir à l'aise pour ses jours à venir. Sans vouloir trouver après ce coup de maître, un autre aîné avec qui partager le lit... les yeux fermés !

Or, à soixante-quinze ans à son tour, après avoir appris que sa belle-sœur Nicole était à l'abri des soucis avec sa maison et l'argent qui lui avait été versé généreusement par Eugène, Jules n'avait pas voulu qu'on fête son anniversaire.

Il avait déjeuné au restaurant avec Francine qui lui avait offert ses vœux. Le soir, les enfants s'étaient manifestés et, le lendemain, on avait oublié que le père de cette belle famille avait trois quarts de siècle dans les veines. Et de là, tout s'était ensuivi, les rendez-vous médicaux de sa part comme les fâcheuses visites de Francine à son docteur.

En avril, Jules avait été chagriné d'apprendre la mort du cardinal Jean-Claude Turcotte, ancien archevêque de Montréal à soixante-dix-huit ans. Monsieur Drouais avait toujours eu de l'admiration pour cet homme d'Église, il avait même misé sur lui comme prochain pape. Francine était aussi peinée, partageant les convictions de son mari à l'égard du religieux. Un autre lampion à sainte Anne avait suivi pour l'âme du fidèle défunt que le prélat était devenu. Une chose hantait Jules, cependant, il avait soudainement peur de la mort. Depuis son court séjour à l'hôpital, il craignait que son angine l'emporte subitement. Très croyant, il était pourtant attaché aux biens de la terre, il ne voulait pas quitter sa maison, son quartier, sa paix environnante, sa femme qu'il adorait et son chat Tutti qui était la consolation de ses vieux jours. Il n'était pourtant pas un bon vivant, il se plaignait de tout et de rien, mais il ne souhaitait pas être un « bon mort » parmi les autres morts, avec la sécurité qu'il avait sur le plan monétaire et les quelques voyages qu'il pouvait encore effectuer, même si Francine le suivait à pas raccourcis depuis l'ampleur de sa propre maladie. Il planifiait se rendre avec elle aux Bahamas, ce qu'elle refusa, trop chaud, trop de déplacements à pied rendus là. Il opta pour le Vermont, dans une auberge, ce qui ne plaisait pas à Francine, trop de touristes dans ce coin-là. Finalement, ne pouvant la décider à aller nulle part, il rangea ses cartes géographiques et se contenta de passer l'été à ses côtés, dans leur maison, dans son jardin, sans avoir à placer de nouveau son chat chez Mariette où Tutti risquerait encore une fois de mourir d'ennui. Le grand terrain, le patio avec ses brises du soir, le chant des oiseaux le matin, les venues soudaines des ratons laveurs le soir à la noirceur, et les nuits paisibles au son du tic tac de son horloge murale. Tel était le destin de Jules et Francine, mi-septuagénaire pour lui, pas loin pour elle.

Du Manitoba, Renée avait téléphoné à sa mère pour lui annoncer qu'elle s'était trouvé un travail pour septembre, qu'elle en avait assez d'être une femme à la maison, qu'elle avait envie de rencontrer des compagnes, de sortir avec elles, de se rajeunir un peu, loin de ses tricots et de ses mots croisés depuis que William, devenu grand, était souvent chez des amis de l'université. Elle avait donc décroché un emploi à l'école francophone pas loin de chez elle, à titre d'aide-enseignante auprès des institutrices en place. Elle allait y travailler trois jours par semaine pour commencer, et à temps plein si l'emploi lui convenait. Et pas pour l'argent que ça lui rapporterait, Philippe en faisait suffisamment pour prendre soin d'elle jusqu'à la fin de ses jours. Francine l'y encouragea fortement en lui disant qu'elle avait bien le temps de vieillir et de passer ses semaines dans une berceuse. Elle l'incita même à voyager avec des amies si elle s'en trouvait à cette école, Philippe n'aimant guère se déplacer. Et elle la convainquit de se prendre en main de cette façon, ayant senti depuis un bon moment que la préférée de son père était quasi déprimée d'être devenue solitaire entre ses murs après toutes ces années. Un travail que Jules approuva, bien sûr, ne voulant pas que sa Renée soit moralement désemparée. Son Philippe était certes un bon gars, mais si ennuyant à vivre selon son beau-père qui ne l'aimait pas. Et le mari, une fois de plus, eut à porter le blâme pour la lassitude passagère de son épouse.

Sophie, pour sa part, avait trouvé un ami tout dévoué pour elle. Un célibataire endurci qui avait craqué pour la jolie femme qu'elle était. Mais elle n'était pas facile pour autant, Sophie Drouais, la « chouette » de son père. L'homme qu'elle présenta à ses parents et qui se prénommait François, avait quand même vécu en couple avec une autre femme durant sept ou huit ans. Sans même tenter de savoir ce qui avait pu les séparer, Sophie tomba dans le piège des flatteries de cet amoureux avant que ses parents fassent sa connaissance. Francine le trouva très gentil, Jules le regardait l'œil en coin… Après leur départ, il avait dit à sa femme :

— J'sais pas, y a quelque chose qui cloche avec lui… J'ai le pressentiment que notre fille s'égare encore une fois.

— Allons, arrête de toujours être pessimiste et donneleur une chance. Il est très aimable, cet homme, il est catholique et pratiquant, m'a-t-il dit, il semble aimer Sophie follement, ils parlent d'aller faire des voyages et pas de noces en vue. Remarque qu'on se marie de moins en moins de nos jours…

— Ce qui me désole, Francine, car le lien du mariage fortifie les couples tandis que le concubinage les détruit. Quand on est libre et qu'on s'aime, on se marie, on ne s'accote pas ! Même Nicole croit encore au mariage.

— Ouais, pour ce qu'elle a réussi, elle ! Elle préfère vivre dans le péché et s'approprier l'argent de ses poires qu'elle déniche un peu partout. Prends sa maison, par exemple, un coup solide de sa part ! Plus rusée que ma sœur aînée, cherche-la !

— Je veux bien croire, mais n'empêche qu'à son âge elle a moins peur de l'avenir que Sophie. Elle fonce, elle ! Elle obtient ce qu'elle veut ! Si Sophie y mettait un peu plus du sien, elle pourrait peut-être convaincre son nouvel amoureux de l'épouser, ce qui serait plus profitable pour ses vieux jours qu'un amant qui va s'en servir pour ensuite décrisser !

— Jules ! Surveille ton langage ! Je déteste quand tu emploies ce verbe !

— T'en fais pas, le bon Dieu sait que je ne l'utilise pas pour blasphémer. D'ailleurs, l'orthographe du verbe n'a rien à voir avec le Christ. C'est juste une manie…

— Mais ça sonne mal, ça fait voyou de parler de la sorte. À ton âge surtout…

— Bon, pas de leçon de morale ce matin, mais retiens ce que je te dis. Sophie va se leurrer encore une fois et nous revenir en braillant de n'être pas chanceuse en amour comme elle le répète chaque fois. Attends un peu et tu verras que mon intuition est plus forte que ton raisonnement.

En mai, le salaire minimum au Québec grimpait de vingt cents pour atteindre 10,55 $ de l'heure. Ce qui avait fait dire à Francine :

— Voilà qui va faire plaisir aux travailleurs, non ?

Et Jules de lui répondre sans broncher :

— Y vont pas aller chier loin avec ça !

— Jules !

— Ben quoi ! C'est même pas le prix d'un pain de plus à mettre sur la table ! Pis encore moins celui d'une pinte de lait par jour !

— Pour ça, je t'approuve, mais c'est mieux que rien, tu ne penses pas ?

— Non, parce que vingt cennes de plus, c'est rien !

Devenant de plus en plus aigri par la privation des voyages et des déplacements où que ce soit, Jules se rac- crochait à ses commentaires négatifs le plus possible, que les nouvelles soient d'ici ou d'ailleurs. Lorsque Jean Doré décéda en juin, il avait dit à Francine :

— C'était un homme de bonne volonté, aimable et paci- fique, mais c'était loin d'être un Jean Drapeau !

Quelques mois plus tard, évidemment, Sophie leur annonçait que François avait mis un terme à leur relation. Il n'aimait pas Vincent qui arrivait chez eux complètement drogué, ce qui entraînait de vives discussions et ce qui incita François à partir, ne voulant pas être mêlé à ce garçon qui lui faisait peur avec ses menaces à mots couverts. Ayant appris la chose, Francine, compatissante, avait demandé à Jules :

— Tu ne crois pas qu'on pourrait faire quelque chose pour Vincent ?

— Faire quoi ? L'héberger peut-être ? Non, qu'il se débrouille ! Il est majeur et vacciné…

— Je pensais plutôt à une maison de désintoxication.

— Non, je ne m'en mêle pas, Francine ! On a assez de nos états de santé précaires qu'on n'a pas mérités, sans se pencher sur celui de Vincent qu'il a lui-même provoqué. Si

Sophie veut le faire entrer en clinique, c'est son affaire et je pourrai l'aider financièrement, mais pas plus. Je ne tiens pas à avoir ce petit-fils dangereux dans notre entourage. On ne sait pas à quoi s'attendre avec ceux qui sont sur la cocaïne ou autres drogues à longueur de journée. Un paresseux en plus, un bon à rien sans emploi qui mange avec l'argent que sa mère lui donne. Un pas bon comme son père ! Non, je ne veux rien savoir de lui et cesse de jouer les mère Teresa avec tous ceux et celles qui ont des problèmes. Le bon Dieu ne t'en demande pas tant.

— Je ne parlais pas de l'accueillir, mais peut-être le convaincre d'aller se faire soigner…

— Non, Francine, je ne veux pas le voir sous mon toit ! Il suffit d'une fois et il va tenter de s'installer en roi et maître. Sophie a perdu son chum à cause de lui ! François en a eu peur et ça ce se comprend, je le crains moi aussi. Que sa mère le reprenne si elle est encore sensible à son sort. C'est son fils, pas le nôtre. Comme je te dis, si elle a besoin d'argent…

Mais Sophie n'eut pas à recourir à son père. Ayant tenté de raisonner Vincent et de le mettre en garde contre les dangers qui le guettait, un jour où il n'était pas encore gelé, elle se fit répondre que c'était sa vie à lui, de ne pas s'en mêler, de juste lui donner de l'argent de temps en temps…

Et Sophie, choquée, lui avait rétorqué :

— Tu m'as fait perdre François, il est parti à cause de toi !

— Pis après ? Il avait peur de moi, ton chum ? Tout un homme !

— Toi, tu n'en es pas un, par exemple ! Tu devrais tenter de retrouver ton père et te rapprocher de lui. Je suis certaine qu'il s'occuperait de toi…

— Non, j'veux rien savoir de lui, je l'connais même pas cet imbécile-là ! Y a une autre famille, y m'doit rien ! Non, si tu veux plus m'aider avec ton argent, j'vais sacrer mon camp pis plus revenir ici. Moi, perdre mon temps…

— Je n'ai pas d'argent, Vincent, tu me l'arraches au fur et à mesure ! Tu vas me rendre folle si ça continue !

— Ben, tu dois l'être un peu déjà, tu gardes pas long-temps les caves qui rentrent dans ta vie ! Y a quelque chose qui cloche dans ta tête, m'man ! Y a des endroits pour des gens comme ça !

Exaspérée, insultée et ne pouvant plus se contenir, Sophie se leva de sa chaise et le gifla en lui disant :

— Pars d'ici et ne reviens plus ! Tu parles à ta mère, p'tit morveux ! Va te geler où tu voudras, mais t'auras plus une cenne de moi ! Quand tu travailleras comme Maxime…

— Ben oui, le p'tit chouchou… Le p'tit con à sa mère !

Sophie, plus que furieuse, ouvrit la porte et ordonna à son fils de débarrasser le plancher et de ne plus jamais revenir. Pour toute réponse il lui répondit, comme pour l'in-quiéter davantage :

— C'est ça, j'pars, j'décrisse, pis tu viendras m'voir au cimetière !

Et, sans mettre ses menaces à exécution et sans arrêter de se droguer dans sa mauvaise pente, Sophie n'entendit plus parler de lui.

Dans l'intervalle, réfléchissant beaucoup ces derniers temps, Jules avait dit un matin à Francine :

— Que dirais-tu si on vendait la maison pour aller vivre dans une résidence à prix abordable.

— Quoi ? C'est toi Jules Drouais qui parle de la sorte ? Voyons donc ! T'as toujours détesté les résidences ! La gang de monde qu'on rencontre là ! Tu les descendais constamment et là, tu penses à vendre pour t'y rendre ? Ça ne va pas ce matin ?

— Y a juste les fous que ne changent pas d'idée, Francine. On pourrait aller en visiter une ou deux… Il y en a une pas loin à Laval où on peut vivre comme dans un logement, dans notre propre appartement avec un poêle et un frigidaire, notre propre nourriture, pas de dîners avec les autres à des grandes tables…

— Non, merci, pas pour moi ! Si tu veux aller là, vas-y, mais sans moi… Je pourrais aller habiter avec Mariette ou chez Marc qui a maintenant de l'espace avec les enfants qui partent de la maison.

— Ben voyons donc, j'veux pas être séparé de toi, Francine ! J'veux pas me retrouver seul dans un endroit comme ça ! À moins de vendre et d'acheter un petit bungalow de trois pièces ou un loft, sans ménage ou presque à faire, sans terrain, sans rien à avoir à payer à des étrangers comme c'est le cas à présent.

— Non, Jules, à nos âges, mieux vaut rester chez soi pour le temps qu'il nous reste. C'est ici, sur le boulevard des Prairies, qu'on a passé notre vie, c'est ici qu'on va la terminer. Juste à penser à un déménagement et je sens qu'on va y laisser notre peau tous les deux. Non, restons ici et payons pour ce qu'on ne peut plus faire, t'en as les moyens et ça va te coûter moins cher que de partir et de le regretter un mois plus tard. Je te connais, va…

Jules, la main sous le menton, jonglait un peu et, pour la première fois, se rangea de son côté.

— Oui, t'as raison, j'sais pas ce qui me prend d'avoir de telles idées, c'est sans doute la solitude qui me fait divaguer ainsi.

— T'es pas seul, Jules, on est deux !

En juillet, Francine annonça à son mari :

— On vient de parler d'Omar Sharif à la radio, il est mort hier, il avait quatre-vingt-trois ans !

— Ben oui, y s'en vont tous à cet âge-là. Notre tour va venir…

— Tu te souviens de *Docteur Jivago* ? Un superbe film qu'on avait vu ensemble. Omar Sharif était si beau…

— Oui, si on veut, mais pas autant qu'Anita Ekberg, la sublime actrice de *La Dolce Vita* morte en début d'année. J'ai appris son décès seulement hier en lisant la nécrologie de l'année jusqu'à aujourd'hui.

— Anita qui ?

En septembre, les écoles avaient repris leurs cours, Renée avait appelé sa mère de Winnipeg pour lui dire qu'elle adorait son travail auprès des jeunes élèves de l'établissement scolaire qui l'avait employée et qu'elle s'était déjà fait une amie parmi les professeurs, une femme de son âge, veuve depuis peu, avec laquelle elle allait au théâtre, au concert et au cinéma. Bref, une fréquentation régulière. Francine en était ravie et Jules plus que satisfait, sa préférée avait enfin crevé sa bulle pour en sortir et découvrir la vie. Fort heureusement, Philippe, qui venait d'avoir une autre augmentation de salaire et toujours aussi cupide, voyait d'un bon œil la métamorphose de sa femme. Exténué le soir, il suait et faisait, après son léger souper, une sieste dans son fauteuil avant de se retrouver au lit pour la nuit. Sans se rendre compte, parfois, que Renée, moins pathétique à voir depuis son regain d'énergie, était sortie pour aller au théâtre avec sa grande amie. Et comme William parlait de partir en appartement dès ses études terminées… La belle vie, quoi !

Francine, toujours à l'affût des nouvelles de la famille, avait dit en ce même mois à son mari :

— Marc m'a raconté que Karine sortait maintenant avec un conseiller de la banque et que Marie-Ève n'avait pas trouvé un autre amoureux depuis le premier, envolé. Luc, de son côté, s'en va en voyage en Irlande avec sa femme, et…

— Non, arrête, Francine. Je ne veux pas savoir ce qui arrive à ses filles et à son fils. Je ne m'intéresse plus à eux, ils ne viennent jamais nous visiter, ils ne nous appellent pas. C'est comme si nous étions morts pour ces petits-enfants devenus grands qu'on a tellement gâtés. Donc, ne m'en parle plus et qu'ils fassent leur vie. Tu peux me donner des nouvelles de Marc, c'est notre fils, pas des jeunes cependant.

— Et de Johanne aussi, sûrement.

— Si tu y tiens vraiment…

Un autre chagrin pour Francine en ce début d'automne, on venait d'annoncer à la télévision le décès de Guy Béart à l'âge de quatre-vingt-cinq ans. Son idole au temps de sa chanson *L'eau vive* qu'elle avait longtemps fait tourner. Mais cette fois, elle n'en parla pas à Jules qui aurait pu lui répondre une fois de plus : « Ben, quatre-vingt-cinq ans, c'est pas si tôt, c'est l'âge de la nécrologie ! » Ce qu'elle ne tenait pas à entendre pour ceux et celles qu'elle avait admirés autrefois et qui, dans son cœur, étaient éternellement jeunes grâce à leurs films ou leurs spectacles sur scène qu'elle avait pu voir avec Jules, Nicole ou... Mariette de temps en temps.

L'automne avait fini sa course, les premières neiges allaient tomber et Marc parlait déjà avec sa mère du prochain souper de Noël qu'il voulait faire chez lui. Francine l'y encourageait, soulignant qu'elle allait apporter les tourtières et les desserts, et que Jules fournirait sans doute le vin. Mais son mari, qui écoutait du boudoir la conversation, poussait des soupirs de découragement. Il ne tenait pas tellement à être là encore une fois. Avec sa bru et sa dinde arrosée du jus de sa marmite, avec une des filles, Karine surtout, qui viendrait lui taper sur les nerfs... Il cherchait déjà un prétexte pour ne pas y aller, allant jusqu'à s'appliquer chaque jour des timbres de nitro pour son angine qui n'était guère présente de ce temps, en faisant mine de manquer de souffle devant Francine qui accourait avec un inhalateur qu'il lui demandait de soutenir. Au point que, devinant son jeu quotidien, elle l'avait prévenu à la mi-novembre :

— Ne fais pas semblant d'être malade ou angineux, Jules ! Tu te forces pour être essoufflé, tu te tiens parfois la poitrine, mais je sais que tu n'as rien en ce moment. Tu cherches juste à m'envoyer seule chez Marc, mais ça ne fonctionnera pas, cette fois. On y va à deux ou je reste ici !

— Encore partie sur ta même rengaine ! Chaque fois que je ne veux pas te suivre ! Faut toujours que je me batte pour faire ce que je veux et non ce que tu m'imposes. J'irai pas, c'est aussi simple que ça ! Demande à Nicole et Mariette de t'accompagner, pas à moi !

— Elles y seront, Marc les a invitées toutes les deux.

— Ce qui veut dire qu'il nous faudrait aussi les véhiculer, ces deux-là ?

— Ben, une fois par année, ça ne devrait pas te tuer !

— Pourquoi elle ne prend pas sa voiture, la chère Nicole ?

— Ben, la chère Nicole qui, à soixante-seize ans, s'achète encore des escarpins à talons fins, mais de deux pouces seulement, a peur de tomber.

— Qu'elle porte des bottes avec des crampons, la vieille !

— Non, elle les enlève avant d'entrer pour qu'on la voie avec ses souliers en peau de soie ! Ah celle-là ! Et Mariette, sans cette sortie annuelle, serait bien seule dans son univers. On ne l'invite jamais nulle part et elle n'attend que cela pourtant.

— Comme toi qui ne l'invites pas souvent, Francine. Moi, je n'ai rien contre elle, sauf que lorsqu'elle vient ici, on dirait qu'on a une sourde-muette dans le salon ! Pas une réplique, pas une question, aucun mot… C'est pénible à la fin !

— Ce n'est pas à son âge qu'on va la changer. Mais elle apprécie tellement mes repas, surtout quand je lui dis qu'on va manger des escalopes de veau à l'italienne avec des cannellonis. Elle ne les digère pas, mais elle en demande toujours deux fois, quitte à passer la nuit debout avec des Alka Seltzer sur sa table de chevet. Faut juste être indulgents avec elle, Jules ! Pis, si elle est sourde-muette comme tu dis, questionne-la pas !

Novembre déposait les feuilles mortes trempées sur le patio de Jules, ce qui l'enrageait chaque fois. Puis, un après-midi, alors qu'il se prélassait dans le boudoir avec le livre *Le festin au crépuscule,* de la série *Soifs* de Marie-Claire Blais, Tutti, couché sur ses genoux, ronronnait de plaisir. Le temps laissait à désirer, une pluie qui allait être verglaçante, à moins que quelques flocons de neige viennent la distraire. Le téléphone sonna et Jules n'y prêta pas attention. Francine avait décroché dans la cuisine, ce devait être Nicole ou Marc, les deux l'appelaient chaque jour ou presque. Mais non, Francine s'approcha de lui et lui chuchota :

— C'est Manon, la femme de ton frère, elle dit que c'est très sérieux, cette fois…

— Bon, qu'est-ce qu'il a encore, Baquet… Pas mort au moins, ce n'est pas le moment d'avoir un décès dans la famille avec un temps de chien comme ça !

— Ben, prends l'appel au lieu de présumer, c'est comme si tu souhaitais que ce soit cela. Allez, elle attend au bout du fil !

Jules s'empara du téléphone du boudoir et répondit d'un ton qui laissait croire qu'on le dérangeait :

— Bon, c'est moi, qu'est-ce qu'il y a, cette fois…

— Écoute, Jules, c'est sérieux. Baquet n'est pas mort, t'inquiète pas, mais ça va pas tarder si ça continue.

— Pourquoi ? Il est malade ?

— Non, Jules, ton frère est pogné dans ses dettes ! La semaine passée, les huissiers sont venus pour le collecter, ils voulaient tout emporter à moins que Baquet leur verse cinq mille piastres !

— Encore le même cinq mille piastres qui revient ?

— Ben, qu'est-ce que tu veux ? C'est ça, pis c'est rien pour toi…

À ce moment même, sans un mot de plus, Jules raccrocha brusquement !

Chapitre 11

2018, fin juillet, Jules et Francine, étendus tous les deux dans des chaises longues, faisaient le bilan de leurs derniers mois, de leurs peines et de leurs joies, et Francine de rappeler à Jules :

— Il serait temps de prendre notre santé plus en main, je crois que nous nous démenons un peu trop, nous n'avons plus soixante ans ni soixante-dix, tu sais…

— Moi, je veux bien diminuer ce train de vie que tout le monde nous impose. Je ne demande pas mieux que de rester chez moi bien tranquille avec mon chat… et toi, bien entendu ! Et profiter de ce que j'appelle l'hiver de notre existence pour jouir du privilège d'être encore ensemble tous les deux, et de laisser nos enfants poursuivre leur route à leur tour avec les plaisirs et les embûches qu'ils rencontreront sur leur chemin. Il faudrait qu'ils arrêtent de nous inviter sans cesse, croyant qu'on se meurt d'ennui à notre âge. Ils devraient modérer leurs attentes et se contenter de leur visite que nous apprécions chaque fois. Marc surtout, qui ne décroche pas de ses parents…

— Mais comment le lui expliquer, Jules ? Il nous aide beaucoup, il est très protecteur, il veut notre bien constamment. On ne peut quand même pas lui dire « Ne t'occupe plus de nous ! » Ce serait inélégant de notre part et il en serait navré à n'en plus dormir. Non, laissons le temps s'écouler comme il l'a toujours fait, et diminuons nos efforts en leur disant que, certains jours, on ne file pas ou, du moins, que c'est le cas de l'un de nous deux. Il y a moyen de gérer cette situation sans risquer de blesser qui que ce soit. Nicole le fait, elle, après avoir renoué avec Janna, elle s'en est graduellement éloignée pour lui permettre de vivre sa vie avec Flavie. Mais elle se sent bien, seule dans sa grande maison, sans attaches autres qu'avec nous pour l'accueillir et avec qui elle est à l'aise. Quant à Mariette, elle se plaît aussi dans l'attention qu'on lui accorde. De toute façon, ce sont des personnes de notre âge, celles-là, avec leurs maladies, leurs soucis…

— Nicole n'a rien qui cloche, voyons, elle se porte comme un charme, elle va chez son médecin une fois par année pour faire vérifier sa pression, rien de plus. Quant à Mariette, forte comme un bœuf, elle n'a jamais besoin de visite médicale, quelques petits problèmes de digestion… Non, c'est nous deux qui ne sommes pas en forme, Francine. Pas chanceux de ce côté-là. Parlant de ça, n'as-tu pas une visite en vue chez ton médecin ?

— Oui, demain, mais je m'y rendrai en taxi, je ne veux pas que tu viennes me reconduire et me reprendre par la suite. Il me laissera à la porte de la clinique et ça coûte si peu cher. Tu te reposeras avec Tutti et ton livre. Tu en as pris un autre depuis le dernier terminé ?

— Oui, je suis seulement au début, c'est la biographie de Joseph-Armand Bombardier, de Roger Lacasse. Je l'ai emprunté à la bibliothèque. Le cheminement de cet homme de vision m'intéresse, ça va me sortir temporairement de mes romans.

Réalisant que le jour n'arrêtait pas ses heures de fondre, Francine lui demanda :

— Que désires-tu que je prépare pour le souper ?

— Ce que tu voudras. Mais on a encore un restant de pâtes aux tomates d'hier, pourquoi ne pas les réchauffer au micro-ondes ? Ça t'éviterait de salir tes poêles et tes chaudrons.

Le lendemain, Francine se présentait chez son médecin qui l'attendait avec un sourire malgré les réticences de sa patiente. L'apercevant avec sa canne et la voyant tituber de plus en plus, il préféra se taire et se contenter des examens d'usage. Toutefois, vers la fin de la visite, c'est Francine elle-même qui lui demanda timidement :

— Vous connaissez un endroit où l'on vend des marchettes, docteur ? J'en suis renduc là, ma canne ne suffit plus, je tombe trop souvent.

— Bon, vous voilà raisonnable, madame Drouais. Bien sûr qu'il existe un commerce avec tout ce dont les personnes handicapées pourraient avoir besoin. Ce n'est pas loin d'ici et vous pouvez leur faire confiance, ils vont vous guider sagement dans votre achat. Allez-y le plus tôt possible, ne risquez pas de vous briser un membre, ce serait déplorable.

— Non, j'irai en sortant d'ici, je veux surprendre mon mari. Voilà pourquoi je ne voulais pas qu'il m'accompagne.

Francine, réclamant un autre taxi, se rendit à l'endroit indiqué par le médecin et, sur les lieux, une technicienne la prit vite en charge pour la guider vers un achat qui lui serait bénéfique. De retour chez elle, Francine se dirigea vers le patio, et apercevant Jules qui lisait à l'ombre, elle lui cria :

— Regarde, quelque chose de nouveau !

Il leva les yeux et, la voyant les deux mains agrippées à une marchette, il sourit et sentit une larme lui effleurer la joue.

— Tu t'es enfin décidée ! Comme je suis fier de toi ! Voilà qui va m'enlever un poids de l'estomac, je retenais mon souffle chaque fois que tu te promenais avec ta canne. C'est le docteur qui t'a finalement convaincue ?

— Non, c'est moi qui lui ai demandé où aller pour me la procurer.

S'approchant d'elle, examinant le déambulateur, encore une marchette pour elle, il lui dit en déposant un baiser sur son front :

— Tu as sans doute choisi la plus belle.

— Non, la plus chère, Jules ! Je veux qu'elle me serve jusqu'à la fin de ma vie. Notre carte de crédit va grimper ce mois-ci !

— Aucun problème ! Dieu que je suis content ! Enfin une marchette pour te protéger, un grand pas d'accompli dans ta maladie, Francine. Et peut-être dans ta réhabilitation, avec un soutien pareil.

— Non, ça, n'y pense pas, ma maladie que je préfère ne pas nommer est dégénérative selon le médecin, mais mieux vaut la voir lentement évoluer sans tomber et risquer de me casser un bras, tu ne trouves pas ? Tu disais tantôt « un grand pas d'accompli », remarque que j'aimerais bien que ce soit un vrai pas, car ce mot, dans mon état, ne convient plus vraiment, ajouta-t-elle en riant.

— Rien ne t'échappe à ce que je vois… Très perspicace, toi !

— Tu aimes la couleur de ma marchette ?

— Oui, mais pourquoi toujours le vert avec toi ?

— Parce que c'est la couleur de l'espoir !

Jules et Francine n'en suivaient pas moins les événements de l'année. Surtout Jules qui avait commenté la rencontre du président des États-Unis, Donald Trump, avec le leader de la Corée du Nord, Kim Jong-un, le 12 juin. Puis, le 4 juillet, c'était au tour de Francine d'être chagrinée par le décès de la chanteuse pour enfants, Carmen Campagne, à cinquante-huit ans. Ses petites-filles, dans leur jeunesse, l'avaient suivie dans ses spectacles et avaient acheté tous ses albums. Entre-temps, Nicole et Mariette, renseignées par Jules sur la nouvelle acquisition de Francine, s'empressèrent de venir la visiter pour l'encourager dans cette belle démarche. Nicole, plus éloquente, lui avait dit :

— Enfin, nous allons pouvoir aller magasiner sans que je m'inquiète de toi. J'ai vu de ces souliers chez…

Mais Mariette, pour une fois, l'avait interrompue pour demander à sa grande sœur :

— Est-ce que le docteur t'a aussi parlé de ton… je veux dire ta maladie ?

— Oui, mais rien à faire de ce côté, au jour le jour, je vais prendre mon mal en patience et espérer que la science… Mais tu sais, l'optimisme à mon âge…

— Bien, ta marchette va au moins te permettre de te changer les idées ! On va sortir, il y a des accès dans presque tous les restaurants et, t'en fais pas, tu ne seras pas la seule, j'en vois partout de ces marchettes ! de renchérir Nicole.

Elles partirent après cette courte visite et, restée seule avec Jules, Francine lui confia :

— C'est quand même gentil de leur part d'être venues me visiter. Je sais bien que c'est sa curiosité qui a poussé Nicole à venir, mais elle s'est tout de même déplacée en voiture, elle qui conduit de moins en moins. Et en prenant Mariette en passant ! C'est méritoire ! Écoute, ce soir, c'est Marc qui veut passer avec Johanne. Il a su pour ma marchette, il veut la voir…

— Il pourrait venir seul, non ? Pourquoi en couple ?

Le 16 août, c'est Jules, cette fois, qui apprit le décès d'Aretha Franklin, la *Queen of the Soul*, à soixante-seize ans. Il l'avait beaucoup aimée naguère, elle était presque de son âge. Mais cette mort ne toucha pas Francine qui lui avait répondu : « Les chanteuses américaines ne me disent rien. À part Judy Garland, bien entendu. Elle était exceptionnelle ! »

La fin de l'été s'annonçait belle à tous points de vue, sauf que Jules, observé de près par sa femme, laissait à désirer avec ses crises d'angine plus fréquentes. Il sortait de moins en moins et avait délaissé la marche et les exercices qui provoquaient ses essoufflements ainsi que les efforts physiques qui les maintenaient en place. Sauf les après-midi sur son patio et dans la balançoire où Francine avait de la difficulté à monter, mais surtout pour en descendre quand

Jules n'était pas à côté d'elle, à cause des étourdissements que le va-et-vient causait. Trop chaud à l'extérieur ? Une canicule prévue par la météo ? Jules et Francine restaient à l'intérieur, lui, lisant un chapitre de son livre et elle, tricotant en pleine chaleur un foulard rouge pour Marie-Ève qui le lui avait commandé pour le prochain hiver. Mais, encore loin de ces froids à venir, Jules, de retour sur le patio avec Francine, avait aperçu un très beau papillon bleu voler tout près d'eux. Francine réussit presque à le faire se poser sur son doigt, mais l'insecte s'en éloigna après l'avoir effleuré une ou deux secondes seulement.

— Regarde, Jules ! Je l'ai quasiment eu !

— Il t'aurait fallu un filet, mais tu aurais pu le blesser et qu'en aurais-tu fait ? Celui-ci n'est sans doute pas un éphémère, il a l'air robuste, ce qui est un euphémisme, car il sera de courte durée. Remarque que notre vie est aussi fragile que les ailes de ce papillon. Surtout la mienne…

— Tu devrais aller voir ton cardiologue, Jules, tu prends trop de doses de nitro, on dirait que tu ne dépends que d'elles pour faire tes journées.

— Oui, je ne dépends que d'elles, Francine, c'est la seule façon de me soulager des sensibilités de plus en plus fréquentes aux gencives et parfois au thorax. Quant au cardiologue, je me demande bien ce qu'il pourra faire de plus. Une autre coronarographie avec l'insertion d'un ou deux *stents* supplémentaires qui feront l'affaire temporairement seulement ? Non, ce qu'il me faudrait, c'est une autre chirurgie à cœur ouvert, des pontages de plus, mais on refuse de la pratiquer, prétextant mon âge trop avancé pour résister à l'anesthésie générale. J'ai l'impression que je passerais au travers, mais on en doute et on n'opère pas pour perdre un patient sur la table. Je les comprends, va, mais ne me demande pas pourquoi ma petite pompe de nitro me suit partout. J'en ai même une en permanence dans la poche de mon pantalon.

— Tu en es rendu à prendre la voiture pour aller au dépanneur au coin de la rue. C'est grave !

J'y vais à pied de temps à autre, mais à si petits pas que les gens me regardent comme si j'allais crever sur le trottoir. Et s'il vente le moindrement fort, je manque de souffle. Avec l'auto, c'est plus sécuritaire. Remarque que je ne m'y rends que pour du lait ou du pain, ou acheter mes billets de loterie.

— Malades comme on l'est, pourquoi acheter des billets de loterie dont on ne pourrait bénéficier si on gagnait ?

— Pour nos enfants, Francine. Tout ce que l'on fait est en vertu d'eux, maintenant. Tu le sais pourtant...

Au même moment, triste nouvelle pour Sophie qui apprenait par un lieutenant de police et son collègue que son fils Vincent avait été retrouvé mort dans un motel de la Rive-Sud. Aucune note, personne avec lui, un décès accidentel, une *overdose* de ses drogues coutumières. Dans tous ses états, encore sous l'effet du choc, Sophie avait appelé son père pour qu'il lui vienne en aide. Et Jules, même s'il n'avait jamais aimé ce petit-fils, se chargea de tout en demandant qu'on confie le corps de Vincent au salon funéraire, qu'il désigna après l'enquête et l'autopsie, bien entendu. Il appert que Vincent avait loué ce motel en compagnie d'une femme rousse d'environ trente-cinq ans. Sans doute « une blonde » de passage, celle-là, une femme de son calibre dans le domaine des drogues. On ne l'avait pas retrouvée, le préposé au comptoir de l'endroit ne pouvait la décrire davantage, elle avait décampé et on ne la chercha pas. Pour les policiers, l'affaire était classée, ce n'était pas la première fois qu'un gars de son âge était découvert sans vie après une *overdose*. Un fait devenu presque banal pour eux. Néanmoins, Sophie se reprocha vivement de l'avoir mis à la porte et de ne pas avoir cherché à le revoir ensuite. Elle s'en frappait la poitrine de honte et de culpabilité, car fibre maternelle ou pas, Vincent était son petit gars, celui qu'elle avait bercé sur ses genoux, celui qu'elle allait reconduire à l'école, mais Jules parvint à la convaincre qu'elle n'y était pour rien, que Vincent avait lui-même contrecarré son destin, que ce serait arrivé même s'il avait encore habité avec elle. C'était une mort accidentelle, lui répétait-il maintes fois, pas un suicide. Sophie, inconsolable, pleura longuement devant le corps de son fils aîné, au salon funéraire, où on ne l'exposa qu'une soirée, et son frère Marc la soutenait lors de ses défaillances. Vingt-quatre ans seulement… murmurait-elle dans ses sanglots. Maxime aussi était triste, il avait tellement compté sur la désintoxication de son frère et un début d'une vie normale. Mais le pauvre gars n'avait pas eu de chance dans son existence désordonnée. Toutes ces blondes de parcours et, maintenant, cette femme, cette illustre inconnue plus âgée que lui, qui avait sans doute consommé souvent avec lui avant qu'il ne soit victime de sa propre négligence. Francine et Nicole assistèrent aux obsèques le lendemain, mais Jules préféra rester chez lui, sa santé était encore trop chancelante pour qu'il s'offre une telle angoisse. On avait averti Ricky, le père du garçon, qui ne donna pas suite et ne se présenta pas à l'enterrement de son fils qu'il ne connaissait pas, qu'il avait perdu de vue depuis sa tendre enfance. Il avait toutefois eu la décence de faire parvenir des fleurs pour qu'elles soient déposées sur sa tombe, ce que fit Sophie avec un certain recul cependant. Elle avait songé à les mettre à la poubelle, mais sa mère l'en avait dissuadée. Le lendemain, après une courte prière pour son âme, Vincent fut inhumé dans le lot familial que Jules venait à peine d'acheter. Le premier à y être enseveli, alors que les plus vieux étaient encore en vie. Maxime avait pleuré abondamment le matin de la mise en terre. Sophie également, soutenue par Marc, ainsi que Karine et Marie-Ève qui, sans l'avoir fréquenté, trouvaient pénible de mourir bêtement à cet âge. Francine avait les larmes aux yeux, et Mariette, de chez elle, que Nicole voulait prendre en passant et qui n'avait pas souhaité être de la cérémonie ni de la visite au salon la veille, priait pour le défunt avec les bénévoles renseignées sur ce triste événement. Et la vie reprit peu à peu son cours avec le sourire retrouvé petit à petit et les malaises bien présents dans le corps de Jules plus que souvent. Francine avait toutefois allumé deux gros lampions à sainte Anne pour qu'elle accueille son petit-fils avec indulgence, dans un coin du paradis réservé pour lui.

Néanmoins, après cette dure épreuve pour la famille, Francine réussissait à se rendre avec sa marchette, Jules à côté d'elle, jusqu'au parc public des alentours où ils pouvaient bénéficier d'une vue sur le cours d'eau avec des piétons qui circulaient, des nouvelles mamans surtout, avec des poussettes et des enfants qui souriaient au vieux couple assis sur le banc vert. Là, en pleine nature, ils contemplaient les arbres encore en feuilles, les jeunes à bicyclette qui empruntaient l'allée principale, les canards qui s'approchaient du bord pour quêter du pain ou des biscuits, et d'autres vieilles personnes comme eux qui marchaient, soit avec une canne ou en se tenant la main, alors que, sans s'en rendre compte, Jules passait son bras autour du cou de Francine, ce qui la surprenait, lui si peu démonstratif dans les marques d'affection. De retour à la maison, elle se dirigea vers le four pour y déposer un pâté au poulet et il lui dit :

— Non, rien de chaud aujourd'hui, une salade de thon avec des tranches de tomates suffira pour moi, je n'ai guère d'appétit à deux pas d'une canicule.

— Alors, il en sera de même pour moi, ce qui m'évitera de chauffer le four inutilement. Mais de la crème glacée avec des biscuits secs sera un dessert de circonstance, tu ne trouves pas ?

— Tu n'as pas à me le demander. Surtout si elle est à la vanille, ma saveur préférée.

Septembre, la rentrée des classes, les feuilles détachées des arbres par les vents tenaces, et Jules, très mal en point, demanda à Francine de le conduire à l'hôpital pour être plus près des cardiologues. Comme si la nitro trop fréquente ne faisait plus effet sur lui. Sans rien craindre, s'attendant à tout, il accepta d'être allongé à l'urgence parmi tous les cas divers des autres malades. On vint l'ausculter et l'un des spécialistes décida de le garder quelques jours sous observation. Francine était nerveuse et angoissée, elle avait peur que son mari ne s'en remette pas cette fois, d'autant plus que les médecins n'envisageaient pas de coronarographie ni d'opération pour le moment. On le laissait se reposer, on le nourrissait peu, et on lui permettait de se déplacer de son lit jusqu'à son fauteuil, pas plus loin, pour ménager son souffle. Ce qui consolait Francine, c'est qu'il bénéficiait d'une chambre privée avec toilette et nécessaire inclus. Le soir même, Marc, rentré de son travail, s'empressa de se rendre à l'hôpital avec Johanne afin d'avoir de ses nouvelles. Devant le chagrin évident de sa mère, Marc lui conseilla d'aller se reposer, qu'il allait prendre la relève pour la nuit.

Ce qu'elle se sentit obligée de faire, exténuée par cette éprouvante journée. Resté seul avec son fils et sa bru, Jules leur murmura que sa dernière heure était arrivée, qu'il le savait, qu'il n'allait pas résister, cette fois, malgré sa bonne volonté. Puis, regardant son fils, il lui dit :

— Tu as toujours été un brave garçon, on ne peut rien te reprocher… Aussi, si le mal m'emporte, j'aimerais que tu prennes soin de ta mère.

— Papa, ne parle pas comme ça, la résignation t'enlève des forces. Tu n'es pas à l'agonie, juste au repos…

— Non, Marc, je sais ce que je dis, je me sens doucement aller…

Puis, se tournant vers Johanne, il trouva le courage de lui avouer :

— Je m'excuse de ne pas avoir été toujours aimable avec toi, tu es une bonne épouse et une excellente mère. Je ne t'ai pas appréciée à ta juste valeur…

— Voyons donc, monsieur Drouais, vous avez toujours été correct avec moi, je n'ai jamais rien ressenti de déplaisant venant de vous.

Puis, regardant Marc, elle lui chuchota :

— J'espère que ce n'est pas du délire…

Parce que Johanne, en effet, n'avait jamais senti au cours de toutes ces années que son beau-père ne l'aimait pas. Elle connaissait son caractère grognon, son tempérament parfois vif et désagréable, mais elle n'avait jamais pensé une seule seconde que c'était à cause d'elle. Parce qu'elle l'aimait bien, elle, tel qu'il était. Or, devant ce repentir soudain à son égard, elle était vraiment restée perplexe. Marc, cependant, sans le lui dire, savait que son père n'avait jamais été près de sa femme, qu'il semblait ne pas l'aimer, mais il ne l'avait jamais dévoilé à Johanne pour ne pas qu'elle s'abstienne de l'inviter ou qu'elle se détache de lui.

Après avoir passé la nuit au chevet de son père qui dormait, Marc vit surgir sa mère au petit matin et l'invita à venir prendre un petit déjeuner avec lui à la cafétéria de l'hôpital. Après lui avoir donné les dernières nouvelles de l'état du paternel qui paraissait stable, il lui mentionna que ce dernier s'était amendé auprès de sa femme, et sa mère de s'exclamer :

— Enfin ! Après toutes ces années ! Johanne a dû en pleurer de joie ?

— Non, maman, elle n'avait jamais remarqué l'attitude envers elle dont il s'excusait. Elle l'aimait tel qu'il était, elle croyait que son aveu était un début de délire, et je l'ai approuvée pour ne rien entraver de sa ligne de pensée. Elle est allée se coucher vers deux heures du matin après l'avoir embrassé sur le front. Mais elle ne reviendra pas aujourd'hui, elle va me laisser seul avec toi et Sophie qui doit se joindre à nous.

— Il faudrait aviser Renée de l'état de son père.

— Oui, je lui ai adressé un courriel auquel elle n'a pas encore répondu. Faut dire qu'elle travaille à l'école en ce moment. Nous aurons de ses nouvelles un peu plus tard.

En début d'après-midi, Sophie, qui avait pris congé de son travail, arriva auprès de sa mère pour la soutenir, pendant que Marc irait faire une sieste à la maison pour revenir en forme le soir même.

Sophie se dirigea avec sa mère au chevet de son père et, le trouvant au lit et non assis, elle lui demanda :

— Ça va, papa ? Le docteur est passé te voir, ce matin ?

— Oui, très tôt, et on me garde au repos. Rien n'est prévu pour une opération, pas même un cathéter, c'est mauvais signe.

— Mais non, tu nous fais encore une de ces peurs, mais tu vas t'en sortir comme les autres fois.

— Pas sûr, ma chouette, ce n'est pas un spa ici, on ne nous hospitalise pas que pour faire des siestes.

Francine, toutefois, en son for intérieur, n'était pas de l'avis de Sophie. Elle connaissait bien son homme et sentait, tout comme lui, que quelque chose d'anormal se passait, vu le peu de soins spécialisés qu'on lui prodiguait. On venait pour des prises de sang, de pression ou de température, mais rien de plus dans son état pourtant précaire. Elle insista pour rencontrer le médecin de garde, et lorsque ce dernier sortit du poste des infirmières, il lui dit devant son air affolé :

— Restez calme, madame, tout peut arriver. Votre mari est un homme costaud, il en a vu d'autres. Mais tout peut aussi se détériorer, je préfère vous en avertir. À soixante-dix-huit ans, vous savez…

— Ne me faites pas peur, ce n'est pas si vieux, il a encore de belles années devant lui…

Et le jeune docteur, sans retenue, de lui rétorquer :

— Peut-être derrière lui, madame. Vient un temps où la science ne fait pas de miracles. Nous allons tout faire pour vous le garder, mais je ne réponds de rien, son cœur usé par les efforts a été atteint cette fois, pas seulement ses artères. Votre mari a subi un léger infarctus, ce qui lui a fait demander d'être hospitalisé. Soyons optimistes, mais aussi réalistes, vous comprenez ?

Bien sûr que Francine avait compris, Jules était presque à l'agonie, elle le sentait, c'est comme si lui-même se laissait aller, ne pouvant vaincre quoi que ce soit avec le peu d'énergie qu'il lui restait. Elle rejoignit Sophie et lui demanda de la laisser seule avec Jules pour quelque temps, qu'elle avait des choses à lui dire. Étonnée, mais compréhensive, Sophie se retira et prévint son frère, au bout du fil, qu'elle allait l'attendre à la cafétéria, maintenant qu'il avait terminé sa sieste sans avoir pu fermer l'œil dans son inquiétude. Seule avec Jules qui ne sortait plus de son lit, n'en trouvant pas la force, Francine s'approcha de lui pour lui saisir la main et lui dire en retenant ses sanglots :

— Écoute, il va falloir que tu te sortes de ce mauvais pas. Ne te laisse pas aller, Jules, tu ne peux pas partir avant moi. C'est moi qui devais le faire, tu te souviens de notre conversation ? Je t'aime et je ne pourrais pas vivre sans toi. D'ailleurs, comment ferais-je ? Tu m'imagines seule dans notre maison ? Avec ma marchette et personne pour me véhiculer en voiture ? Voyons, Jules, ce ne serait pas raisonnable. Fais un effort et remonte la pente, tu en es capable, tu l'as toujours fait les autres fois.

Réalisant qu'elle avait les larmes aux yeux, Jules pressa sa main dans la sienne et lui répondit :

— Je voudrais bien, mais j'ai fait un infarctus cette fois et on ne peut pas m'opérer. On ne me passe même plus d'examens… Et on ne peut pas demander au bon Dieu de m'épargner pour te faire partir avant moi. Ce serait injuste de sa part et provocant de la tienne. On a quand même eu une bonne vie tous les deux…

— Oui, sauf que je n'ai pas toujours été une épouse à la hauteur. Je t'ai reproché bien des choses et j'avais souvent tort. J'en demande pardon au bon Dieu…

— Non, arrête Francine, nous avons eu nos mauvais moments tous les deux et je n'ai guère été mieux avec le passé que je t'ai fait vivre. Alors, si tu veux bien, laisse-moi le dernier mot devant tous nos torts, unissons nos remords et permets-moi d'implorer la clémence du fils de Dieu en lui demandant du fond du cœur : « Pardonnez-nous, Seigneur ! »

Le lendemain matin, Francine se rendit à la messe avec Sophie et alluma deux gros lampions, un pour lui, l'autre pour elle. Et elle reprit, la larme à l'œil, le cri de repentir de son mari pour elle et lui. Sophie qui en avait saisi une bribe, demanda à sa mère :

— Qu'est-ce que tu viens de dire, maman ?

— Pardonnez-nous, Seigneur ! C'est la prière que ton père a faite au bon Dieu, hier soir, sur son lit d'hôpital.

— Pourquoi ?

— C'est entre lui et moi, Sophie. Une forme d'acte de contrition pour les erreurs de notre vie l'un envers l'autre. Tu sais, tout a toujours été fait à deux entre ton père et moi, les prières aussi. Bon, retournons le voir si tu veux bien, tu conduiras notre voiture, je m'en sens incapable, je suis anxieuse, j'ai pris un comprimé de plus ce matin, ce qui me fait tituber davantage.

Les deux femmes se rendirent au chevet de Jules où se trouvait encore Marc, épuisé par le manque de sommeil entre tous ses déplacements. Toutefois, il avait prévenu Nicole de l'état de son père, mais l'avait priée de ne pas venir le voir, ni Mariette. Jules ne voulait que sa famille immédiate auprès de lui, à l'exception de Johanne parce qu'elle était la femme de Marc. Mais aucun de ses petits-enfants, ce qu'ils respectèrent évidemment, mais que Nicole déplora, vu son attachement à son beau-frère. Johanne qui avait accompagné Marc fut accueillie avec un léger sourire. Jules ayant peine à lui adresser la parole dans son état de faiblesse. Était-ce vraiment la cause ? Monsieur Drouais avait parfois de ces rechutes dans ses oublis de la veille. Francine et Sophie leur avaient proposé de partir, de les laisser prendre la relève et, pendant que Sophie lui épongeait le front, Francine se rendit au poste pour demander à une infirmière :

— Il semble aller de plus en plus mal ! Vous ne comptez pas tenter de l'opérer ?

— Attendez, madame, il y a justement un médecin de garde avec nous.

Elle appela le docteur en question, un plus âgé, cette fois, qui, voyant Francine avec sa marchette, éprouva de la compassion. Non sans lui dire, cependant :

— Je suis désolé, madame, mais il y a peu d'espoir. Votre mari perd de plus en plus les quelques forces qu'il lui reste, malgré notre vigilance et nos médicaments qui devraient l'aider à se relever. D'ici ce soir, il risque d'entrer dans un coma, le cardiologue va vous demander de signer pour un transfert aux soins palliatifs.

— Quoi ? C'est là qu'on meurt, docteur ! Jamais je n'autoriserai un tel transfert !

— Vous n'aurez guère le choix, madame, votre fils qui a été mis au courant de la situation abonde dans notre sens. Parlez-lui, nous reprendrons ce sujet en soirée.

Francine repartit vers la chambre en tremblant de tous ses membres et Sophie, la voyant crispée et angoissée, lui demanda :

— Qu'est-ce qui est arrivé, maman ? Tu es si désemparée !

— Ils veulent le transférer aux soins palliatifs, Sophie ! Tu sais ce que cela veut dire, non ?

— Heu… oui, mais s'il n'y a plus rien à faire…

— Non, non, ton père ne peut pas partir avant moi, ce serait atroce, j'en serais réduite à rien. Sans lui, je ne vis plus, moi. Il n'a pas le droit de s'en aller ainsi, de m'abandonner et de me laisser seule avec mon désespoir.

— Voyons, maman, ce n'est pas encore fait et, si c'était le cas, si le Seigneur en avait décidé ainsi ? Ne pleure pas, nous allons prendre soin de toi. Calme-toi, je t'en prie. Regarde, papa vient d'ouvrir les yeux, il semble te chercher…

Francine s'approcha vivement du lit et Jules, lui prenant la main, lui dit faiblement :

— Le prêtre est venu ce matin. J'ai reçu l'extrême-onction, je peux maintenant rencontrer Dieu sans rien craindre.

— C'est toi qui l'as demandé, Jules ?

— Oui, je ne voulais pas partir sans recevoir ce dernier sacrement, si important pour les agonisants.

— Tu ne vas pas mourir, je te le défends, tu ne vas pas me laisser seule, je ne survivrai pas… Fais un effort, Jules, viens t'asseoir dans le fauteuil…

Une infirmière qui était tout près, entendant ces mots, dit à Francine :

— Non, madame, il ne peut pas se lever. Interdiction du médecin, il pourrait tomber, il est trop faible.

Et Jules d'ajouter :

— Ils vont me transférer aux soins palliatifs dans un endroit privé. J'y serai mieux qu'ici, il y a trop de bruit et de va-et-vient la nuit, ce qui me réveille constamment.

— Je ne veux pas te savoir là, je ne signerai pas.

— Tu n'auras pas à le faire, c'est déjà fait. Par moi de mon vivant. Personne n'aura à les autoriser pour mon transfert. J'ai même signé pour éviter tout acharnement thérapeutique.

— Donc, tu baisses les bras… Tu ne te battras pas, Jules ? Tu es fait si fort, pourtant…

— Non, souviens-toi du papillon bleu, ses ailes étaient si fragiles… Mon cœur l'est aussi. Viens, donne-moi ta main pour que je la pose sur ma poitrine. Je t'aime Francine, tu as été le seul amour de ma vie. Je n'ai jamais aimé personne comme je t'aime, même mes enfants.

Les larmes aux yeux, elle lui répondit en serrant la paume de sa main :

— Je t'aime aussi, Jules. Si fort que je ne trouve plus les mots. Je t'aime éperdument et je ne veux pas que tu t'en ailles. Que ce soit la volonté de Dieu ou pas, je veux te garder près de moi. Encore longtemps. Que vais-je faire si tu n'es plus là pour plier et déplier ma marchette pour aller au centre d'achats ? J'ai besoin de toi, ne me quitte pas, je t'aime tant…

Sophie, voyant le désarroi de sa mère, lui retira la main de celle de son père, et l'aida à s'asseoir dans le fauteuil de la chambre. Elle se retenait pour ne pas pleurer autant que sa mère, elle était bouleversée par la scène, mais se devait d'être forte pour deux. Jules, sur son oreiller blanc, sommeillait calmement, à bout de forces sans doute par ces aveux qui avaient précédé sa somnolence. Au même moment, la porte s'ouvrit, c'était Renée qui, haletante, s'amenait au chevet de son père. Voyant sa mère et sa sœur les yeux rougis, elle n'osait leur demander si elle arrivait trop tard, mais Sophie la rassura :

— Ne t'en fais pas, il dort, il vient de causer avec maman et ça l'a épuisé. Tu as fait un bon voyage ?

— Oui, l'avion était à temps et j'ai vite trouvé un taxi à l'aéroport. J'ai appelé Marc, c'est lui qui m'a conseillé de me rendre ici avant toute chose. Je vais habiter chez maman durant mon séjour.

— Ce qui va m'aider, les enfants, je ne voudrais pas me retrouver seule en ce moment. Heureuse que tu restes avec moi, Renée, sinon j'aurais demandé à Marc de le faire…

Renée se pencha sur son père et lui prit délicatement la main, voyant qu'il dormait. Rien d'autre qu'un toucher, sans lui dire un mot de peur de voir sa mère éclater en sanglots si elle confiait à son père ses sentiments envers lui. Le laissant se reposer, elle proposa à sa mère de l'accompagner pour un petit goûter, elle n'avait rien avalé dans l'avion, stressée par les turbulences incessantes de l'appareil qui amplifiaient ses craintes. Les deux femmes se dirigèrent vers la cafétéria alors que Sophie restait auprès de son père qui sommeillait encore. Et c'est durant l'absence de Francine que Jules fut transféré aux soins palliatifs sans qu'il s'en rende compte, où une chambre réservée pour lui l'attendait. Un étage très calme de l'hôpital, avec peu de va-et-vient et deux infirmières de garde au poste. De retour à la chambre qu'il occupait avant son déplacement, voyant que sa mère et Renée n'étaient pas revenues, Sophie se rendit à la cafétéria et les croisa dans un corridor où elles attendaient l'ascenseur.

— Ne vous pressez pas, il est maintenant aux soins palliatifs, je viens de le reconduire avec les préposés. Il dormait, il ne s'en est pas rendu compte.

Francine se retint à deux mains sur sa marchette et répondit :

— Pas possible ! Il va mourir, votre père, c'est pour ça qu'on l'a mis à cet endroit. J'en ai vu d'autres y aller et finir couverts d'un drap.

— Maman ! Pas de tels propos ! s'écria Renée. C'est déjà assez triste ce qui arrive, n'en ajoute pas. Tiens-tu à t'y rendre ou préfères-tu rentrer à la maison ?

— Non, je veux être là, auprès de lui. Je veux qu'il meure dans mes bras ! Je veux le sentir monter vers les cieux jusqu'à la porte de Dieu. Je veux que sainte Anne l'accueille avec sa bénédiction, je veux...

— D'accord, maman, l'interrompit Sophie. Allons nous détendre près de lui. Notre présence l'aidera à partir dans la dignité, en laissant son âme s'envoler en paix. Avec ta main dans la sienne, maman.

Et c'est ainsi que Jules Drouais rendit son dernier souffle le soir même, avec la main de Francine dans la sienne, sans avoir repris connaissance depuis son coma alimenté par la morphine qui lui perçait les veines. Renée, Sophie, Marc et Johanne s'étaient réunis autour du lit lorsque leur mère, qui désirait être seule à le regarder mourir, s'était retournée vers eux pour leur dire :

— C'est fini, votre père est parti. Le Seigneur l'a voulu ainsi…

Pour ensuite éclater en sanglots sur le drap du lit blanc.

Les jours qui suivirent furent difficiles à vivre pour les proches. Les funérailles de Jules Drouais allaient être à son image. La famille entière était réunie autour du cercueil au moment de la mise en terre. Jules avait demandé dans son testament de ne pas être exposé, seulement inhumé. D'anciens compagnons de travail s'étaient joints aux membres de la famille pour leur offrir leurs condoléances. Des voisins, des gens du quartier, l'épicier comme le paysagiste, tous étaient venus réconforter la veuve qui pleurait en silence. On l'enterra aux côtés de son petit-fils Vincent, qui l'avait précédé, et Sophie, apercevant un bout du cercueil de son enfant, s'était mise à sangloter de plus belle. Francine, la consolant sur son épaule, lui avait murmuré tendrement :

— Ne pleure pas, ton Vincent ne sera plus seul désormais, son grand-père sera tout près.

Chapitre 12

Après le départ de Renée, qui était restée dix jours avec elle, Francine retrouva peu à peu ses esprits et un rythme de vie qui allait lui être propice. Encore sous le choc de la perte de son mari, elle ne voulait pas que son état se reflète sur ses enfants et petits-enfants. Nicole s'obligea à lui venir en aide et à se défaire de tout ce qui avait appartenu à Jules, sauf ses souvenirs les plus intimes, comme les photos de son enfance jusqu'aux plus récentes, sans oublier leur fameux portrait de noces. Mais Francine n'en fit pas un musée dans sa maison. Elle ne conserva sur le bahut de sa salle à manger que la photo de leur mariage, en gardant cependant, plus discrètement, la plus belle de son mari sur le bureau de sa chambre, se contentant de ranger toutes les autres dans le tiroir d'une commode. S'habituant peu à peu à ce rôle de veuve éplorée, elle recevait chaque soir la visite de Marc et Johanne. Ces derniers la ramenaient souvent avec eux pour le souper et venaient la reconduire en fin de soirée. Mais Francine devait se débrouiller par elle-même, avec ses pertes d'équilibre, surtout à l'heure du bain, malgré tous les accessoires de sécurité disposés pour la protéger. L'automne se pointa avec ses journées plus sombres, mais elle avait gardé les services du paysagiste qui leur servait aussi de déneigeur l'hiver. Tous s'évertuaient à la distraire pour lui faire oublier l'homme qu'elle avait perdu, ce cher Jules qui hantait sa mémoire et auquel elle disait parfois : « Tu n'avais pas le droit de t'en aller et de me laisser m'arranger toute seule avec ma marchette ! » Des boutades passagères, mais tout de même un reproche à celui qui était parti avant elle pour l'au-delà. En octobre, elle avait appris le décès de Charles Aznavour, celui qu'elle aimait tant, celui de *La Bohème* de ses jeunes années, mais comme Jules n'était plus là, elle n'en avait parlé à personne. Le jeu de sa nécrologie d'artistes était derrière elle. Désormais, elle allait apprendre le décès de ses vedettes adulées, mais sans en faire un suivi, et encore moins une nouvelle à annoncer à ses proches. Sans Jules, bien des choses se terminaient pour Francine.

Un jour, assise avec Nicole dans un resto du centre d'achats, elle lui avait désigné une jeune femme en lui disant :

— Regarde, elle porte une blouse bleue avec une jupe verte ! Deux teintes qui ne se marient pas. Tu te souviens des défilés de mode auxquels nous assistions ? Nous avions le culte des couleurs. Aujourd'hui, les femmes s'habillent n'importe comment ! Élaine Bédard, notre plus grand mannequin, serait sûrement de mon avis.

Et Nicole l'avait interrompue pour lui dire :

— Francine ! Tu deviens comme Jules qui chialait sur tout ce qu'il apercevait. Les temps ont changé, tu sais, et même si je suis de ton avis pour la mode et les cheveux trop longs des vieilles femmes qui croient se rajeunir, je n'en parle pas, je ne peux rien y faire.

— Tu vois ? Tu n'es pas mieux que moi, Nicole ! Tu viens de descendre ces femmes de presque notre âge avec des cheveux longs comme les petites jeunes ! C'est plus fort que nous, n'est-ce pas ?

— Oui ! Ah ! ce cher Jules nous aurait donc laissé une part de son côté grognon ? Espérons qu'on puisse en guérir !

Les deux sœurs éclatèrent de rire et, au même moment, une femme vue de dos avec de longs cheveux raides et blonds passa près d'elles. Lorsqu'elle se retourna pour emprunter une autre allée, Francine et Nicole se rendirent compte qu'elle avait au moins soixante-quinze ans et que sa coiffure ne dissimulait en rien son visage ridé et magané par les ans. Elles furent indulgentes cependant, mais Francine ne put s'empêcher de dire à Nicole qui en était muette de stupeur :

— Ça s'peut-tu ? On dirait la sorcière de Blanche-Neige !

En novembre, le chat Tutti, devenu vieux, ne se nourrissait plus ou presque. Il avait longtemps cherché son maître et, ne le voyant pas rentrer, il sombra dans une dépression féline dont il ne se remettait pas. Francine ne s'en apercevait guère, elle remplissait son bol et jetait à la poubelle, le soir venu, ce qu'il n'avait pas mangé. Allergique aux chats, elle ne s'en approchait pas pour le cajoler comme Jules le faisait. Et c'est probablement parce qu'il se sentait délaissé que le pauvre animal s'était laissé aller. Un jour, alors qu'elle l'appelait et qu'il ne rentrait pas, elle s'aventura dans la cour et le trouva tout près du patio, inanimé. Tutti était mort. De vieillesse ou de chagrin. Sans doute des deux, finalement. Marc se chargea de la dépouille du chat qu'on confia à un endroit où on les incinérait. Et, délivrée de Tutti et des malaises qu'il lui causait, Francine fit désinfecter la maison et referma les portes après l'aération en disant à Jules : « Tiens ! Te voilà avec ton chat ! Tu es venu le chercher, lui… Plus chanceux que moi, Tutti. » Francine avait annulé l'abonnement au journal que Jules épluchait chaque matin et n'était plus au courant des événements quotidiens qu'elle y parcourait parfois, se contentant maintenant de la télévision, ainsi que de la radio lorsqu'elle lisait dans le vivoir. Voilà pourquoi elle n'avait pas appris, en octobre, que les experts sonnaient l'alarme sur le réchauffement de la planète. Un rapport spécial avait été publié dans le quotidien du matin. Ce que Jules n'aurait certes pas manqué de lui annoncer.

Le temps des Fêtes approchait et Marc avait parlé de son souper de Noël à sa mère. Il tenait à ce qu'elle soit présente, mais elle lui avait répondu :

— Non, Marc, merci, mais pas cette fois. C'est trop récent pour moi, je pense encore à ton père et je pleure souvent. Célèbre dans la joie avec ta famille sans avoir une veuve à ta table. J'ai convenu d'inviter Nicole et Mariette à se joindre à moi. Un traiteur va nous apporter un léger repas, et Nicole et moi allons trinquer avec un verre de vin pendant que Mariette boira une eau Perrier. Ce sera suffisant, oublie les cadeaux, attends qu'une autre année se lève. Il y aura d'autres Noëls et des dimanches de Pâques à fêter ensemble.

— Johanne aurait tant voulu que tu sois là…

— Je n'en doute pas et remercie-la pour moi, elle comprendra.

Et ce Noël de 2018 s'écoula entre les trois sœurs sur le boulevard des Prairies, pendant que Marc fêtait la nativité sans avoir omis, toutefois, d'aller à la messe de minuit et de prier pour le repos de l'âme de son père. Francine et ses sœurs en avaient fait autant de leur côté, à l'église que Jules aimait tant, en allumant des lampions et ensuite s'agenouiller pour que Francine confie l'âme de son défunt mari à sainte Anne. Quelques jours plus tard, l'année 2019 allait éclore et, dans un appel discret à sa mère, Sophie lui proposa de passer la nuit de la transition avec elle, à Laval, avec un léger goûter qu'elle allait apporter pour déguster lorsque minuit allait sonner. Francine accepta puisqu'elle n'aurait pas à se déplacer, cette fois, ct à minuit pile, le 1er janvier, avec un sourire d'espoir sur les lèvres, elle embrassait sa fille en se souhaitant toutes deux, une nouvelle année sans la moindre contrariété.

Le Premier de l'an se levait quand, après un bref déjeuner, Francine et Sophie offraient leurs meilleurs vœux à Renée et les siens au Manitoba, ainsi qu'à Marc et sa famille, à Nicole chez elle, et à Mariette dans son refuge. Et lors de l'appel à Marc, ce dernier les invitait à venir souper à la maison avec les enfants réunis, ce que Sophie devait refuser, ayant songé à convier Maxime et son épouse à manger chez elle. Néanmoins, Francine accepta et Marc vint la quérir vers les cinq heures du soir pour profiter d'un bon rôti de bœuf préparé par sa bru. Karine et Marie-Ève s'étaient montrées discrètes envers elle, ne voulant pas raviver une flamme qui, en ce jour, s'éteignait temporairement pour faire place à la joie d'être ensemble. Luc et sa femme avaient préféré aller fêter chez l'autre côté de leur parenté, ce qui était compréhensible, ils avaient passé Noël avec les Drouais. Nicole et Mariette, seules en ce jour de l'An, s'étaient réunies pour se rendre dans un restaurant pas loin afin d'accueillir la nouvelle année devant un plat typique du Québec avec, pour Nicole, un verre de vin rouge d'Australie alors que Mariette trempait ses lèvres dans un mimosa que la serveuse lui avait servi, la seule boisson que se permettait la vieille fille lorsqu'elle mangeait dans de beaux endroits. Nicole parla peu ce jour-là, elle sentait qu'avec cette nouvelle année elle allait vieillir d'un an, ce qui la tracassait. Allait-elle encore pouvoir trouver un compagnon à quatre-vingts ans ? Mariette en doutait, et Nicole, toujours frivole, espérait.

Écoutant le bulletin de nouvelles le 5 janvier, il était fait mention d'un regain de mobilisation en France de la part des gilets jaunes qui revendiquaient à peu près tout, sans rien préciser. Francine se cachait les yeux devant les truands qui brisaient des vitrines et incendiaient des automobiles. « Une gang de sans-culottes ! » aurait crié Jules, s'il avait été encore vivant. « Et des tricoteuses pour les accompagner ! Vont-ils aller jusqu'à dépoussiérer la guillotine ? » Jules avait toujours aimé Emmanuel Macron qui, selon lui, avait beaucoup de classe et de maintien. Il aurait admiré son courage à se tenir debout face à un tel carnage. Et Francine en aurait entendu parler durant des mois avec les manifestations qui allaient se répéter. Elle préféra se détendre devant le téléviseur en regardant des émissions plus légères d'ici ou des films puisés dans la collection de Jules, comme *Angel Face* avec Robert Mitchum et Jean Simmons. Puis, au début de février, elle demanda à Marc de venir la visiter, seul cette fois, pour discuter de choses à ne pas être partagées pour l'instant. Ce dernier, qui ne cherchait que le bonheur de sa mère, arriva à l'heure du souper, juste à temps pour manger avec elle des pâtes avec une sauce en boîte qu'elle avait mises à mijoter sur le rond de la cuisinière. Surpris, il lui demanda :

— Tu ne fais plus ta propre sauce, maman ?

— Non, je ne cuisine plus, j'en suis devenue incapable. J'ai peur de m'ébouillanter avec ma marchette devant moi ou en me tenant après la porte du fourneau. Ton père en serait bien malheureux, lui qui savait à peine comment faire cuire un œuf ! J'en suis là, Marc, et c'est pourquoi je veux m'entretenir avec toi. Mangeons pour commencer, ouvre la mini-bouteille de vin rouge, nous en boirons chacun un verre, et tu feras bouillir l'eau pour le thé que nous prendrons au salon avec des biscuits pour terminer le repas.

Cela fait, après avoir demandé des nouvelles de Johanne et de ses enfants durant le repas, Francine le regarda dans les yeux et, sans broncher, lui déclara :

— Marc, je veux vendre la maison, et ce, le plus tôt possible.

Interloqué, il ne sut que répondre :

— Déjà ? Pourquoi, maman ? Tu l'aimes tant cette maison…

— Oui, mais je ne suis plus capable de m'en occuper. C'est grand, c'est même vaste pour une personne seule. J'ai beau avoir une femme de ménage que ça ne résout pas mon cas. Je paye pour tout, les taxes sont élevées, les assurances aussi. Et comme ton père n'est plus là…

— Oui, je comprends, tu t'ennuies entre ces murs, n'est-ce pas ?

— S'il n'y avait que cela, la solitude, je ne parlerais pas de vendre, je la maîtrise assez bien, crois-moi. Mais tout ce que représente une maison est trop pour une veuve inaccoutumée à son entretien. Ce serait une bonne solution pour moi, je partirais avec uniquement mes effets personnels et je tenterais d'être heureuse ailleurs. Comme c'est là, je le vois partout, Marc, je sens encore sa présence.

— Je me doute bien que c'est sans doute papa qui te prodigue ses conseils de l'au-delà. Mais tu irais où, maman ? As-tu pensé à ton avenir dans cette décision ?

— Quel avenir ? Je suis malade, Marc, ma santé se détériore de jour en jour. Sans ma marchette, je ne ferais pas deux pas sans trébucher, c'est devenu intolérable et très inquiétant pour moi comme pour les autres.

— Personne ne peut venir vivre avec toi ? Nicole ou Mariette, par exemple ?

— Nicole, n'y pense pas, elle a sa propre maison, elle reçoit des amies des alentours et parfois des veufs quand elle en a encore l'occasion. Quant à Mariette, non, elle ne délaisserait pas son appartement pour habiter ici.

— Ce qui ne me dit toujours pas où tu comptes aller.

— Bien, dans une résidence haut de gamme. Celle où Mariette habite, justement. Un bel appartement avec les repas inclus si je le désire, ce que je souhaiterais vu mon incapacité à me nourrir. Lors d'une visite chez elle, j'ai examiné l'entourage immédiat et j'ai aimé l'ambiance. Les dames sont distinguées. Les couples aussi ! C'est dispendieux, mais si bien tenu que ça en vaut la peine. Et si Mariette peut se payer un tel appartement, pourquoi pas moi ?

— Oui, c'est une solution, si elle est bien réfléchie. Tu n'as jamais aimé la foule de gens de ces endroits, ça fait beaucoup de monde à côtoyer. Le cinéma, c'est en groupe qu'il faut y assister dans la salle commune.

— Ce qui sera mieux que de regarder seule un film ici, sans personne avec qui échanger mes impressions, mes émotions et même mes déceptions. Manger ensemble ne m'inquiète pas non plus. C'est ton père qui était très sauvage, qui n'aurait jamais accepté d'être entouré d'étrangers, pas moi !

— Alors, pourquoi ne pas te simplifier la tâche et aller tout bonnement habiter avec Mariette ? Son appartement est passablement grand, tu pourrais avoir ta chambre privée et elle, la sienne. Et comme elle cuisine encore…

— Tu n'y penses pas, Marc ? Elle cuisine très peu, elle mange sans cesse la même chose, une salade au saumon, une omelette avec des tranches de jambon, ou un fettucine Alfredo parce qu'elle connaît la recette par cœur. De plus, Mariette n'est pas la personne la plus récréative qui soit. Elle ne se mêle pas aux autres, elle est enfermée chez elle et ne reçoit que des bénévoles avec qui elle converse. Reste à savoir si ces mêmes bénévoles ne profitent pas un peu d'elle, car ma petite sœur peut être très généreuse si on lui tend la main, tu comprends ?

— Voilà ! Tu pourrais les avoir à l'œil, maman.

— Non, c'est son argent, pas le mien, Marc. De toute façon, je préfère vivre seule tout en la sachant pas loin de moi, elle peut être utile de temps en temps. J'ai remarqué qu'il y avait un beau cinq pièces qui allait se libérer sur son étage. La dame qui l'occupe veut le quitter depuis que son mari est décédé, pour aller vivre avec sa fille en Ontario. Elle m'a glissé à l'oreille : « Vous devriez le réserver, madame Drouais, tout le monde va vouloir s'en emparer quand ils vont savoir que je m'en vais. Et mon appartement n'est qu'à quelques portes de celui de votre sœur. » Donc, je veux y aller, Marc. Il faudrait le faire au plus vite, la dame en question compte partir en mai, ce qui nous permettra de vendre la maison et, en attendant de rentrer à cette résidence, j'irai passer une semaine ou deux chez Nicole qui m'invite souvent.

— Bon, puisque c'est décidé, comme je vois, allons dès cette semaine réserver l'appartement en question et dès que ce sera fait, si tout va bien de ce côté, nous mettrons la maison en vente. Je connais une agente immobilière que tu vas aimer si tu la rencontres, et ta maison sera vendue en peu de temps. Ah ! Si seulement Luc et sa femme pouvaient l'acheter… Mais ils sont dépourvus d'argent et peu solvables pour les banques.

Sur ce qui semblait être une suggestion de la part de Marc, sa mère n'avait pas réagi. Même en moyens, elle ne tenait pas à financer ce petit-fils qui ne l'avait presque jamais visitée. Ce que Jules avait maintes fois constaté. Et elle désirait garder son avoir, l'argent de la vente de la maison ainsi que l'assurance vie de son mari, pour les laisser en héritage à ses trois enfants après sa mort. Ce que Jules lui aurait certes conseillé.

Deux jours plus tard, en compagnie de Marc et de Johanne, Francine se rendait à la résidence où la dame l'attendait pour faire visiter son appartement, que Marc trouva très intéressant. Ils se dirigèrent ensuite vers le bureau du directeur pour négocier une éventuelle location. Constatant qu'il s'agissait de la sœur de Mariette, la veuve de monsieur Drouais qu'il avait croisé maintes fois, le chargé de projets qu'il était en plus de maintenir l'établissement se montra fort bienveillant et accueillit la future résidente avec respect :

— Ce sera merveilleux de vous avoir sous notre toit, madame Drouais. Et pour les soins de santé, ne vous en faites pas, un médecin vient régulièrement s'occuper des locataires qui le réclament. Et, vous, dans votre état... Oh ! excusez-moi, c'est sorti tout seul à cause de votre marchette.

— Ne vous excusez pas, monsieur, je suis handicapée, c'est visible et ça ne m'offense pas. Mais pas au point de ne pas me déplacer.

— Je vois, madame Drouais, mais il me faut vous dire que si votre mal s'aggravait et que vous ne pouviez plus dépendre que de vous-même, il faudrait à ce moment-là envisager de quitter l'appartement et de vous rendre dans une résidence pour personnes non autonomes. C'est une consigne de cet immeuble, il me faut vous la citer.

— Bon, ça va, je n'en suis pas encore là, et il y a ma sœur à quelques pas si jamais ça se compliquait pour moi.

— Bien sûr, j'en suis conscient, mais je n'avais d'autre choix que de vous informer des règlements qui sont les mêmes pour tous, vous comprenez ?

Après le bail signé, de retour chez elle, Francine se demandait si elle avait fait une bonne affaire...

Soudainement, légère hésitation, elle appréciait le fait de vivre seule dans cette belle maison que Jules avait achetée pour sa famille autrefois. Mais ce ne fut qu'un écart de pensée, elle devait partir, s'en aller et passer ses dernières années ailleurs qu'entre ces murs. Et sa décision resta ferme, même si elle avait dix jours pour changer d'idée sans pénalité.

Il n'a suffi que d'une semaine à l'agente immobilière pour arriver chez Francine avec un acheteur potentiel très sérieux. Pour mieux prouver son intérêt face à la situation, il s'était amené pour voir la maison avec sa femme et ses trois jeunes enfants, un garçon et deux filles. Exactement ce qu'avait eu le couple Drouais autrefois. Francine, ravie par ce monsieur et sa dame, et souriante envers les enfants intimidés par cette maison encore inconnue, accepta leur offre d'achat même si elle était inférieure au prix demandé. Elle avait expliqué au couple :

— Avec des enfants comme nous en avons eu, vous allez être heureux sur le boulevard des Prairies. C'est un beau quartier et vos enfants vont apprécier le parc et l'école qui ne sont pas trop loin. J'ai accepté votre offre pour vous donner une chance de commencer cette nouvelle vie avec un peu plus d'aisance. J'espère que vous serez aussi heureux que nous l'avons été dans cette maison.

— Je n'en doute pas, répondit la dame. Et nous vous remercions d'être si généreuse envers nous. N'est-ce pas que vous allez être bien ici, les petits ?

— Oui, c'est grand et c'est beau, répondit timidement le garçon en regardant par terre.

Le père, enchanté de son achat, se demandait bien quand il allait pouvoir s'installer dans cette vaste maison de ses rêves et Francine le rassura en lui disant qu'elle allait mettre plusieurs de ses meubles en entreposage et déménager dans le mois qui suivrait, ce qui fit sourire d'aise l'acheteur comblé. Et effectivement, comme prévu, sans avoir changé d'idée, Francine se retrouva chez Nicole un certain temps pour ensuite s'installer dans l'immeuble où Mariette habitait un beau cinq pièces semblables au sien. C'était grand, mais sur un seul plancher, aucun escalier à grimper, et l'ascenseur pour la monter ou la descendre dans l'édifice avec son déambulateur. Était-ce la nervosité ou le stress de ce déménagement, Francine s'était aperçue que, depuis une semaine, en plus de ses pertes d'équilibre, son bras droit s'était mis à trembler, à lui faire échapper ce qu'elle tentait de prendre, à avoir plus de difficulté à enfiler une blouse ou une jupe. Mariette s'en était aussi rendu compte, mais discrète, elle ne le souligna pas à sa sœur qui venait à peine d'arriver sur son étage. Nicole, plus directe, en la voyant ainsi trembler lui avait dit :

— C'est le mal qui progresse, n'est-ce pas ?

Ce à quoi Francine avait répondu :

— Oui, et ça m'inquiète, car je viens juste d'aménager. Je me demande combien de temps ils vont me garder ici si je deviens invalide. Mariette m'aide beaucoup, elle me monte souvent mes repas, car je suis gênée d'aller à la salle à manger et de risquer d'échapper une cuillerée de ma soupe ou un morceau de pain qui me partirait de la main. Je paye un peu plus cher pour qu'on m'apporte mon dîner en haut quand Mariette ne peut le faire, mais dans ma commande d'épicerie, il y a beaucoup de sandwichs, de salades assorties et d'œufs cuits durs pour que, sans cuisiner, je puisse me nourrir sainement quand même, et le grille-pain s'occupe de mes *toasts* le matin pendant que le café coule de lui-même. C'est le poêle qui me fait peur, tout ce qui bout surtout, quoique le four m'inquiète moins, je retire mes choses de la main gauche. Mais s'il fallait que ce syndrome sournois attaque mon autre bras…

— Je remarque que ta tête branle beaucoup, Francine. Est-ce un autre méfait de ta maladie?

— Tout vient de là, Nicole, je suis de plus en plus handicapée. Je verrai avec les semaines comment ça ira dans ce nouveau chez-moi, je me donne au moins une chance, je viens à peine d'arriver.

Durant ce temps, à Winnipeg, alors que Renée se plaisait à l'école où elle travaillait et que Philippe cumulait les promotions et bonis à la compagnie d'assurances, William annonça à sa mère qu'il allait épouser Emma le 22 juin lorsque l'été allait éclore et que sa fiancée aurait alors obtenu son diplôme d'infirmière. Renée s'était fait une joie de le dire à Marc et d'inviter de vive voix tous ceux et celles qui voulaient bien y assister. Très heureux de la nouvelle, le grand frère répondit qu'il s'y rendrait avec Johanne, bien entendu, et que ses enfants suivraient s'ils étaient libres à cette date-là. De son côté, Sophie comptait peut-être s'y rendre si elle en avait la chance. Elle lui reviendrait avec une réponse en temps voulu. Dans son cas, c'était qu'elle était peu à l'aise, ces temps-ci, avec sa seule paye pour subvenir à ses besoins et régler peu à peu ses nouvelles dettes accumulées. Pour ce qui était de Francine, elle était triste d'avouer qu'elle ne pourrait pas s'y rendre, vu la détérioration de sa santé, mais qu'elle ferait parvenir aux futurs mariés un généreux cadeau en argent afin qu'ils puissent acheter ce dont ils auraient besoin pour se mettre en ménage. Mais juin était encore loin et, devinant que sa belle-sœur Sophie n'était pas fortunée de ce temps, Philippe l'avisa que si elle voulait venir en avion, il se chargerait du billet du voyage aller-retour et qu'elle pourrait résider chez eux. Si elle décidait d'accompagner Maxime et sa femme en auto, il lui proposait de lui payer l'essence et de leur offrir le gîte chez lui, il avait un grand sous-sol avec deux chambres d'invités. Ce que, mal à l'aise, Sophie allait discuter éventuellement avec son fils et sa bru, Frida, la Mexicaine qu'elle fréquentait plus ou moins, cette dernière ne jurant que par sa famille.

À la résidence, Francine retrouvait un état quasi stable lorsqu'elle était inactive, assise devant son téléviseur ou à quelques pas chez Mariette où elle soupait parfois avec elle. Depuis son arrivée, elle avait adopté le médecin des lieux, allant jusqu'à annuler les visites au précédent qui l'avait suivie si longtemps. Trop au courant de sa maladie et des antécédents, elle préférait un nouveau docteur qui la prendrait en charge comme si tout commençait seulement. Mais le médecin n'était pas dupe et se rendit vite compte que Francine était sérieusement atteinte de la maladie de Parkinson, un nom que cette dernière ne voulait jamais prononcer, même devant son fils. Cette maladie évolutive lui faisait tellement peur qu'elle fermait les yeux sur les conséquences à venir. On disait que les tremblements étaient l'un des nombreux symptômes, alors qu'elle le savait et qu'elle les attendait depuis longtemps. Ses pertes d'équilibre n'étaient qu'un autre des méfaits, et la baisse de rendement dans la réalisation des tâches quotidiennes en devenait le signe avant-coureur, selon les affections de la maladie, quoique tous ces indices, elle les avait sentis venir depuis longtemps. Souvent, seule dans sa chambre le soir venu, elle suppliait Jules de venir la chercher avant qu'on lui demande de quitter l'établissement à cause de son état trop aggravé avec le temps. Mariette lui avait offert d'annuler son bail et de venir tout simplement habiter avec elle, mais Francine ne pouvait se résoudre à finir ses jours avec sa petite sœur qui, malgré sa générosité, allait lui être néfaste pour le moral, malgré ses bons soins, vu ses longs silences et son peu d'intérêt pour la télévision.

Mariette n'était pas Nicole, cela allait de soi, et cette dernière, très renseignée sur la maladie de sa sœur, ne lui avait pas suggéré de venir habiter avec elle. Libre et en bonne santé, elle ne voulait pas s'encombrer et devenir une espèce d'infirmière ou de préposée pour sa sœur qui s'acheminait vers des jours de plus en plus sombres. Elle la voyait plutôt dans une résidence pour handicapés, là où l'on veillerait sur elle. Plus spécialement dans un centre d'hébergement et de soins de longue durée, communément abrégé en CHSLD dont elle évitait de prononcer le nom devant elle. Tout malade chronique craignait de finir ses jours dans une telle place. Bien soigné ou pas, c'était une condamnation à vie que ces endroits-là. Ce qui aurait choqué et déprimé entièrement Francine, si elle avait soupçonné le plan de sa sœur aînée. Quoique Marc, qui la visitait en moyenne trois fois par semaine, avait l'œil ouvert sur le bien-être de sa mère. Il s'occupait de tout, de ses médicaments quand elle oubliait de les prendre, de son argent bien placé à la banque, de ses vêtements, parce que Francine, si coquette d'habitude, commençait à se négliger en remettant souvent la même robe de jour en jour. L'aspect cognitif se détériorait et Mariette s'en rendait compte. Malgré tout, la petite sœur, le cœur sur la main, insistait pour la garder avec elle, comme si Jules la priait de le faire. Une proposition dont Francine se dégageait chaque fois en lui disant qu'elle était encore capable de s'occuper d'elle-même. Un soir, persistante et convaincue d'être bien, Francine se rendit avec une voisine de palier au cinéma de l'établissement voir un vieux film français : *Première Désillusion,* avec Michèle Morgan qu'elle trouvait si belle. Le type responsable de la projection leur avait dit : «C'est un film pour les nostalgiques», ce que plusieurs appréciaient. Mais à la fin du film, ravie d'avoir revu la Michèle Morgan de ses jeunes années, Francine remonta vite à sa chambre pour ne pas avoir à discuter du film avec les autres locataires de la résidence. Elle avisa Mariette que le film était bon, qu'elle ne l'avait jamais vu, elle lui reprocha de n'être pas descendue avec elle, d'être autant renfermée dans son appartement à lire, chaque soir, des récits historiques du temps de Childéric Ier, de sa femme Basine de Thuringe et de leur fils Clovis, les plus ennuyeux qui soient.

Aussi incroyable que cela puisse paraître, Nicole s'était déniché un nouvel amoureux de dix ans plus jeune qu'elle en la personne du propriétaire d'une boutique de lingerie du centre d'achats. Père d'une fille unique qui tenait le magasin, il était retraité depuis peu, se contentant du côté administratif de son commerce. Il avait croisé Nicole lors d'un achat qu'elle effectuait à sa boutique alors qu'il s'y trouvait et, ne se doutant pas qu'elle était de dix ans son aînée, il en tomba amoureux le jour même. Par son allure, par sa féminité, par son apparence et par le charme qu'elle déployait envers un homme. Chanceuse une fois de plus, ce monsieur Wenberg était veuf. Il la revit une seconde fois et se décida à lui demander si elle vivait seule, si elle avait un mari, si elle était divorcée et, devant les réponses de la jolie dame vêtue de bleu ciel, cette fois, il l'invita à souper dans un restaurant huppé d'Outremont, près de la maison qu'il habitait. Elle accepta, évidemment, avec une simili retenue qui laissait voir un côté distingué qui n'était pas le sien. Burt Wenberg s'en éprit dès ce moment et, osant la questionner sur son âge, il sursauta quand il l'entendit dire qu'elle était octogénaire depuis peu, donc la plus jeune de cette décennie. Qu'importe ! Il la trouvait ravissante et bien tournée avec ce décolleté qui affichait des attributs encore invitants pour un homme de soixante-dix ans. Et ce qui devait arriver arriva. Burt se fit inviter chez elle et trouva qu'elle avait une fort jolie maison. La croyant plus aisée qu'elle ne l'était, quoiqu'il était dix fois plus riche qu'elle, il se permit une main sur un genou, ce qui amena Nicole à se prêter au jeu, les yeux fermés. De là, une belle idylle venait de naître et, un mois plus tard, début de juin, il l'emmenait en croisière dans les Bermudes pour lui avouer qu'il l'aimait éperdument. En excellente santé, souliers de cuir verni avec talons encore fins, bas de nylon noirs, coiffure blonde entretenue par son spécialiste, maquillée avec son savoir-faire, Nicole Vadnet jouissait de superbes privilèges plutôt rares pour son âge. Et ce, pendant que sa sœur Francine, affichant le poids des années, était confinée dans un appartement qu'elle craignait de perdre, avec pour seules marques de tendresse celles de son fils et de sa fille qui s'en informaient chaque jour. Et de l'aide précieuse de Mariette, bien sûr, qui, en silence, lui prodiguait ses bons soins. Renée lui écrivait de longues lettres de son école, car Francine n'avait plus de courriel ; elle préférait téléphoner à sa fille plutôt que de lui écrire, car sa main moins habile traçait des caractères plus petits et plus illisibles d'une semaine à l'autre. Quelle humiliation pour une femme qui avait été enseignante presque toute sa vie et avait appris aux enfants à bien écrire.

Le directeur de l'immeuble avait avisé Mariette, en la croisant, qu'elle devait passer le voir à son bureau au sujet de sa sœur. Et là, sans ménagement, il l'avait avertie que l'état de Francine, qui s'aggravait, commençait à être hors normes pour l'établissement, à moins qu'elle quitte son appartement incessamment et qu'elle aille vivre dans le sien avec elle. Il ne voulait pas l'évincer de la résidence, il l'aimait beaucoup, elle avait été une dame si honorable, mais il craignait maintenant pour le feu ou une chute défavorable pour elle. Mariette se devait donc d'agir promptement. Elle en parla à Marc qui s'offrit de la prendre chez lui au lieu de la transférer ailleurs où, sans le lui dire, elle serait encore plus malheureuse. Il connaissait la façon d'être de Mariette, recluse, silencieuse, déprimante pour certains et davantage pour sa sœur, qui traversait déjà une phase cognitive qui lui enlevait toute joie de vivre. Mariette accepta avec emphase cette offre qui allait lui éviter d'avoir à s'occuper de Francine, elle qui avait peine à prendre soin d'elle-même, ne cuisinant guère et ne sortant jamais ou presque de son appartement. Et c'est ainsi que, cinq jours plus tard, Francine se retrouva dans une spacieuse chambre meublée de la maison de Marc où Johanne l'accueillit à bras ouverts. Sans se plaindre de Mariette toutefois, Francine leur avait dit : « Elle est bien fine, mais tellement repliée sur elle-même que rien ne sort venant d'elle. Je comprends pourquoi Tutti est revenu la falle basse de son séjour chez elle ! » Elle avait parlé de leur chat, alors que cette anecdote était ancienne, du temps de Jules, et non du moment présent, Tutti étant mort. Et comme Marc ne savait rien de cette histoire, il crut un instant que, dans un début de délire, sa mère fabulait.

Les noces de William et Emma furent célébrées le 22 juin tel que planifié et plusieurs invités du côté de la mariée étaient présents, alors que peu nombreux étaient ceux du marié qui, pour la plupart, habitaient le Québec. Du côté des Drouais et des Vadnet, on accueillit Sophie, qui vint seule en avion selon la proposition de son beau-frère, ainsi que Johanne et sa fille Karine, qui firent le trajet en automobile pour voir du paysage. Marc, malgré sa bonne volonté de s'y rendre, avait préféré rester à Montréal et s'occuper de sa mère avec Marie-Ève, qui venait fréquemment enjoliver la chambre de sa grand-mère en y disposant des fleurs qui dégageaient un arôme que la malade semblait apprécier. À Winnipeg, le mariage fut superbe. Le couple échangea ses vœux et le père de la jeune épouse leur fit don d'une jolie maison d'un seul étage qu'il avait achetée dernièrement, investissant beaucoup dans l'immeuble. Philippe y alla d'un généreux cadeau en argent qui s'ajouta à celui de grand-mère Francine, qui avait écrit avec difficulté dans sa carte, son chagrin de ne pouvoir être avec eux. Une réception de prestige dans un bel hôtel suivit la bénédiction nuptiale et, le soir même, les tourtereaux s'envolaient pour Hawaï afin de profiter d'un beau voyage de noces offert par Renée, qui avait fait fondre quelque peu son compte en banque pour leur donner un si beau présent, l'avion inclus. Johanne et Karine reprirent le chemin pour le Québec le lendemain, et Sophie, l'avion que son beau-frère lui avait payé. Philippe, voulant contribuer en remboursant l'essence de la voiture de Johanne, cette dernière refusa poliment, alléguant qu'elle pouvait se permettre un tel déplacement, et les deux femmes rentrèrent sans embâcle au bercail.

Entre-temps, à Montréal, tout était bien en place. Francine, selon son humeur et sa mémoire, s'excusait de temps à autre de déranger pour ensuite demander à son fils d'acheter de la confiture à la noix de coco, sa favorite, pour ses rôties du matin. Lorsque Francine avait quitté l'immeuble de sa sœur pour une nouvelle vie avec son fils qu'elle aimait tant, il n'y avait pas eu d'adieux touchants de la part de Mariette qui avait préféré rester dans son appartement alors qu'on descendait Francine dans l'ascenseur avec son déambulateur et ses effets personnels. Contente de se retrouver avec les bénévoles qui venaient de moins en moins à cause des fréquentes visites de Francine, la sœurette renoua avec ces amies d'occasion qui planifiaient ensemble un pèlerinage à Lourdes, si la vieille fille acceptait, en plus de son passage, de défrayer celui d'une consœur quasi pauvresse. Ce que Mariette accepta, évidemment, trop heureuse de se rendre à la grotte où la Vierge était apparue dix-huit fois à Bernadette Soubirous, canonisée et extrêmement priée. Mais le déplacement n'était prévu que pour l'année suivante, ce qui permettait aux bénévoles de recruter davantage de passagères et de chèques émis d'avance pour le voyage en groupe.

Nicole, pour sa part, était ravie de savoir sa sœur Francine sous la protection de Marc et son épouse. Ce qui était plus digne, selon elle, que de vivre dans une résidence avec une sœur peu apte à prendre soin d'elle. Elle se promettait de la visiter souvent chez Marc si Burt, son compagnon, acceptait de l'accompagner de temps en temps. Et ainsi le présenter à Marc, qui avait eu écho de son nouveau coup de filet sans avoir encore vu sa capture. Tout semblait se passer comme prévu et, dès que Francine s'était trouvée dans la grande chambre fleurie de roses blanches et rouges, elle s'était crue comme dans un hôtel de luxe où elle avait séjourné naguère. Elle devait cependant reprendre contact avec le médecin qui la soignait avant son escapade en résidence et ce dernier, très compatissant, accepta de voir au bien-être de son ex-patiente dont la santé avait beaucoup décliné. L'été s'annonçait chaud et Francine ne se souciait plus du temps qui passait. À certains moments, pour elle, c'était hier quand c'était demain et, aujourd'hui, le mois précédent. Tout était confus dans ses pensées quoique, certains jours, tout se replaçait. Elle gardait toutefois le souvenir de certains événements comme celui où Rafael Nadal avait remporté le grand chelem de Roland-Garros en France pour la douzième fois. Elle y avait attaché beaucoup d'importance, parce que ce maître du tennis avait été le préféré de son cher Jules, de son vivant. Et elle s'emportait contre les gilets jaunes, ces sans-culottes qui fracassaient tout à Paris et elle plaignait le pauvre Emmanuel Macron de cette triste situation, parce que Jules l'avait aimé, ce président. Tout lui rappelait Jules, sauf ce qui se passait au présent, comme le Brexit du Royaume-Uni qui avait à peine effleuré son esprit, tout comme la jeune Greta Thunberg qu'elle voyait souvent à la télévision, en demandant chaque fois à Marc ce qu'elle faisait de si extraordinaire dans les pays qu'elle visitait. Car dans sa tête, avec ses troubles cognitifs, le réchauffement de la planète n'avait aucun sens pour elle.

Parkinson, ce mot qu'elle n'osait prononcer devant personne. Cette maladie qui la minait lentement et dont elle refusait le complément direct « dégénérative » que le médecin employait. Marc était au courant, bien sûr, mais évitait d'en parler ou de mentionner ce mot devant elle, encore moins à Nicole qui le questionnait sans cesse pour savoir si ses appréhensions… Non, Marc restait discret, prétextant un point d'interrogation face aux malaises de sa mère. L'été avait été comblé de hauts et de bas dans la maladie de Francine, et Johanne avait même réussi à la sortir et l'emmener au centre d'achats avec elle où madame Drouais, heureuse ce jour-là, avait acheté un blouson rose et un sac à main blanc pour l'été. Les deux femmes avaient longuement bavardé, elles avaient même mangé un riz frit au restaurant chinois du centre, jusqu'à ce que l'humeur de Francine change et qu'elle demande à Johanne de la ramener à la maison en lui disant d'un ton élevé : « Tu sais bien que je ne peux pas sortir, je n'aime pas la foule et je n'ai besoin de rien ! » Assez brusquement pour que sa bru la raccompagne à la maison sans échanger le moindre mot ou presque au cours du trajet, pour ne pas la contrarier. De retour à sa chambre, enfilant sa jaquette, Francine se mit au lit à six heures et fit une sieste qui dura deux heures. À son réveil, apercevant Johanne dans le cadre de la porte, elle lui demanda : « Tu n'as pas sorti ? Tu es restée avec moi toute la journée ? Très aimable de ta part, tu sais ! » Le soir, alors que Marc et Johanne lui remettaient ses achats et qu'elle vit le sac à main blanc et le blouson rose, elle s'écria : « Oh ! Que de beaux cadeaux ! Mais pourquoi ? Est-ce mon anniversaire ? »

La fin de l'été s'écoula relativement bien. Sophie venait la visiter et, ensemble, elles causaient sur la véranda de Marc. Sophie lui parlait de Maxime et de son épouse, de leur désir d'avoir un enfant, ce qui ne se produisait malheureusement pas. À un certain moment, Francine lui demanda :

— Et Vincent, il se débrouille bien ?

Avec stupeur, voyant que sa mère avait oublié momentanément le décès de son fils, Sophie évita de répondre et bifurqua du sujet par un…

— Oui… Tu veux que j'aille te préparer une limonade, maman ? Ça nous rafraîchirait.

— Oh oui ! Il y en a dans le frigidaire si Jules ne l'a pas toute bue ! ajouta-t-elle en riant.

Il en était ainsi certains jours, quoique le lendemain, elle jasait comme si de rien n'était avec les neurones en place et les écarts tout à fait absents.

Les médicaments étaient de plus en plus lourds, ce qui lui causait des effets secondaires pouvant engendrer une modification du comportement. Marc, fouinant dans des archives médicales, avait pu apprendre que la maladie de Parkinson n'en était pas une dont on meurt, mais dont on souffre à en mourir. Ni une maladie dont on pouvait guérir. Sans parler des hallucinations temporaires qui surgissaient… À la fin du mois d'août, voyant que sa mère perdait du poids, il constata qu'elle refusait de manger parce que ça lui donnait des crampes et des douleurs qu'elle ne pouvait identifier. Mais son état empirait, elle avait maintenant de la difficulté à parler. Un jour où elle se sentait un peu mieux, elle dit à son fils qui la regardait s'endormir :

— Si seulement ton père venait me chercher, Marc. Je le lui demande chaque soir. J'invoque même ma bonne sainte Anne, mais ni l'un ni l'autre ne font rien et je suis encore en vie à souffrir…

— Tu as mal où, maman ?

— Des crampes, le mal de ventre, les mains, je tremble et ça fait mal, les mollets, je ne sais plus où, j'ai mal partout et mon cœur ne veut pas flancher.

— Parce que tu peux t'en remettre, sois confiante.

— Non, je ne veux pas m'en remettre, je veux aller rejoindre ton père, je veux être avec lui comme autrefois, lui dire que je l'aime. J'ai pas toujours été fine avec lui, tu sais, il buvait, mais c'était un défaut de jeunesse, moi c'était pire, je lui reprochais tant de choses… Et il m'aimait. J'en demande pardon encore. À lui comme au Seigneur.

— Bon, cesse de te mortifier avec ces pensées, ferme plutôt les yeux et essaie de t'endormir sur tes bons souvenirs.

— Oui, j'en ai quelques-uns comme le jour où j'ai eu mon premier enfant, un garçon. On l'a appelé Marc…

Et la dame, recroquevillée dans son lit, réussit à fermer les yeux sur cette image, en affichant un demi-sourire de satisfaction dans ses pensées lointaines.

Le lendemain matin, avant que septembre s'empare du calendrier. Johanne, levée plus tard, n'avait pas entendu Marc partir pour le travail. Seule avec sa belle-mère dans la maison, elle se rendit à la chambre de cette dernière pour la réveiller en douceur et lui offrir un léger déjeuner. Elle entra sur la pointe des pieds et, tout près du lit, elle murmura :

— Madame Drouais, madame Drouais, réveillez-vous, il faut manger un peu ce matin.

Mais, Francine, couchée sur le dos, la bouche entrouverte, ne répondait pas. Inquiète, la secouant délicatement, Johanne se rendit compte qu'aucune réaction ne venait de sa belle-maman. Lui empoignant la main, elle sentit que cette dernière était froide et inerte et, s'approchant de plus près de sa bouche pour percevoir son souffle, elle ne sentit plus rien. Se relevant, sidérée et apeurée, elle s'empara du téléphone du boudoir pour appeler Marc à son travail. Soulevant le récepteur, il entendit sa femme, haletante, lui dire au bout du fil :

— Marc, reviens vite, ta mère ne respire plus, je pense qu'elle est morte !

— Quoi ? Tu en es sûre ? Comment est-ce possible ? Elle est peut-être seulement inconsciente…

— Non, elle est morte, Marc. Dépêche-toi, je suis désemparée, je ne sais plus quoi faire, j'ai même peur de retourner dans sa chambre. Arrive !

Et l'entendant sangloter au bout du fil, elle raccrocha pour ne pas le bouleverser davantage. Marc, de retour à la maison quinze minutes plus tard, se dirigea vers la chambre pour se rendre compte, à son tour, que sa mère ne respirait plus.

— Maman, maman, ne me fais pas ça ! Tu n'es pas morte bêtement comme ça ! Sans moi à côté de toi… C'est impardonnable…

Il aimait tellement sa mère que la perdre ainsi… Il la souleva et, l'étreignant dans ses bras tremblants, il alla même jusqu'à la secouer comme pour lui redonner vie, mais Johanne le releva pour l'éloigner du lit avant que la scène soit déchirante, pour lui dire alors qu'un flot de larmes inondait son visage :

— Inutile d'insister, elle nous a quittés, Marc. Sans prévenir. Elle voulait tant aller rejoindre ton père. Il faut maintenant appeler le docteur…

— Pourquoi, puisqu'elle est partie ?

— Pour constater le décès, Marc. On a besoin de lui.

Et pendant que le médecin s'amenait, Marc, à côté du lit, regardait sa mère en lui disant à travers ses sanglots :

— Tu aurais pu attendre que je sois là, maman. Tu n'avais pas à partir sans me prévenir. Je t'aime tant, pourquoi m'avoir fait cela ? Je t'aurais prise dans mes bras et ta main dans la mienne, je t'aurais serrée sur mon cœur…

Tu étais si jeune encore, nous t'aurions gardée longtemps, Johanne et moi. Pourquoi, maman?

Johanne, qui de la pièce voisine entendait le triste monologue de son mari, avait aussi les larmes aux yeux et le cœur à l'envers. Elle savait que Marc aimait profondément sa mère, qu'elle avait toujours été là pour lui, qu'elle lui avait donné tout son amour après lui avoir donné le jour. Il avait aimé son père, certes, mais avait adoré sa mère, et voilà qu'elle était partie dans son sommeil comme un petit poulet. C'était pourtant un gros morceau qu'il perdait...

Marc, sortant de la chambre, tentant de s'essuyer les yeux noyés de larmes, murmura à sa femme:

— Si seulement j'avais pu recueillir son dernier soupir...

Le docteur, constatant le décès, offrit ses condoléances au couple et se montra fort navré du départ de sa patiente. La main sur l'épaule de Marc, il lui avait dit:

— Mince consolation, mais votre mère n'a pas souffert. Elle est partie comme un ange qui s'envole sur un nuage...

Si Jules l'avait entendu, il l'aurait certes interrompu pour lui murmurer:

— Non, docteur, comme un doux papillon aux ailes si fragiles...

Épilogue

Apprenant le décès de sa mère, Sophie fondit en larmes. Elle ne pouvait croire qu'elle soit partie si vite, sans savoir vraiment si c'était le Parkinson qui l'avait fait mourir ou un infarctus inattendu… Mais à quoi bon, elle n'était plus là. Néanmoins, son dernier souffle avait été pour qui? Pour Jules? Pour Marc? Pour ses petits-enfants? Seule Francine le savait et elle allait emporter ce doux secret dans sa tombe. Renée fut également bouleversée par la nouvelle. Elle se reprochait de n'être pas venue la voir chez Marc, mais son frère lui disait que son déplacement ne serait pas nécessaire, qu'on croyait l'héberger encore longtemps et qu'on se reverrait sans doute au temps des Fêtes. Nicole s'était effondrée en apprenant le décès de sa sœur, déjà partie à seulement soixante-dix-huit ans. Au même âge que Jules l'an dernier, comme s'ils s'étaient donné rendez-vous à cet âge précis de leur vie. Mariette, pour sa part, était chagrinée du départ de Francine, quoiqu'elle s'y attendait. Ayant vécu pas loin d'elle à la résidence, elle l'avait vue perdre son combat de jour en jour. Les petits-enfants furent attristés de la perte de cette grand-mère aimante et compréhensive. Les plus affectés d'entre eux furent William, à Winnipeg, qui avait appris à la mieux connaître et à l'aimer, ainsi que Marie-Ève qui n'aurait pas le bonheur d'avoir son foulard rouge imprégné d'amour qu'elle lui avait commandé. Les gens des alentours, incluant les nouveaux propriétaires de la maison du boulevard des Prairies, se présentèrent au salon funéraire pour offrir leurs condoléances à la famille. Marc, cependant, n'avait pas cru bon d'aviser les deux frères de sa mère qui s'étaient détachés d'elle malgré tout ce qu'elle avait fait pour eux alors qu'ils étaient jeunes. Pour les Drouais, ces deux oncles au loin, chacun de leur côté, étaient des étrangers. Et Nicole Vadnet était bien d'accord à les ignorer elle aussi, en les traitant intérieurement d'ingrats face à celle qui, avec leur mère, les avait élevés.

La cérémonie à l'église fut grandiose et une cantatrice de la paroisse avait chanté l'*Ave Maria* de Schubert, qui avait arraché des larmes à Marc et à ses sœurs. Avant la fin du service religieux, Sophie, qui connaissait les dévotions de sa mère, était allée allumer un gros lampion sous la statue de sainte Anne en lui disant : « Prenez-en bien soin, elle vous aimait tant de son vivant. Et là, face à vous… *Amen.* » Elle avait écourté sa prière intérieure craignant de fondre en pleurs devant les assistants qui la regardaient. Et la dépouille de Francine fut portée en terre entre celle de Jules et de Vincent qu'elle allait protéger de son âme. Enfin tous trois réunis sous le torrent de larmes des membres de la famille qui étaient présents. Et sur le très beau monument gravé des noms de Jules et de Vincent, s'inscrirait prochainement celui de Francine qui était allée les rejoindre pour l'éternité. Son petit-fils, et surtout son cher époux, sans se chamailler dans l'au-delà, sous la surveillance constante de la bonne sainte Anne.

Alors que l'automne se querellait avec la fin de l'été, chacun retourna à ses obligations sociales et familiales. Marc, encore sensible à la perte de sa mère, avait repris le travail, Johanne s'occupait de la maison, les enfants venaient tour à tour leur rendre visite, sauf Luc et sa femme, qui obtenaient davantage du beau-père de celle-ci, qui les gâtait beaucoup, il va sans dire. Petit à petit, on planifiait pour le temps des Fêtes et Marc avait décidé de ne rien préparer pour respecter le deuil qu'il portait de sa mère. Mais Sophie lui fit comprendre que leur mère, d'où elle était, n'aimerait pas les voir sombrer dans la tristesse en un jour aussi rayonnant habituellement. Elle aurait voulu qu'ils continuent à festoyer, à profiter de cette belle réunion familiale, et non à tout laisser tomber à cause de son départ, elle si heureuse avec Jules où elle avait rêvé d'aller depuis longtemps. Ce qui permit à Marc de changer un peu ses plans et d'organiser, comme de coutume, un souper de Noël chez lui avec la stricte parenté. Sans échange de cadeaux cependant, une condition pour honorer la mémoire de sa mère. Il avait pensé inviter Nicole et son compagnon, avec Mariette évidemment, même si les deux sœurs se fréquentaient de moins en moins depuis la mort de Francine. Nicole avait pris peu à peu ses distances afin de laisser Mariette avec ses bénévoles et passer plus de temps avec Burt et sa famille qui l'acceptait entièrement dans leurs rangs. Mais pour prendre Mariette en passant, ils allaient faire un compromis encore une fois. La vieille fille, sans eux, était perdue pour un tel déplacement.

Marc aimait bien ce Burt Wenberg qu'il avait rencontré une ou deux fois. Un homme affable et distingué qui avait également plu à Johanne et aux enfants. Or, la liste d'invités complétée, Marc espérait que tout ce beau monde se réunirait, incluant Renée, son mari, leur fils et leur bru qui viendraient en voiture de Winnipeg se mêler au groupe. Johanne prévoyait deux dindes et douze tourtières, ses mitaines de four déjà prêtes pour sa lourde tâche.

En novembre, néanmoins, le téléphone sonna chez les Drouais. Marc répondit et une dame au bout du fil lui dit :

— Sans doute Marc à qui je parle, non ? Tu ne me connais pas, mais je suis Manon, la femme de Baquet, le frère de ton père. J'suis ta tante par alliance à bien y penser.

— Oui, évidemment. Que puis-je faire pour vous ?

— Écoute, je ne trouve plus ta mère, sa ligne est déconnectée et je n'ai pas d'autres numéros que celui-là dans mon calepin.

— Ma mère est décédée, madame, depuis cet été.

— Oh non ! Je la connaissais pas trop, je l'ai vue une seule fois à mon mariage avec ton père, mais pas longtemps, on avait à peine causé. C'était quand même ma belle-sœur… Mais elle était pas vieille ? De quoi elle est morte ?

— D'une longue maladie, madame, mais comme vous ne la connaissiez pas ou très peu, je préfère vous demander ce qui vous amène.

— Ben, ça va peut-être moins t'intéresser que ta mère, mais mon mari, Baquet, a levé les pattes le mois dernier.

— Mes condoléances, madame, j'avais vaguement entendu parler de lui. C'est Claude, n'est-ce pas ?

— Sur son baptistaire, oui, mais on l'a appelé Baquet toute sa vie. Il avait soixante-dix-sept ans, mais y était gras comme un voleur. Pas seulement gras, gros, y passait dans la porte juste en se mettant de côté ! Ben, fallait s'y attendre, le cœur a flanché. D'un coup sec sur le trottoir en rentrant un dix livres de patates dans une main et une caisse de bière dans l'autre. On l'a ramassé dans les marches, mais c'était trop tard, y avait crevé comme un joual qui a trop forcé. On l'a rentré, on a appelé un docteur, mais y a juste pu constater que Baquet était mort subitement. Son cœur avait pété dans sa graisse !

— Je sympathise beaucoup avec vous, ma femme aussi.

— Ben, t'en fais pas pour moi, je l'ai enterré avec mon vieux père au cimetière du patelin d'où j'viens, mais ça m'a pas coûté une cenne. Pas même pour un cercueil, y était trop gros pour ça, on s'est servi d'une caisse de bananes en bois, pis le fossoyeur, un ami d'enfance encore dans les parages, m'a rien chargé. Pas une maudite cenne ! Y a eu pitié de la pauvre veuve sans argent que j'étais. Mais c'qu'y savait pas ce vieux fou-là, c'est que j'ai hérité des assurances de Baquet. Un beau dix mille piastres qu'on m'a remis, plus ce que le gouvernement rembourse pour l'enterrement. J'vais enfin pouvoir m'offrir un peu de luxe, ça fait des années que j'vis dans marde ! Y travaillait jamais ce gros puant là ! C'est moi qui rapportais en faisant des ménages dans l'boutte. Mais avec lui parti, ses dettes sont enfouies aussi…

— Je m'excuse, mais j'ai un rendez-vous qui m'attend, je ne pourrai pas vous parler plus longtemps, je sympathise avec vous, mais il faut vraiment que je parte, madame… Madame qui ?

— Madame Drouais, c't'affaire ! Une Drouais pareille comme ta mère ! Sauf qu'elle vivait dans l'argent, elle, pis qu'j'étais cassée comme un clou ! À part ça…

— Au risque de vous paraître impoli, il faut vraiment que je vous laisse, mon taxi est arrivé.

— Bon, c'est correct, pis si jamais t'as le goût d'inviter ta tante, je te laisse mon adresse pis mon numéro…

Et, plus délicatement que son père l'aurait fait, Marc raccrocha le récepteur et dit à sa femme :

— Si jamais tu revois ce numéro sur l'afficheur et n'importe quel nom à côté, ne réponds pas, c'est ce que mon père aurait dit à ma mère de son vivant.

Pour le repas du temps des Fêtes, afin de ne pas alourdir le fardeau que chacun portait en son cœur, Johanne avait décidé de le faire le samedi 28 décembre, qui ne serait ni Noël ni le jour de l'An. Un souper entre les deux occasions où l'on pourrait se souhaiter discrètement une nouvelle année remplie de joie et d'amour. Le soir venu, la maison était remplie de parentés et d'un ou deux invités parmi leurs amis, et Marc les reçut avec amabilité. On avait pourtant décidé de ne pas s'échanger de cadeaux, mais Karine et Marie-Ève avaient tenu à offrir à leur mère, à l'insu des autres, une grosse boîte de chocolats *Merci* en guise de gratitude pour tout le mal qu'elle s'était donné à préparer ce qu'il y aurait sur la table en ce jour sans festivités apparentes. En fin d'après-midi, Nicole arriva avec son compagnon, élégamment vêtue de noir avec pendants d'oreilles sertis d'onyx sur métal gris. Les cheveux encore blonds et bouffants, le maquillage impeccable, des souliers en suède noir avec petites boucles de satin sur le dessus, elle semblait prête pour un grand soir même si on lui avait demandé d'arriver modestement vêtue, que Marc allait être en jeans, que tout se déroulerait comme lors d'un samedi intime et familial. Mais Nicole avait dérogé à la règle, trop heureuse d'afficher la toilette que Burt lui avait payée quelques jours avant. Ils étaient passés à la résidence de Mariette afin de l'emmener au souper et cette dernière, en cours de route, avait osé prendre la parole pour leur raconter qu'elle irait l'année suivante en pèlerinage à Lourdes avec les bénévoles. Elle en semblait si heureuse que Burt, sans être catholique, lui avait dit : « Tant mieux pour toi, Mariette. La Vierge va sûrement te bénir et si tu le lui demandes, elle bénira aussi Francine et son mari, maintenant auprès d'elle. »

Il était évident que la tante Mariette allait jurer à côté de l'élégance de sa sœur avec sa petite robe de toile marine, sans aucun bijou, sauf une bague d'argent à l'index de la main droite, un cadeau de Francine lors de l'un de ses anniversaires. Un soupçon de rouge à lèvres très pâle, frisée au fer, ses lunettes sur le nez, la « vieille fille », comme on l'avait surnommée, faisait honneur à ce titre qu'elle portait, avec l'allure qu'elle affichait. Sophie s'amena avec Maxime et sa jeune épouse mexicaine, très désinvoltes tous les trois, et Renée, dans un joli tailleur vert, avait pris un vol du Manitoba avec Philippe, pour être à la table de Marc, ce qui lui fit un énorme plaisir vu la distance. William n'avait pu venir, sa douce Emma, enceinte depuis peu, souffrait de nausées et de maux propres à son état. Luc et sa femme, finalement, se joignirent au groupe puisque c'était le samedi entre les deux festivités de la belle-famille, et Karine et Marie-Ève, fort en beauté toutes les deux, s'étaient occupées à monter la table et à y disposer des chandeliers qu'elles avaient allumés. Marie-Ève avait invité son nouvel ami, ce que Marc avait accepté, et Karine, seule, vivait sans problème son célibat provoqué. Burt Wenger, le protecteur de Nicole, fort en moyens et bien élevé, avait apporté pour Johanne un certificat d'achats du magasin que sa fille opérait. « Pas comme cadeau, avait-il précisé à Marc, mais comme appréciation pour le bon souper qu'elle nous a préparé », avait-il ajouté pour Johanne, quand cette dernière lui reprocha gentiment ce présent. Le seul qui fut offert, cependant. L'ami de Marie-Ève mit toutefois monsieur Wenberg fort à l'aise en offrant à la maîtresse de maison un bouquet de fleurs pour sa table. Pas des poinsettias, des fleurs assorties tout simplement, pour ne pas créer une ambiance de festivités que, pourtant, Francine et Jules auraient aimé voir. La table bien garnie, Johanne retira enfin son tablier pour se joindre à ses invités. La dinde, les tourtières, les pains cuits au four, les salades, les vins rouges et blancs, les desserts, tout fut grandement apprécié et, durant ce distingué repas, personne ne parla des deux « absents », sauf Marc qui chuchota à l'oreille de Johanne en passant près d'elle à la cuisine : « Ah ! Si seulement maman était là… » Mais du haut du ciel, lui soufflant probablement un baiser avec la permission de Sainte-Anne, Francine était sûrement heureuse de dire à Jules : « Regarde, ils sont tous là. Les Drouais et les Vadnet, il ne manque personne » Et Jules, sans doute de lui répondre avec sagesse : « Effectivement, et puissent-ils poursuivre ce cheminement que nous avions si humblement entrepris. Tu t'en souviens, dis ? »

Nicole Vadnet et son compagnon de vie, Burt Wenberg, vécurent des jours heureux durant trois belles années. Amoureuse cette fois, affectueuse, elle prit soin de son mari jusqu'à ce que la vie les sépare lorsque Burt partit à son tour. D'une double pneumonie, avec ses dix ans de moins qu'elle ! Toutefois, la capiteuse veuve, réunie de nouveau avec sa fille Janna et sa conjointe, coula des jours heureux jusqu'à en devenir nonagénaire. En très bonne santé, elle vécut si vieille qu'on en perdit la trace… Mariette, de son côté, n'eut pas cette chance et alla rejoindre sa sœur Francine durant l'année de ses quatre-vingts ans, après avoir effectué son pèlerinage à Lourdes, le plus inoubliable de ses rares déplacements. Karine finit par se caser et se marier avec un conseiller à l'âge de trente-sept ans, sans devenir mère cependant, et Marie-Ève, sur laquelle on misait, était celle qui devait rester célibataire après avoir rompu avec son dernier prétendant. Luc et sa femme eurent deux enfants, deux garçons, ce qui aurait fait de Francine et Jules des arrière-grands-parents. De leur côté, William et Emma héritèrent d'une charmante fille unique qu'on prénomma Fanny, et Maxime et Frida héritèrent de deux garçons eux aussi, dont l'aîné remplacerait sûrement dans le cœur du papa le regretté Vincent de leur folle jeunesse. Renée et Philippe eurent une belle vieillesse dans l'accalmie la plus totale à Winnipeg, qu'ils ne quittèrent jamais, et Sophie, sans personne dans sa vie sauf son fils et ses petits-enfants, termina ses jours seule. Nerveuse et agitée, encore endettée, elle rendit l'âme subitement dans sa soixantième année. Ayant hérité des malaises de son père et de son angine, elle n'eut pas sa force cependant pour résister, comme lui, jusqu'au quatrième âge. Marc et Johanne profitèrent de la retraite de ce dernier et de la quiétude de leur maison, devenue vide et sans bruit depuis le départ tour à tour de leurs filles. Selon la volonté de Dieu, Johanne partit la première, douze ans plus tard, et Marc, inconsolable, fidèle à sa mémoire, ne la remplaça pas dans son cœur comme dans son entourage. Bon grand-père, très près de ses enfants, il ne se remaria jamais et mourut octogénaire. Auparavant, seul héritier de sa mère, Marc avait eu bonne conscience en divisant ce legs avec sa sœur Sophie qui s'en était réjouie, Renée ayant refusé sa part pour mieux combler celle qui, comme de coutume, croulait sous les dettes. De Manon, la veuve, on n'entendit plus jamais parler, réfugiée sans doute dans une campagne inhabitée ou presque, avec l'argent de la prime d'assurance de son défunt Baquet, caché dans sa taie d'oreiller…

Et, peu à peu, les noms de Jules Drouais et de Francine Vadnet s'éteignirent dans l'obscurité du temps pour laisser place, cependant, à d'autres arrière-arrière-petits-enfants qui allaient peut-être, au gré du vent, bourgeonner à travers champs.

f Restez à l'affût des titres à paraître
chez les Éditions Logiques en suivant
Groupe Librex : Facebook.com/groupelibrex

www.editions-logiques.com/

Cet ouvrage a été composé en Times 13/16
et achevé d'imprimer en août 2020 sur les presses
de Marquis imprimeur, Québec, Canada.

Imprimé sur du papier 100% postconsommation,
fabriqué avec un procédé sans chlore et à partir d'énergie biogaz.